Steeds hoger

Lynn Hill

en

Greg Child

Steeds hoger

De fascinerende autobiografie van de beste en
bekendste vrouwelijke klimmer ter wereld

2003 – Forum – Amsterdam

Oorspronkelijke titel: Climbing Free, My Life in the Vertical World
Oorspronkelijke uitgever: W.W. Norton & Company, New York, Londen
Nederlandse vertaling: Jan Smit
Omslagontwerp: Studio M/V, Marlies Visser
Omslagfoto's: John McDonald en Heinz Zak

ISBN 90 225 3434 0

© 2002 Lynn Hill
© 2002 woord vooraf: John Long
© 2003 voor de Nederlandse taal: De Boekerij bv, Amsterdam

*Voor mijn moeder en vader, die ons alle zeven hebben meegeno-
men op zoveel kampeertochten door het hele land en mij een
diepe liefde en een groot respect voor de natuur hebben bijgebracht.*

*En voor mijn zus Kathy, mijn broer Bob en Chuck Bludworth
(1954-1980), die me de wereld van het klimmen leerden kennen.*

Inhoud

Vergelijkingstabel voor de waardering van klimroutes

UIAA*	Frankrijk	V.S.
III	3a, b, c	5.5
IV	4a, b, c	5.6
V +	5a	5.7
		5.8
VI -	5b	5.9
VI	5c	
		5.10 a
VI +		
VII -	6a	5.10 b
		5.10 c
VII	6b	5.10 d
		5.11 a
VII+	6c	5.11 b
VIII-		5.11 c
	7a	5.11 d
VIII		5.12 a
VIII+	7b	5.12 b
IX-		5.12 c
	7c	
IX		5.13 a
IX+		5.13 b
	8a	
X-		5.13 c
X	8b	5.13 d
		5.14 a
X+		
		5.14 b
XI-	8c	
XI		5.14 c
XI+	9a	5.14 d

• UIAA = Union Internationale des Associations d'Alpinisme

Woord vooraf

Ik zag Lynn Hill voor het eerst in 1975, bij Trash Can Rock in het Joshua Tree National Monument. Ze droeg een stoer Grand-Prix-petje, een sportbroekje en een bikinitop, en ze leek niet ouder dan twaalf (ze was toen veertien). Haar oudere broer Bob en de verloofde van haar zus, Chuck, probeerden zonder veel succes een gladde rots te beklimmen en gaven het ten slotte maar op. Een beetje onwillig gaven ze het touw aan Lynn, die in ongeveer vijftien seconden naar boven klom. Op de top aangekomen keek ze rond alsof ze zojuist tot koningin van een exotisch land was gekroond. De jongens leken niet erg onder de indruk van haar woeste enthousiasme, maar ik dacht: *Die meid heeft toekomst.*

Een jaar of drie later probeerden John Bachar (in die tijd een van de beste klimmers ter wereld) en ik – opnieuw in Joshua Tree – een drie meter hoog overhangend rotsblok te bedwingen. Volgens de geruchten was dat een of andere Fransman een week eerder gelukt, maar wij geloofden er niets van omdat we niet eens een begin konden maken. En wie kwam er de hoek om? Lynn Hill. Ze was geen klein meisje meer. Glimlachend klom ze al bij haar eerste poging tegen het rotsblok omhoog. Als er een giraffe dansend op zijn voorpoten voorbij was gekomen had onze verbazing niet groter kunnen zijn. Lynn klom aan de achterkant van het rotsblok weer omlaag en kwam naar ons toe. 'Dat deed pijn aan mijn vingers,' zei ze, zonder iets van aanstellerij. Ik greep de eerste, vlijmscherpe randen vast maar kreeg niet eens mijn voeten van de grond, evenmin als John. Het is me nooit gelukt die rots te bedwingen, hoewel ik het nog dikwijls heb geprobeerd.

Een jaartje later – Lynn was inmiddels mijn vriendinnetje – waagden we ons samen met Richard Harrison aan een nieuwe route bij Red Rocks, een avontuurlijk zandsteengebied ruim dertig kilometer van Las Vegas in Nevada. Lynn was bezig aan de eerste touwlengte en wurmde zich omhoog door een schoorsteen die na ongeveer 18 meter eindigde en haar naar een steile wand rechts van haar dwong. Nadat ze nauwelijks een lichaamslengte langs de wand was gevorderd, brak er een greep af en duikelde ze naar beneden, een val van ongeveer 15 meter, voordat een nut haar val brak en ze ondersteboven in de lucht bleef bungelen, ongeveer drie meter boven de grond.

'Jezus!' riep Richard. 'Alles oké?'

Ik was zo geschrokken dat ik geen woord kon uitbrengen. Dat was zonder enige twijfel de meest spectaculaire salto die ik ooit gezien had. En het was maar op het nippertje goed afgelopen. Nog drie meter en we hadden haar in een lijkzak mee naar huis moeten nemen.

'Niks aan de hand,' antwoordde ze, een beetje geërgerd. Meteen werkte ze zich weer door de schoorsteen omhoog, boog af naar de wand en klom zonder aarzelen verder naar een richel, een meter of tien hoger.

Ik vertel dit allemaal omdat het tekenend is voor een paar van Lynns voornaamste karaktertrekken: plezier, talent zonder kapsones, doorzettingsvermogen in angstige situaties en ongelooflijk veel lef. Die eigenschappen droegen zeker bij aan het succes van die anderhalve meter lange, vijfenveertig kilo wegende wervelwind (en geloof haar niet als ze beweert dat ze langer of zwaarder is), die algauw een van de bekendste namen zou worden binnen de 'mooiste sport ter wereld'.

Lynn Hill kon zich (en kan zich nog altijd, als ze wil) meten met de beste mannelijke klimmers, wat gezien haar postuur een wonder mag heten. Veel klimroutes zijn vooral geschikt voor mannelijke proporties, met brede vuistspleten en steile wanden waar een groot bereik voor nodig is. Lynn reikt tot halverwege mijn borst, maar ik zweer dat ze haar vuist nog in een walnotendop krijgt. Maar zelfs in lastige wanden met grote afstanden tussen de grepen en brede spleten staat ze haar mannetje. God weet hoe. En op routes die passen bij haar eigen postuur, vooral met kleine grepen en veel evenwichtsproblemen, is Lynn ongenaakbaar.

Bijna vanaf het eerste moment dat 'Little Lynnie' zich aanlijnde riep iedereen: 'Wie is die meid in vredesnaam?' De macho's onder ons, ikzelf voorop, hadden het nakijken als Lynn luchtig een route klom die ons een opperhuid en enkele van onze negen levens had gekost. Normaal zouden we als wolven hebben gegromd, in onze mannelijke eer aangetast door een vrouw. Maar Lynn slechtte de barrière tussen de seksen zo effectief dat niemand de stukken nog aan elkaar kon lijmen. Na de eerste schok smolt ons diepgewortelde, onbewuste machismo dan ook weg als sneeuw voor de zon. Mannen boden haar niet alleen hun touw aan omdat ze zo'n leuk ding was – reden genoeg, of je nou vijfentwintig of vijftig bent –, maar ook omdat je elke klim kon volbrengen als je met Lynn was. Wat maakte het uit? Je moest het ijzer smeden als het heet was, en dus probeerde je bij Lynn aan te lijnen. Wij allemaal. Regelmatig. Wie wil nu niet zijn naam verbinden aan een nieuwe route met eeuwigheidswaarde?

Anders dan bij andere sporten worden de prestaties van een klimmer letterlijk in steen gehouwen. Op wat details na, zoals treden en grepen die kunnen afbreken, blijft een route in principe altijd hetzelfde, met een moeilijkheidsgraad die in gezamenlijk overleg is vastgesteld. Het vergelijken van vroegere en huidige routes, en de prestaties onderweg, is vrij eenvoudig. De routes die Lynn volbracht, vaak als eerste, staan nog altijd boven aan ieders 'A'-lijst.

Haar grootste triomfen heeft ze behaald in het 'vrij klimmen' van gruwelijk lastige routes. Vrij klimmen wordt door het grote publiek vaak verward met soloklimmen, of klimmen zonder touw. Bij vrij klimmen mag je in wezen je hele lichaam – handen, voeten, dijen enzovoort – gebruiken om boven te komen. Vrije routes zijn specifieke lijnen langs bepaalde rotswanden, die meestal kenmerkende structuren volgen, zoals spleten, arêtes, treden, grepen en dergelijke. Omdat de zwaarste routes ook voor topklimmers onvoorspelbaar zijn, komen valpartijen regelmatig voor. Daar houdt iedereen rekening mee. Een touw en andere hulpmiddelen dienen uitsluitend voor de veiligheid om die val te breken.

Als die hulpmiddelen worden gebruikt bij het klimmen zelf of als steun om uit te rusten na een val (een veel voorkomende praktijk) is er geen sprake meer van vrij klimmen maar van 'artificieel klimmen', waarbij het materiaal een hulpmiddel vormt tegen de zwaartekracht. Op harde rotswanden, zoals de kale, overhangende *palisades* van El Capitan in Yosemite Valley, zijn er op een gegeven moment geen grepen of treden meer waaraan de vrije klimmer zich kan vasthouden en is artificieel klimmen vaak nog de enige manier om boven te komen. Ervaren teams kost het soms een week om de 900 meter hoge wand te bedwingen, waarbij ze langzaam en zorgvuldig een ladder van haken en andere steunpunten in het steile graniet slaan. Deze twee varianten, vrij klimmen en artificieel klimmen, zijn allebei een kunst op zich. Van Lynn moet worden gezegd dat ze uitblinkt in beide technieken. Maar het is toch vooral in het vrije klimmen, vaak met de hoogste moeilijkheidsgraad, dat Lynn Hill geschiedenis heeft geschreven.

Haar eerste vrije beklimming van 'The Nose' op El Capitan in 1993, de meest begeerde zuivere rotsklim ter wereld, was de eerste ooit en blijft een mijlpaal in een sport waarin de technische lat elke week hoger wordt gelegd. Voor een niet-klimmer is de betekenis van deze prestatie moeilijk te bevatten. De kenners weten hoe goed ze was – en nog altijd is. Maar zelfs voor deskundigen in de meer traditionele, door de media gepropageerde sporten blijft Lynn Hill een merkwaardig fenomeen. Bij mijn weten is ze nooit op één lijn gesteld met de andere grote sportvrouwen van haar tijd. Laat ik volstaan met te zeggen dat ik niet de enige ben die Lynn Hill als de beste vrouwelijke atleet van de jaren tachtig en negentig beschouwt. El Capitan vormt het trotse bewijs voor die bewering.

We weten allemaal dat 'grote' mannen of vrouwen vaak onaangename persoonlijkheden zijn en dat de Napoleons van deze wereld hun roem vaak bereiken over de rug van anderen. We weten ook dat grote prestaties dikwijls terug te voeren zijn op het verlangen naar applaus. Lynn is de uitzondering op beide regels.

Ze is bereid overal te klimmen, en met iedereen, en hecht weinig aan haar status. Aan pretenties heeft ze een broertje dood. Het gevolg is dat veel klimmers van onze tijd Lynn tot hun goede vriendinnen mogen rekenen en de beste herinneringen aan haar hebben.

Moet ik nog meer zeggen over Lynns bescheidenheid en vriendelijkheid? Ik zal het niet proberen. Die twee karaktertrekken zullen in dit heerlijke boek voldoende tot uiting komen. Maar ter afsluiting wil ik toch nog even zeggen waarom Lynns triomfen volgens mij verdergaan dan die van een mens die zich omhoog heeft geklauwd tegen alle rotswanden vanaf Montana tot Madagaskar.

Meesterschap is bewonderenswaardig op elk gebied. Maar als dat meesterschap gepaard gaat met het slechten van barrières tussen de seksen, het bestrijden van oerangst (altijd een factor bij het klimmen), het ontwikkelen van de visie en techniek om aloude dingen op een nieuwe manier te doen, het overwinnen van blessures, geldgebrek en je eigen twijfels en onzekerheden, en dat alles met een toenemende bescheidenheid, dan wordt een simpele klimroute een triomf voor de menselijke geest. De meeste mensen zijn volgers, uit keuze of door karakter. Grootheid daarentegen is bijna altijd een pad dat naar het onbekende en onbeproefde voert. Lynn heeft dat pad op schitterende wijze bewandeld.

Ik ben overal op de wereld geweest en heb het voorrecht genoten om samen te werken met heel bijzondere mensen, beroemd of anoniem. Maar de grootste kleine heldin die ik ken is Lynn Hill. De rest van ons mag slechts haar touw vasthouden.

John Long
Venice, Californië
augustus 2001

Dankbetuiging

Zo'n tien jaar geleden begon ik met het optekenen van anekdotes over mijn leven, maar nu pas, op mijn veertigste, heb ik eindelijk dit boek voltooid. Het verhaal op deze bladzijden geeft zeker geen compleet beeld van de geschiedenis van het klimmen, zelfs geen compleet beeld van mijn eigen leven. Ik wilde slechts de ervaringen opschrijven die de grootste invloed hebben gehad op mijn leven en mijn liefde voor het klimmen. Ik heb het grote geluk gehad dat ik ruim zesentwintig jaar mijn passie voor het klimmen heb kunnen uitleven en deel ben geweest van een breed spectrum van de internationale klimwereld. Omdat ik al in de jaren zeventig met klimmen begon, overbrugde mijn actieve periode de kloof tussen de grote pioniers van de voorafgaande generaties en de klimkampioenen van tegenwoordig. Hoewel ik enorme veranderingen in de sport heb meegemaakt, besef ik dat wij – ongeacht tot welke generatie we behoren of welke stijl van klimmen we beoefenen, van sportklimmen tot steile wanden of expedities naar de hoogste toppen – allemaal verbonden zijn door die hang naar avontuur en de liefde voor een sport in de mooie natuur, samen met onze vrienden.

Ik had dit boek nooit kunnen schrijven zonder de inspanning en stimulans van een heleboel anderen. Ik dank Greg Child, die als vriend en talentvol schrijver dit project tot een realiteit wist te maken. Ik dank ook mijn redacteur, Helen Whybrow, die me de hele weg heeft begeleid, en mijn agent Susan Golomb, die me met haar oprechte belangstelling en aansporingen de motivatie gaf om door te zetten tot het eind.

Natuurlijk gaat mijn grote dank uit naar mijn familie en al mijn vrienden, die jarenlang mijn verhalen over dit boek moesten aanhoren en me onderweg zoveel inspiratie en weloverwogen adviezen hebben gegeven. Het zou te ver voeren om iedereen te bedanken, maar ik noem hier graag de volgende vrienden en collega's: Shaoshana Alexander, John Bachar, Giulia Baciocco, Anna Biller-Collier, Jamie Bludworth, Jim Bridwell, Russ Clune, Ed Connor, Maria Cranor, Pietro Dal Pra, Robyn Erbesfield-Raboutou, Dean Fidelman, Margaret Foster, Brad Fuller, Rolando Garibotti, Mari Gingery, Sallie Greenwood, Linda Gunnerson, Aaron Huey, Steven Kaup, Susan Krawitz, Mike Lechlinski, John Long, Brad Lynch, Roy McClenahan, Jean Milgram, Simon Nadin, Salley Oberlin, Alison Osius, Bob Palais, Russ Raffa, Rick Ridgeway, Mark Robinson, Brooke Sandahl, Isabelle Sandberg, Susan Schwartz, Paul Sibley, Gene en Laura Smith, Antonella Strano, Steve Sutton, Steve Van Meter, Beth Wald, Jean Weiss, Elliot Williams, John en Bridget Winsor, Eva Yablonsky en al mijn sponsors die het me mogelijk hebben gemaakt mijn passie voor het klimmen met anderen te delen.

Ook ben ik veel dank verschuldigd aan al die fotografen die zo ruimhartig hun prachtige opnamen ter beschikking hebben gesteld: John Bachar, Thomas Ballenberger, Chris Bonington, Jim Bridwell, Simon Carter, Greg Child, Greg Epperson, Dean Fidelman, Philippe Fragnol, Tom Frost, Olivier Grünewald, Tilmann Hepp, Bob Hill, Mike Hoover, Michael Kennedy, John McDonald, Chris Noble, Jessica Perrin-Larrabee, Philippe Poulet, Brian Rennie, Rick Ridgeway, Mark Robinson, Charlie Row, Brooke Sandahl, Marco Solaris, Sandy Stewart, Pascal Tournaire, Jorge Urioste, Beth Wald en Heinz Zak.

1

Een

volmaakte

val

Diep weggedoken op het Franse platteland, in een ravijn van kalksteenrotsen met de kleur van zachtblauw fluweel, ligt het dorpje Buoux, een slaperig gehucht van oude, uit grote stenen opgebouwde boerderijen, uitgestrekte wijngaarden en bosjes van knoestige eiken, waar oude mannen en hun geliefde varkens rondzwerven op zoek naar die merkwaardige plaatselijke delicatesse: de truffel. Wat hoger, tegen de rotsen boven het dorp, liggen de door weer en wind geteisterde ruïnes van trappen, aquaducten, kamers en vestingwerken, lang geleden uitgehakt door middeleeuwse berghewoners die een veilig heenkomen zochten tijdens de verschillende godsdienstoorlogen in dit gebied.

17

Het is stil in Buoux, afgezien van het doordringende tsjirpen van de krekels of de regelmatige roep van een klimmer – 'Touw vrij!' – tegen zijn partner op de grond. Want Buoux behoort tot de beroemdste klimplekken van Europa. Het is ook de plaats waar ik bijna het leven liet.

Het was 9 mei 1989 en toen ik het pad op liep naar de rots, een wandeling van een kwartiertje, dacht ik na over mijn leven en hoe goed alles wel ging. Ik was achtentwintig, een Amerikaanse op reis door Frankrijk, en ik verdiende mijn brood als professioneel klimmer. Ik hoefde maar even om te kijken om beneden mijn splinternieuwe auto te zien staan – een compacte metallicblauwe Ford – die ik net bij een klimwedstrijd in het Duitse München had gewonnen.

Het leek vreemd, ongelooflijk en zelfs een beetje schandalig dat ik auto's en geld kon winnen en als ster figureerde in bladen en televisieprogramma's over rotsklimmen, een sport die voor de meeste mensen nog een groot mysterie was. Maar ik had het talent om te winnen, de ene wedstrijd na de andere. Klimcompetities waren een rage in heel Europa en ik voerde de lijst van vrouwelijke klimmers aan. Bij dit soort wedstrijden moesten de deelnemers een kunstmatige rotswand beklimmen, waartegen een lastige route was uitgezet met variabele grepen en treden van kunsthars, die de natuurlijke kenmerken van een echte rotswand simuleerden. De wedstrijden werden gehouden in sporthallen, en de wanden, verlicht door schijnwerpers en opgebouwd uit stalen frames, multiplex en kunststof, hadden de vorm van abstracte kastelen. Ze waren heel anders dan de echte rotsen waarop ik mijn sport had geleerd, maar ik vond de uitdaging van deze competities bijzonder spannend. En dat ik zelfs mijn brood kon verdienen met iets waar ik zoveel plezier aan beleefde leek te mooi om waar te zijn.

Die gedachten gingen door me heen toen ik naar de voet van de rotswand liep met Russ Raffa, met wie ik zeven maanden eerder was getrouwd. Onder aan de grijsblauwe wand legde ik mijn rugzakje op een platform van knoestig verknoopte boomwortels en concentreerde me op de komende klim.

Wie weet hoeveel duizenden keren ik al diezelfde routine had gevolgd: de afzet vanaf de grond, de klim met mijn vingers en tenen langs een route van zo'n dertig meter, met aan het eind een serie stalen ankerpunten waaraan ik mijn touw kon vastmaken voordat mijn partner mij weer laat zakken. Het was een soort tweede natuur voor me, een automatische handeling, zoals fietsen of een auto starten – zo intuïtief dat ik er nauwelijks bij stilstond.

De wand die we wilden beklimmen was de Styx, genoemd naar de rivier in de onderwereld uit de Griekse mythologie die de zielen van de doden moeten oversteken. De route zelf was de Buffet Froid, of 'koud buffet' in het Frans. Alle klimroutes hebben een naam en om een of andere reden hadden de klimmers die deze route voor het eerst hadden geklommen, hem genoemd naar de koude lunch die na een begrafenis wordt geserveerd.

Maar geen van beide namen kwam mij die dag als onheilspellend voor, en waarom zouden ze ook? Het was een koele middag met een strakblauwe hemel, Russ en ik hadden die ochtend heerlijk uitgeslapen en ontbeten in een *auberge* langs de bochtige weg tussen Buoux en Apt, en de Buffet Froid was een eenvoudige klim waarmee we onze spieren konden losmaken. Russ besloot voorop te gaan bij de eerste warming-up van die dag. Hij zou van bovenaf de lijn voor me bevestigen, waarna ik de touwlengte zou naklimmen. Een touwlengte of lengte is het gedeelte van de route tussen de standplaatsen en kan niet langer zijn dan de lengte van een touw. In dit geval was één lengte voldoende om me naar de top van de rots te brengen.

Russ trof voorbereidingen. Hij wikkelde ons vijftig meter lange klimtouw af en legde het in keurige lussen op de grond. Daarna gespte hij zijn klimgordel om zijn middel en maakte het touw eraan vast. Ten slotte strikte hij de veters van zijn klimschoenen en ging op weg. Sierlijk klom hij naar boven door met zijn vingers en tenen het juiste houvast te kiezen in de onregelmatigheden van de rotswand. Onderweg, elke drie tot vijf meter, kwam hij langs een stalen boorhaak die in de rots was geboord.

Het principe van sportklimmen is een veilige route langs een rotswand uit te zetten, zodat de klimmer kan genieten van het atletische samenspel tussen het menselijk lichaam en de steile wand. De boorhaken van de Buffet Froid waren ankerpunten waaraan de klimmers hun touw konden bevestigen als extra veiligheid. Zulke boorhaken zijn niet bedoeld als hulpmiddel bij het klimmen zelf, maar uitsluitend om iemand op te vangen als hij valt. Bij elke boorhaak haalde Russ een setje – een korte lus met een karabiner aan weerskanten – van zijn gordel en bevestigde dat aan de haak. Daarna maakte hij de andere kant van het setje aan het touw vast. Als hij weggleed zou hij niet veel verder dan de boorhaak kunnen vallen voordat het touw hem opving.

Ik stond als zekeraar beneden, met het uiteinde van het touw in mijn handen. Het touw liep door een klein zekeringsapparaatje dat aan mijn gordel zat gehaakt. Als er iets fout ging, zou ik me schrap zetten en zorgde de zekering ervoor dat het touw werd strakgetrokken tegen de laatste boorhaak, zodat Russ bleef bungelen.

Russ had ongeveer tien minuten nodig voor de Buffet Froid. Boven gekomen vond hij een paar sterke stalen ringen, eveneens in de rotswand geboord. Daar veranderde hij het systeem door zichzelf tijdelijk te verankeren, zich los te maken van het touw en het door de ringen te trekken. Daarna lijnde hij zich weer aan, bracht zijn gewicht op het touw – en dus op mij – over en liet ik hem zakken. Terug op de grond maakte hij het touw los en gaf het aan mij.

'Jouw beurt, Lynnie,' zei Russ.

Het touw liep nu vanaf de grond, waar Russ het vasthield via zijn zekeringsapparaat, door de ringen boven aan de wand en dan naar mij. Bij mijn beklimming van de Buffet Froid had ik dus de extra veiligheid van een touw boven me. Theoretisch zou ik maar een klein eindje vallen als er wat misging.

Tijdens Russ' klim waren mijn gedachten afgedwaald naar mijn volgende competitie in het Engelse Leeds. Dat was de allereerste internationale World Cup-wedstrijd, waaraan een groot aantal van de beste klimmers en klimsters zou meedoen. De concurrentie was dus zwaar. Om te winnen zou ik mentaal en fysiek in topconditie moeten zijn. Maar het was slechts een vluchtige gedachte. Ik voelde me heel tevreden en ontspannen, misschien wel té ontspannen.

Eerst trok ik het vingerdikke nylontouw door mijn gordel om een paalsteek te leggen, een knoop die zeelui veel gebruiken omdat hij zo sterk is. Maar in plaats van de knoop af te maken liep ik eerst naar mijn klimschoenen, die zes meter verderop lagen. Toevallig zat er een Japanse vrouw in de buurt, die zich voorbereidde op een route naast de Buffet Froid.

'Hé, vind je het leuk om hier in Buoux te klimmen?' vroeg ik haar terwijl ik mijn veters strikte.

'Ja, ja,' antwoordde het Japanse meisje enthousiast.

Toen ik terugkwam aan de voet van de klim zag ik dat Russ me al gezekerd had. Vaag had ik het gevoel dat ik nog iets moest doen voordat ik naar boven ging. *Moet ik mijn jack uitdoen?*

Vrij klimmen in Frankrijk. (PHILIPPE FRAGNOL)

vroeg ik me af. Maar dit was een warming-up, dus het jack kon geen probleem zijn. Ik zette de gedachte uit mijn hoofd, veegde het zand van mijn schoenzolen en begon te klimmen.

'Oké, ik klim,' zei ik, de simpele woorden die alle klimmers gebruiken om hun partner te waarschuwen dat ze vertrekken.

Maar deze keer zat er een fout in mijn voorbereiding, een slordigheid. Ik had het touw wel door de lus van mijn gordel gestoken, maar omdat ik eerst mijn schoenen was gaan halen en nog even met het Japanse meisje had gepraat, was ik vergeten de knoop te leggen. Het einde van de lijn hing los tegen mijn heup, verborgen onder mijn jack, als een tikkende tijdbom. Niemand, ook ikzelf niet, had mijn fout in de gaten, en dat zou me fataal kunnen worden.

Voor een zelfverzekerde, ervaren klimmer is de Buffet Froid geen grote uitdaging. Op de Franse moeilijkheidsschaal is het een klim van 6b+, op de Amerikaanse schaal een van 5.11: geen niemendalletje, maar goed te doen voor een klimmer die gewend is aan een gemiddelde van 5.13. Voor mij was het een warming-up, te vergelijken met een paar rustige rondjes door een zwembad of een paar kilometer fietsen over vlak terrein.

Ik vond mijn eerste houvast in het kalksteen, twee uitsteek-

21

sels die niet breder waren dan een luciferdoosje. Ik kromde mijn vingers als haken, bracht mijn gewicht op de uitsteeksels over en verdeelde de kracht over mijn bovenlichaam. Daarna zette ik een teen op een gladde tree van de wand en drukte me omhoog met handen en voeten. Toen ik los van de grond was, bracht ik mijn andere arm omhoog en stak mijn hand uit naar een vingergat ter grootte van een druif. Ik haakte een vingertop erin, bracht mijn gewicht erop over en klom verder. Die werkwijze bleef ik herhalen, meter na meter, hoewel elke greep weer anders was. Dat hoort bij de schoonheid van het klimmen: geen twee bewegingen zijn gelijk. Dat geldt voor alle klimroutes, moeilijk of eenvoudig, omdat de rots oneindig veel variaties en mogelijkheden biedt.

Op elk moment van de 22 meter hoge, steile klim van de Buffet Froid had het touw uit mijn gordel kunnen glippen om door de karabiners langs de wand te glijden en in een kluwen op de grond neer te komen.

Zo'n blunder zou heel pijnlijk zijn geweest, maar het was in principe geen ramp om het touw kwijt te raken zolang ik nog klom, omdat de route wel meeviel en de kans op een val niet groot was. Natuurlijk zou ik zijn geschrokken als ik het touw uit mijn gordel had zien glippen, buiten mijn bereik. Alle reden om mijn kennis van het Frans nog eens te oefenen: '*Merde!*' Russ zou iets hebben geroepen als: 'Jezus!', en het Japanse meisje en de andere klimmers tegen de rots zouden soortgelijke kreten hebben geslaakt in een handjevol verschillende talen. Maar vermoedelijk zou ik het probleem hebben opgelost door een meter verder te klimmen, of te dalen, en een van de setjes aan de boorhaken te grijpen. Daar had ik me aan vast kunnen haken om veilig te wachten tot Russ, gezekerd door een andere klimmer, omhoog was geklommen met ons touw.

Maar het touw glipte niet uit mijn gordel en Russ kreeg niet de kans om achter me aan te klimmen om me te redden. Als het zo was gegaan, zou het zo'n half-verwijtende, liefdevolle echtelijke ruzie zijn geworden, eindigend in een lachbui. Ongetwijfeld zouden we het pad af zijn gelopen om een glas wijn te drinken in de auberge in het dal. Je moet het geluk niet tarten als de goden van het noodlot tegen je zijn.

Ik klom verder.

In de vijf minuten die volgden moeten er weer tien gelegenheden zijn geweest om het touw kwijt te raken. Het werd slechts op zijn plaats gehouden door de geringe wrijving in de strakke lus van mijn gordel. Het had los moeten schieten als ik mijn gewicht naar opzij had verplaatst of als Russ eraan had getrokken om de speling in te nemen toen ik hoger kwam.

Ten slotte bereikte ik het einde van de route, ruim 22 meter boven de grond, ongeveer de hoogte van een flatgebouw van zeven verdiepingen. Vlak voor me zag ik de twee stalen ringen met het touw erdoorheen, sterk genoeg om er een auto aan op te hangen. Om veilig af te dalen hoefde ik alleen maar naar achteren te leunen en Russ zou me opvangen. Voorzichtig kon hij het touw dan door zijn zekeringsapparaat laten glijden om met zijn hand de snelheid te bepalen waarmee ik zakte. Als in een soort lift zou ik dan rustig naar de grond afdalen.

Dit was het laatste moment waarop mijn vergissing aan het licht zou kunnen komen voordat het noodlot toesloeg. Toen ik naar Russ riep dat ik de route had volbracht, verwachtte ik dat het touw zich strak zou trekken tegen mijn heup, zodat hij me kon laten zakken. Ik keek omlaag en zag dat Russ met iemand stond te praten, dus greep ik het touw met twee handen om de speling in te nemen. Het volgende moment leunde ik naar achteren, in de verwachting dat het touw me zou opvangen.

Ik plaats daarvan voelde ik de wind langs mijn wang suizen.

Klimmers die die dag op de rots en in het dal waren spraken over een 'bloedstollende kreet' die tegen de rotsen weergalmde. Mijn gil – een onwillekeurige schreeuw van ontzetting – werd zelfs gehoord door Pierre, de burgemeester van Buoux, die in de bibliotheek van zijn huis zat, bijna een kilometer verderop. Toen ze in de richting van het geluid keken, zagen de klimmers langs de aangrenzende routes een gedaante in vrije val door de lucht suizen. Ik beschreef een grote boog. Die val van ruim 22 meter duurde nog geen twee seconden. Dat lijkt snel, maar de aanblik van iemand die neerstort laat een scherpe indruk op het netvlies van de toeschouwers achter, als een fotografisch beeld op een gevoelige plaat.

Parachutisten vertellen weleens over het effect van de 'aanstormende' grond, een sensatie die zo fascinerend is dat sommige onfortuinlijke springers vergeten om aan het koord van hun parachute te trekken. Terwijl ik achterovviel, zwaaide ik wild met mijn armen, in een draaiende beweging, om te voorkomen dat ik op mijn hoofd terecht zou komen. Blijkbaar kwamen er reflexen boven uit mijn tijd als turnster. *Zoek een plek om te lan-*

den, beval een stem in mijn achterhoofd. Ik probeerde koers te zetten naar de bladeren van een boom links van me, terwijl ik Russ snel dichterbij zag komen, met open mond van verbazing en schrik. Het volgende moment voelde ik de klap van de bladeren en de takken.

Het is niet waar dat je tijdens zo'n val je hele leven aan je geestesoog voorbij ziet trekken. Je hebt niet eens de tijd voor één samenhangende gedachte. Maar het overlevingsinstinct verloopt via andere wegen dan het denkproces. Toen ik die boom zag, wist ik meteen dat dit mijn enige kans was. Als het mogelijk is dat ik bewust een plek heb gekozen om neer te komen, moet het die korte, afgeknotte eik zijn geweest. Terwijl ik erop afsuisde, rolde ik mijn lichaam tot een bal. Ik sloeg door de takken heen en mijn linkerbil raakte een netwerk van boomwortels, vlak boven de grond. Door de klap verloor ik het bewustzijn.

Jennifer Cole, een Amerikaanse klimster die in de buurt was, vertelde later dat ik als een rubberen bal een meter omhoogstuiterde toen ik de boom raakte, voordat ik weer met mijn armen begon te zwaaien en voorover het kalkachtige zand in dook.

Het volgende dat ik me herinnerde was een zwaar gebons in mijn hoofd toen ik weer half bij bewustzijn kwam. Ik opende mijn ogen en zag Russ, die het zand van mijn gezicht veegde terwijl hij mijn hoofd in zijn schoot hield.

'Wat is er gebeurd?' vroeg ik.

'Geen idee,' antwoordde Russ.

Zelfs als iemand me toen zou hebben verteld dat ik mijn knoop niet had vastgemaakt en daarom vanaf de top van de wand omlaag was gestort, had ik het misschien niet eens begrepen. Ik was totaal van de kaart en mijn lichaam probeerde zich te herstellen van het onbekende proces van shock en verwondingen. Ik herhaalde mijn vraag.

Er vormde zich een kring van mensen om ons heen en ik hoorde allerlei talen: Engels, Frans, Italiaans, Pools en Japans. Vaag drong het tot me door dat ze overlegden hoe ze me daarvandaan moesten krijgen. Hoewel ik nog steeds half-bewusteloos was, kon ik weer wat beter zien en probeerde ik de schade vast te stellen. Ik had vooral pijn in mijn linkerarm, die in een vreemde hoek lag – gebroken, nam ik aan. Mijn jack was aan de voorkant opengereten en bloed druppelde uit de scheur. Mijn achterwerk deed zeer alsof ik door een auto was aangereden.

'Wat is er gebeurd?' vroeg ik nog maar eens. Niemand gaf antwoord.

24

Inmiddels begreep ik dat ik een grote blunder had gemaakt, en belachelijk genoeg schaamde ik me dood. Ik staarde omhoog naar al die gezichten om me heen. Estelle, de dochter van de burgemeester, stond over me heen gebogen met tranen in haar ogen. Haar donkere steile haar hing als een gordijn boven mijn gezicht. Russ, nog steeds met mijn hoofd op zijn schoot, was asgrauw. Andere klimmers verschenen en verdwenen weer uit mijn blikveld toen ze heen en weer liepen. Ze waren al begonnen met een reddingsoperatie, en ik begreep één ding: ik moest proberen me te ontspannen om al die pijn en verwarring beter te kunnen verwerken.

Ergens laat op de avond kwam ik weer half bij en zag dat er nog meer mensen bij de rots waren gearriveerd: reddingswerkers in feloranje overalls. Ik kreunde toen ze me optilden en in een soort grote metalen mand legden. Daarna hoorde ik het kraken van de touwen en takels waarmee ze me naar de top van de Styx-wand hesen, waar een helikopter klaarstond om me zo snel mogelijk naar een ziekenhuis te brengen. Ik zag handen die de rails van de brancard vasthielden en voelde de bons en de beweging waarmee ik tussen een paar bomen door naar het veldje werd gedragen. Ten slotte hoorde ik het geluid van de rotorbladen en werd ik aan boord getild. Even later raakte ik in een soort trancetoestand door het deinen van de helikopter.

Het volgende dat ik me duidelijk herinner was de eerste hulp van een ziekenhuis in Marseille. Drie vrouwen in witte jassen stonden met hun rug naar me toe en overlegden in het Frans, een taal die ik toen nog niet sprak of verstond. Ik maakte wat geluid en vroeg om iets tegen de ondraaglijke pijn in mijn elleboog. Maar ze leken me niet te horen, totdat ze zich alle drie tegelijk omdraaiden en het geronnen bloed van mijn neus wasten. Daarna maakten ze de duimdiepe snee in mijn borstspier schoon, waar een boomwortel zich naar binnen had geboord. Op het moment dat ik wilde klagen dat het opgedroogde bloed op mijn neus mc helemaal niets kon schelen en dat ze me alleen maar pijn deden, rook ik een chemisch luchtje en voelde ik een geweldige opluchting toen een verdovend middel de pijn verdreef.

Twaalf uur later werd ik wakker uit een droomloze slaap. Ik lag op mijn rug in een ziekenhuisbed. Daglicht drong door de gordijnen voor de ramen. Ik hoorde de geluiden van mensen die over de gang liepen en het gedruis van het Franse verkeer op straat. Stukje bij beetje herinnerde ik me de gebeurtenissen van de vorige dag. Ik wist dat ik vanaf de top van de Styx was neergestort, hoewel ik nog niet begreep wat er fout was gegaan met een systeem dat honderd procent veilig leek. Even later zag ik Russ naar me toe komen uit een hoek van de kamer.

'Goddank, je leeft nog,' zei hij. 'Je hebt ongelooflijk veel geluk gehad. Je kunt je niet voorstellen hoe het voelde om jou opeens door de lucht te zien zeilen vanaf zo'n hoogte. Ik had geen idee wat er was gebeurd, maar ik dacht dat je dood was toen ik je op je rug draaide op de grond. Je was dwars door een kleine boom gevallen en precies tussen twee grote stenen terechtgekomen. Hoe voel je je nu?'

'Alsof ik ben overreden door een vrachtwagen. Wat is er fout gegaan?'

'Ik denk dat je was vergeten je knoop vast te maken.'

Ik voelde me echt achterlijk dat ik zo'n geweldige blunder had gemaakt. Ironisch genoeg had ik eerder die week gezien dat Russ was vergeten zijn gordel goed vast te maken en had ik hem daar twee keer op gewezen. De volgende dag was ik mijn eigen knoop vergeten!

Het kwam allemaal weer boven. Ik herinnerde me de gebeurtenissen voorafgaande aan mijn val, daarna het transport met de helikopter, de verpleegsters in het ziekenhuis en het moment, ergens midden in de nacht, dat ik heel even bij bewustzijn kwam en merkte dat ik in een donkere kamer lag, met mijn arm over de zijkant van het bed en mijn vingers om de rand van een emmer vol water geklemd, die aan mijn pols was bevestigd. Ik had nog maar nauwelijks bedacht hoe raar dat was, toen de dokter die over me heen gebogen stond tegen me zei dat ik die emmer los moest laten. Op dat punt waren mijn spieren klaar voor de volgende manoeuvre. Voordat ik het wist greep de dokter mijn arm en gaf er onverwachts een draaiende ruk aan. Ik voelde een scherpe pijn toen het ellebooggewricht op zijn plaats schoot. Daarna zakte ik weer weg in de vergetelheid van de slaap.

Mijn arm lag nu op een kussen, in een driekwart gipsverband. In mijn andere arm zat een infuuslangetje en ik lag scheef om de pijn in mijn linkerbil wat te verlichten. Hoewel ik dankbaar was dat mijn arm niet was gebroken maar slechts uit de kom geschoten, vroeg ik me wel af hoeveel blijvend letsel ik had opgelopen aan zenuwen of pezen. De kracht in mijn armen was mijn levensbloed. Als ik die verloor, kon ik niet meer klimmen. Door het gaas en het gips om mijn arm ving ik een glimp op van blauw, gezwollen vlees. Ik overwoog om mijn vingers te bewegen, maar mijn hand deed zo'n pijn en voelde zo branderig dat ik het niet durfde.

Toen het waas van de pijnstillers langzaam optrok en ik steeds helderder kon denken, merkte ik ook dat ik door gezwollen spleetjes de wereld in keek. Voorzichtig stapte ik over de rand van het bed, ik ondersteunde het infuus en het gipsverband om mijn arm, en schuifelde naar de wc. Toen ik het licht aandeed en mezelf in de spiegel zag, kreunde ik van ellende. Mijn ogen waren blauwzwart, mijn wangen dik en pafferig, mijn haar dof en slap.

De aanblik van mijn geteisterde gezicht bracht me met een klap in de werkelijkheid terug. Ik mocht van geluk spreken dat ik nog leefde, maar één ding stond vast: ik zou niet kunnen deelnemen aan de historische eerste wedstrijd van de World Cup in mijn sport.

Teleurstelling overmande me. Ik deinsde terug van de spiegel en dat akelige beeld, hinkte terug naar mijn bed en ging weer liggen. Alles was juist zo goed gegaan, tot aan deze blunder! Ik had een redelijke kans op de overwinning in Leeds, want ik klom moeilijkere routes dan enige vrouw ooit had gedaan. Nu zou mijn elleboog misschien nooit meer voldoende herstellen om nog op dat niveau te kunnen klimmen. Mijn leven als professioneel klimmer was misschien voorbij. Ik ben niet iemand die snel huilt, maar mijn ogen werden vochtig toen ik besefte wat ik altijd al geweten had: dat er in dit leven geen garanties bestaan. Juist als alles op rolletjes loopt gebeurt er altijd wel iets vreselijks.

Terwijl ik naar het witte plafond staarde, stelde ik mezelf al die vragen die bij je opkomen als je op het nippertje aan de dood bent ontsnapt. Hoe had ik zo'n val kunnen overleven? Wat betekende dit ongeluk precies? Natuurlijk wierp het vragen op over het noodlot en mijn doel in het leven. Klimmen was mijn hele bestaan geworden, het zat in mijn bloed, maar als mensen me vroegen waarom ik het deed had ik er grote moeite mee om dat uit te leggen. Ik kon me mijn leven niet voorstellen zonder klimmen, maar waar zou die weg toe leiden? Nu ik door een moment van onoplettendheid bijna het leven had verloren, besefte ik dat ik voortaan veel beter zou moeten opletten.

Opeens hing er een vraagteken boven alle facetten van mijn

leven. Het werd tijd voor Lynn om Lynn eens heel goed onder de loep te nemen.

Pas daarna zocht ik mijn toevlucht in een diepe slaap.

2

Het begin

Ik geloof dat alles wat in het leven gebeurt een reden heeft. De gevolgen van mijn slordigheid op de rots die dag waren als een onverwachte klap in mijn gezicht: pijnlijk, maar verhelderend. In de weken na mijn val in Buoux begon ik mijn hachelijke avontuur steeds meer als een ontwaken te zien. Het werd tijd om niet alleen goed na te denken over hoe ik klom, maar ook over hoe ik leefde.

Dat nieuwe bewustzijn begon op de ochtend na die eerste dag in het ziekenhuis in Marseille. Ik werd wakker met een helder hoofd. Verdwenen waren de sombere wolken van teleurstelling die zich boven me hadden samengepakt toen ik de ernst van mijn verwondingen had geconstateerd. Het was alsof ik mezelf in mijn slaap had voorgehouden: *Ik ken mijn lichaam, ik zal die blessures weer te boven komen.*

Ik kon niemand de schuld geven van mijn ongeluk behalve mezelf, en nu moest ik maken dat ik er weer bovenop kwam. De weg naar herstel begon in het ziekenhuis met een serie röntgenfoto's en elektronische tests, die geen hersenletsel of breuken aan het licht brachten, behalve een haarscheurtje in mijn voet.

Maar mijn elleboog was zwaar geforceerd en ontwricht bij mijn val door de takken van de bomen. Hoewel de Franse arts hem weer recht had gezet, waren de banden, de pezen en het kraakbeen van de elleboog ernstig gescheurd en opgerekt. De elleboog is een van de gevoeligste gewrichten in het lichaam en om weer te kunnen klimmen zou ik hard moeten werken om mijn kracht en flexibiliteit terug te krijgen.

En mijn lichaam was niet het enige wat aan revalidatie toe was. Toen ik daar in die kale witte kamer lag, had ik alle tijd om na te denken over mijn leven van de afgelopen jaren. Mijn doel was steeds geweest om zo goed mogelijk te klimmen, en mijn hele wereld draaide om die ambitie. Het gevolg was een leven van reizen, rotsklimmen en trainen. Dat was precies wat ik wilde, maar door zoveel tijd in het klimmen te investeren had ik andere belangrijke zaken naar het tweede plan verwezen. Ik dacht aan de relaties met familie en vrienden die me hadden gemaakt tot wie ik was. En ik begon te beseffen dat ik door mijn fanatieke aandacht voor het klimmen bepaalde onevenwichtigheden in mijn persoonlijke leven nooit onder ogen had gezien. Mijn leven was niet aan me voorbijgeflitst in die twee seconden van mijn val, maar trok wel aan me voorbij in dat Franse ziekenhuisbed.

Ik ben in 1961 geboren in Detroit, Michigan, als de vijfde in een gezin van zeven blauwogige kinderen. Mijn vader, James Alan Hill, en mijn moeder, Suzanne Biddy, kwamen allebei uit kleine katholieke families. Mijn vader stamde af van Europese immigranten die eind negentiende eeuw naar het beloofde land – Amerika – waren gekomen.

In 1895 verhuisde mijn overgrootvader, John Fucentese, naar Michigan vanuit een klein dorp in Zuid-Italië, hij veranderde zijn achternaam in Hill en trouwde met Anna Krauth, een vrouw van Duitse afkomst uit Baden-Baden. Hun zoon Frank werkte voor de verzekeringsmaatschappij Lawyers Title in Detroit en trouwde met een Schots meisje, Ruth Gilchrist. Haar familie bezat steenkoolmijnen in West Virginia, in de buurt van de rotsen van de New River Gorge. Misschien heb ik mijn reislust geërfd van mijn vierennegentigjarige Schotse grootmoeder, een vrouw die over zichzelf zei dat ze geen zitvlees had en die haar huis heeft volgestouwd met souvenirs van al haar wereldreizen.

De kans is overigens net zo groot dat ik mijn avontuurlijke instelling te danken heb aan mijn grootvader van Ierse afkomst, hoewel ik hem zelf nooit heb gekend. Mijn moeder verloor haar vader, Ralph Biddy, al toen ze pas zes maanden oud was. Dat was tijdens de grote crisis, en hij verdiende honderd dollar per week – meer dan veel mensen in een hele maand – met films maken en teksten voor bioscoopjournaals schrijven. Op een dag sloeg het noodlot toe. Ralph vloog in een kleine tweedekker om een nieuwe snelle trein te filmen, de Lincoln Zephyr. Toen de laagvliegende piloot zijn toestel te dicht bij de trein bracht, werden ze meegezogen door het vacuüm achter de snelle locomotief en stortten neer.

Ik kan me maar weinig herinneren van de voorstad van Detroit waar mijn familie zich vestigde, hoewel ik op mijn elfde geschokt was door het verval toen we er met het gezin nog eens een kijkje gingen nemen. Ik was bang dat mijn ouders waren opgegroeid in onbewoonbaar verklaarde woningen tussen allerlei

Het gezin Hill. Met de klok mee, vanaf links: Bob, ikzelf (met poes), Michael, Trish, Kathy, Tom en Jim. (ARCHIEF LYNN HILL)

vormen van criminaliteit, maar blijkbaar was Detroit in hun jeugd heel anders geweest. Pas toen ze daar wegtrokken veranderde het in een decor van straatrellen en werkloosheid door de inzakkende auto-industrie. In 1962 vertrokken wij van Detroit naar Columbus, Ohio, waar mijn vader vliegtuigbouwkunde studeerde aan Ohio State University.

Allebei mijn ouders waren twintig, net een jaar getrouwd, toen ze in 1956 hun eerste kind kregen. Daarna kwam er bijna elk jaar een nieuwe baby, totdat we in 1964 met ons negenen waren. Ik kan me maar bij benadering een voorstelling maken van wat het inhoudt om zoveel kinderen op te voeden. In het jaar dat we uit Detroit naar Ohio verhuisden – ik was nog maar heel klein – stond het hele gezin volgens de familieverhalen rond de ingeladen stationcar om afscheid te nemen van alle vrienden. Toen de auto vertrok, riep iemand: 'Hé, wacht even! Jullie vergeten de baby!' Ze hadden me per ongeluk achtergelaten in de armen van een buurvrouw.

Een paar jaar later verhuisden we naar het zuiden van Californië, waar mijn vader een baan kreeg als ingenieur bij de ruimtevaartdivisie van North American Rockwell. De rest van mijn jeugd woonden we in Fullerton, Orange County. Ons huis stond op een heuvel en aan het einde van de straat konden we helemaal tot aan Anaheim kijken en zagen we 's avonds de hemel oplichten door het vuurwerk boven het magische koninkrijk van Disneyland. Als ik terugdenk aan het landschap van onze Amerikaanse voorstad, zie ik rijen houten huizen met dubbele garages, brede straten, winkelcentra en een paar olieboortorens met stalen armen en raderen die als mechanische monsters zwijgend de olie uit de grond pompten.

We fietsten overal heen. Niet ver van ons huis lag de plaatselijke teerput, een mysterieuze plek voor kinderen, niet ver van de teerputten van Le Brea, de beroemde archeologische vindplaats waar prehistorische dieren zoals dinosaurussen en mastodonten in de teerachtige zwarte modder waren verdwenen en pas in onze tijd weer waren opgegraven. We renden over het zwarte, halfvloeibare oppervlak van de plaatselijke teerput, lieten onze voetafdrukken achter en braken soms zelfs door het vlies heen, tot in de olieachtige drab eronder. Als dat gebeurde gingen we er gillend vandoor, bang om weg te zakken en hetzelfde lot te ondergaan als de mastodonten. Twintig jaar later, toen mijn zus Trish en ik weer eens teruggingen naar onze oude buurt, zagen we dat de velden waar wij het grootste deel van onze jeugd hadden gespeeld nu waren veranderd in nieuwbouwwijken en dat onze teerput werd omgeven door een hoog ijzeren hek met een bord eraan:

GEVAAR

NIET BETREDEN

GIFTIG AFVAL

De teerput, ons speelterrein, waar wij oude fossielen hadden vermoed, bleek in werkelijkheid een vuilstort te zijn waar een plaatselijke oliemaatschappij haar industriële gif had gedumpt.

Maar niet alle velden waren zo gevaarlijk. Op andere plaatsen in de wildernis van onze voorstad bracht ik uren door met forten bouwen en op reptielen jagen. Mijn broer Tom en mijn schoolvriendje Scott lieten me zien hoe je slangen kon vangen die lagen te sluimeren onder oude stukken hout of karton. Thuis hielden we ze als huisdieren in een glazen aquarium – naast alle katten, honden, kippen, schildpadden en hamsters die onze levendige huishouding al deelden. Anders dan de meeste meisjes voelde ik me aangetrokken tot de mooie vormen, kleuren en structuren van de slangen, die ik als vriendelijke dieren zag. Maar als het weer tijd werd voor het maandelijkse ritueel om een muis in de slangenkooi te plaatsen, was ik wel heel droevig bij het primitieve drama van de slang die de arme muis ving en opvrat. Ondanks mijn liefde voor alle dieren besefte ik dat dit offer een natuurlijk onderdeel was van de cyclus van het leven.

Zoals de meeste vaders werkte ook de mijne van negen tot vijf, vijf dagen per week, om zijn snel uitdijende gezin te onderhouden, terwijl mijn moeder het huishouden deed. Ze was mondhygiëniste, maar omdat ze voortdurend zwanger was en ook nog voor de rest van ons moest zorgen, had ze die eerste jaren in Californië geen tijd voor een baan buitenshuis.

Als ruimtevaartingenieur met een groot talent voor het oplossen van problemen werkte mijn vader aan de besturingspanelen van de eerste space-shuttles. Thuis wist hij zich af te sluiten voor de herrie van zijn gezin. Ik weet nog dat ik als meisje van vijf een keer binnenkwam toen hij de krant zat te lezen. Vastberaden sprong ik voor hem op en neer en riep maar steeds: 'Hé, pap!' Maar de krant was als een stenen muur tussen ons in en hoe ik ook tekeerging, hij bleef zich erachter verschuilen en negeerde me. Tijd voor jezelf was schaars in ons gezin en bij het lezen van zijn krantje wilde hij vijf minuten niet worden gestoord. Als kind besefte ik helemaal niet dat hij weleens met rust gelaten wilde worden, want ik wilde juist zijn onverdeelde aandacht. Maar door de grootte van ons gezin had je als kind maar zelden je vader of moeder voor je alleen. Als ik nu terugkijk, besef ik hoe hevig ik naar de aandacht van mijn vader verlangde. Toen hij me vanaf mijn zesde jaar 'Pinda-oortjes' ging noemen, koesterde ik die bijnaam om geen andere reden dan dat híj die verzonnen had.

Het gezin Hill bestond uit een verzameling sterk uiteenlopende persoonlijkheden, maar de pikorde werd toch bepaald door leeftijd. Kathy, Jim en Bob waren de 'grote kinderen', wat vanuit mijn jongere perspectief betekende dat ze 's avonds later mochten opblijven en meer voorrechten hadden dan wij, de 'kleine kinderen': Trish, ikzelf, Tom en Michael. Mijn zus Kathy was de oudste en had daarom het toezicht op de rest. Zelfs buiten het gezin nam ze als vanzelf de leiding, zelfs zo dat ze als meisje van zes al op school een standje kreeg omdat ze andere kinderen vertelde wat ze moesten doen in de klas. Afgezien van haar bazigheid was ze een nuttige en betrouwbare bron van informatie voor me over de problemen van het opgroeien, waarin ze een voorsprong had op ons allemaal. Je kon Kathy vragen wat je maar wilde, ze had altijd een antwoord. Als ze het niet wist, verzon ze wel wat.

Na Kathy kwamen mijn broers Jim en Bob, die allebei dezelfde rode krullen en sproeten als mijn Ierse moeder hadden. Jim was de oudste zoon en maakte goed gebruik van zijn positie van mannelijk overwicht. Als we de tv-cowboyserie *The Roy Rogers and Dale Evans Show* naspeelden, die toen heel populair was, eigende Jim, de krachtigste persoonlijkheid van onze groep, zich altijd de hoofdrol van Roy Rogers toe. Kathy speelde de leuke Dale Evans en Bob, de jongste van de 'grote kinderen', moest zich behelpen met de rol van Cowboy Nothing. Maar dat deed hij altijd heel gemoedelijk. Net als wij allemaal had hij geleerd zich aan te passen aan de overlevingswetten die een groot gezin regeren. Een veel gebruikt gezegde bij ons was: 'Wie slaapt, heeft al verloren.' Als er een bak ijs in de vriezer stond, moest je snel zijn, anders was er niets meer over. Op een dag wilde Bob slim zijn en een ijslollie in zijn la bewaren voor later. Tot zijn teleurstelling bleek de lollie boven op zijn kleren te zijn gesmolten.

Mijn zus Trish was de aanvoerster van de 'kleine kinderen'. Hoewel ze het middelste kind was, wilde ze graag bij de grote kinderen horen. Ik kwam zo ver achteraan dat ik geen andere keus had dan mijn rang als 'klein kind' te accepteren. Trish en ik sliepen onze hele jeugd samen op één kamer. Tot grote ergernis van mijn moeder bleven we nog uren kletsen als het licht uit was, zodat ze een paar keer per avond naar onze deur kwam om streng te fluisteren: 'Stil nou! Ga slapen, jullie!' Om mam te foppen bedachten we een telefoonsysteem van twee papieren bekertjes, verbonden door een touwtje. Zo konden we van bed tot bed met elkaar praten. Misschien kwam het doordat onze karakters elkaar zo goed aanvulden dat we zulke dikke vriendinnen waren. Terwijl Kathy en ik serieuzer en pragmatischer van aard waren, had Trish een veel flirteriger benadering van het leven. Een hartveroverende, meisjesachtige charme was Trish' sterke punt, en daar maakte ze goed gebruik van tegenover babysitters, leraren of iedere jongen die ze maar wilde inpalmen. Op school beschikte Trish over precies de juiste mengeling van charisma en intelligentie om een succes te zijn. Ik was ook geen slechte leerlinge, maar ik voelde me buiten, in de natuur, toch het meest in mijn element.

Ik was vijftien maanden jonger dan Trish. Er bestaat een klassiek familieverhaal over de tijd dat ik ongeveer twee jaar oud was. Mijn tante Gale merkte op dat ik nog niet veel zei. Trish, die toen drie was, antwoordde: 'Ze praat wel, maar niemand luistert ooit.' Het was niet eenvoudig om gehoord te worden in zo'n groot gezin, dus leerde ik me in mijn eigen wereld terug te trekken en de dingen zelf uit te zoeken. Ik hoor nog de woorden van mijn moeder uit die jaren: 'Als je iets gedaan wilt krijgen, moet je het zelf doen.' Ik heb me die filosofie al vroeg eigen gemaakt en heb me er altijd aan gehouden. Blijkbaar probeerde ik als meisje van drie al om mijn eigen veters te strikken. Door aard of omstandigheden, of een beetje van allebei, leerde ik zelfstandig te zijn en mezelf te redden.

In mijn babyboek wordt al vooruitgelopen op mijn latere loopbaan als klimmer. 'Lynn slingert zich als een aap langs het klimrek omhoog,' luidt een citaat. Klimmen was een natuurlijke en aantrekkelijke bezigheid voor me, zo lang als ik me kan herinneren. Toen ik twaalf was had ik een manier gevonden om in de lantaarnpaal voor ons huis te klimmen met de techniek van een kokosnotenplukker. Ik sloeg mijn handen om de vierkante betonnen paal, klemde mijn voeten tegen de tegenoverliggende zijden en werkte me dan acht meter omhoog. Bij het afdalen liet

Mijn ouders, Sue en Jim, op een van onze familie-uitstapjes naar het strand.
(ARCHIEF LYNN HILL)

ik me als een brandweerman langs de ruwe paal zakken. De buurtkinderen waren onder de indruk, maar mijn moeder keek wat verbaasd en bezorgd toe. Ze kon niet vermoeden waar dit toe zou leiden.

Mijn broertjes Tom en Michael kwamen na mij in de gezinshiërarchie. Tom was hyperactief. Al toen hij twee was moest mijn moeder de voordeur vergrendelen omdat Tom een onbedwingbare lust vertoonde om de hele buurt te verkennen. Als een mini-uitbreker wachtte hij tot iedereen sliep, klom dan uit zijn bedje, maakte de deur open en zwierf in het holst van de nacht door de straten. Ooit ontdekte mijn moeder hem 's ochtends om zes uur in het kippenhok in de voortuin van de buren. De hennetjes zaten nerveus te kakelen aan de ene kant, een blote en met kippenstront besmeurde Tom aan de andere. Mijn moeder noemde hem Tom Terrific, naar een tekenfilmserie over een superjongetje met zijn wonderhond, dat altijd in problemen kwam.

Op school kon Tom moeilijk stilzitten en werd hij vaak naar de directeur gestuurd omdat hij lastig was. Ik probeerde zoveel mogelijk op te komen voor 'Yom', zoals ik hem liefkozend noemde (mij noemde hij 'Yinn'). Op een dag, toen ik een jaar of acht was, zag ik dat een zwaargebouwde treiterkop uit de buurt het op Tom voorzien had. Ik wist niet goed wat ik moest doen. Later die avond oefende ik de manier waarop ik hem in de toekomst zou verdedigen. Ik ging op de toilettafel voor de badkamerspiegel zitten, tuitte mijn lippen en klemde mijn kaken op elkaar zoals ik Robert Redford had zien doen in *Butch Cassidy and the Sundance Kid*. Daarbij leerde ik een zinnetje uit mijn hoofd: 'Laat mijn broertje met rust of je krijgt een pak slaag.' Net toen ik dat had gezegd zag ik dat mijn moeder vanuit de gang toekeek. We schoten allebei in de lach.

Michael was de aanbiddelijke benjamin van het gezin. Als kleuter had hij de gewoonte om met zijn hoofd tegen het raampje van de auto te bonken als hij zijn zin niet kreeg. Ik kon me toen nog niet voorstellen hoe Michael zou opgroeien. Maar als klein meisje had ik toch al geen idee hoe het zou zijn om een eigen leven te hebben, buiten ons hechte gezin. Ik zal nooit het moment vergeten dat die gedachte voor het eerst bij me opkwam. We waren met de hele familie gaan kamperen en reden met onze camper door de nacht. Ik was ongeveer negen jaar, Jim was dertien en we waren in een nestje van slaapzakken boven in het stapelbed gekropen, waar Jim een liedje zong dat hij over ons gezin had gemaakt. We waren allemaal het onderwerp van één spottend couplet en mijn getalenteerde broer begeleidde het liedje met muzikale scheten. Ik lachte me ziek. Maar opeens hield hij op met zingen.

'Weet je, op een dag, als we groot zijn, hebben we allemaal een eigen gezin en wonen we niet meer bij elkaar,' zei hij na een bestudeerde stilte.

Tot mijn verdriet begreep ik dat hij gelijk had: dat we ooit naar alle uithoeken van het land zouden uitvliegen en niet langer het dagelijks leven met elkaar zouden delen. Maar op dat moment leek ons gezin nog een onverwoestbare burcht van geluk, helemaal de *Brady Bunch* die elke Amerikaanse familie zo graag wilde zijn. We werden zelfs uitgekozen om voor een Kodak-advertentie te poseren. Toen de fotograaf ons allemaal liet paraderen voor ons huis in de buitenwijken, met onze driewielertjes en speelgoed, waren we één grote blije familie in stralende kleuren. Ik kon toen nog niet weten dat het volmaakte gezin niet bestaat.

Onze gezamenlijke kampeervakanties behoren tot mijn mooiste jeugdherinneringen. Toen ik nog een kleuter was gingen we bijna elk weekend waterskiën op het naburige Lake Elsinore. Daarna werd het zeilen. Eerst kocht mijn vader een kleine sloep, die later werd ingeruild voor een Hobie14. Ten slotte investeerde hij samen met een paar vrienden in een acht meter lange zeilboot. Toen we op dit kleine jacht de veertig kilometer van Newport Harbor naar Catalina Island probeerden af te leggen, werd iedereen zeeziek, behalve pap en ik. Mam was zo verstandig geweest om thuis te blijven. Mijn broers en zussen voelden zich zo beroerd dat we halverwege Catalina maar omkeerden en teruggingen. Dat was onze eerste en laatste zeiltocht met het hele gezin. Daarna vielen we weer terug op lange ritten met de stationcar naar bergen, woestijnen of meren, waar we genoten van de weidse panorama's van het Amerikaanse westen.

Het jaar waarin ik dertien werd reden we een keer vanuit Los Angeles naar het noorden, langs Bakersfield en de rivier de Merced. Toen we de laatste bocht om kwamen, uit de Wawona-tunnel, had ik opeens vol uitzicht op de Yosemite Valley. Het raakte me meer dan enig ander landschap dat ik ooit had gezien. Ik kreeg kippenvel toen ik naar de geaderde wanden van El Capitan keek. Rechts daarvan zag ik nog meer rotsen en een waterval die zich in een grote boog omlaagstortte en trage wolken van nevel opwierp. De Half Dome, een reusachtige, half-cirkelvormige rots, bekroonde het eind van de vallei. Ik wist dat mensen deze rotswanden beklommen – Kathy's nieuwe vriendje Chuck had net een klimcursus gedaan en me alles over Yosemite verteld –, maar ik kon me niet voorstellen hoe iemand zo'n hoge en steile rots als El Capitan zou kunnen bedwingen.

Als ze ons niet meenamen op mooie ritten door de Amerikaanse natuur, verzonnen onze ouders heel verstandig allerlei activiteiten voor ons om al die opgekropte lichamelijke energie kwijt te raken. Omdat mijn vader graag typisch Californische sporten als surfen en toerskiën bedreef, deden wij dat ook. Skateboarden, rolschaatsen, softball, football en zomerkamp waren ook favoriet. Mijn moeder hield het rooster van onze sporten bij en wist iedereen op tijd met de stationcar van de ene training naar de andere te brengen.

Pap bemoeide zich met jongenszaken. Hij was coach van de football- en honkbalteams van Jim en Bob, en begeleider van Michaels Indian Guides Group, een soort scoutbeweging. Een van de dingen waar mam met de meiden aan meedeed was Bluebirds, de vrouwenafdeling van de Indian Guides. Maar in plaats van vuur te maken door twee stokjes tegen elkaar te wrijven, zoals de jongens deden, maakten wij wandkleden en andere 'vrouwelijke' handwerkproducten. Ik was jaloers op de vuurmakers en hun kampeertocht naar Joshua Tree en vroeg me af waarom er geen meisjes mee mochten.

Het duurde jaren voordat ik begreep wat mijn moeder had bedoeld toen ze zei dat ik 'op het ritme van een andere tamboer marcheerde'. Achteraf besef ik dat ik nooit het soort meisje ben geweest dat ongemakkelijke kleren droeg en zich opmaakte. Ik liep liever in jeans. Ik klom liever in bomen en ging slangen of hagedissen vangen in de velden rond ons huis. Dat weinig meisjesachtige gedrag bezorgde me de bijnaam van robbedoes. Ondanks de negatieve klank van dat woord heeft dat me er nooit van weerhouden mijn natuurlijke neigingen te volgen.

Iedereen in de familie Hill deed wat hij zelf wilde buiten het gezin, maar de enige voorkeur die we allemaal gemeen hadden was zwemmen. Toen mijn moeder parttime ging werken als mondhygiëniste zette ze ons allemaal af bij de Los Coyotes Country Club, waar we trainden en wedstrijden zwommen met het plaatselijke team. Eén ding herinner ik me nog goed van die begintijd. Het was de laatste belangrijke wedstrijd van het jaar. Ik was pas zeven, maar ik zwom toch al bij het hogere 'all star'-team. De avond voor de wedstrijd was er een feestje met muziek en dansen op de country club. Mijn coach, op wie ik dol was, pakte me op en danste met me in zijn armen. Toen hij me vroeg om mijn best te doen in de wedstrijd, was ik ongelooflijk gemotiveerd om te winnen. Voor hem. Ik was helemaal verkikkerd op hem.

De ochtend van de wedstrijd, toen we op de startblokken stonden, wachtend op het startschot, voelde ik een bal van energie in mijn maag. Zodra het schot werd gelost dook ik het water in. Het was vijftig meter vrije slag. Ik lag voor, maar op het laatste eind merkte ik dat een concurrente in de baan naast me begon in te lopen. Vast van plan om niet te verliezen concentreerde ik al mijn kracht in één laatste slag naar de finish. Ik raakte met mijn vingertoppen maar nauwelijks de muur aan het eind, maar ik kwam lachend boven, ervan overtuigd dat ik had gewonnen.

Maar de jury had niet gezien dat ik de muur daadwerkelijk had aangeraakt en een paar minuten na de wedstrijd kwam mijn coach vertellen dat ik was gediskwalificeerd. Ik had een hol gevoel van teleurstelling over mezelf. Hoewel ik nog maar een kind was, besefte ik toch dat ik beter mijn eigen ritme had kunnen aanhouden en me niet zo druk had moeten maken om te 'winnen'. Juist dán had ik misschien gewonnen. Dat was een les die ik goed in mijn hoofd prentte: laat je ambitie om te winnen nooit je techniek belemmeren.

Hoewel zwemmen een ideale sport was om als kind een basisconditie mee op te bouwen, was dat baantjes trekken ook wel saai. Gelukkig vond ik snel een andere interesse, die in de plaats kwam van het zwemmen. Toen ik op een dag met mijn moeder naar de YMCA ging om mijn broertje op te halen, zag ik voor het eerst een echte, goed uitgeruste sportzaal. Gefascineerd door die soepele, afgetrainde lichamen die over de brug met ongelijke leggers slingerden of oefeningen deden op de mat, maakte ik spontaan een paar radslagen. Een van de jongens zag me voorbijkomen.

'Heel goed. Kun je ook een arabier?' vroeg hij.

'Wat is dat?'

'Ik zal het je laten zien.'

Hij demonstreerde de beweging. Een arabier is een wat moeilijkere variant van de radslag, waarbij je niet je benen om je lichaam laat cirkelen, als de spaken van een wiel, maar ze in de lucht bij elkaar brengt, zodat je rechtstandig weer eindigt, met je voeten naast elkaar en je gezicht in de richting waarin je begonnen bent. Toen de turner me de beweging had laten zien, bood hij me aan om ook andere technieken te demonstreren. Turnen in die sportzaal leek me leuker dan alles wat ik ooit had gedaan. Terwijl de jongen me nog meer oefeningen liet zien, bleef mijn moeder geduldig in de auto zitten wachten. Het zou de eerste van talloze ritten naar de sportschool zijn, en het begin van mijn levenslange passie voor het spel met de zwaartekracht.

Het turnprogramma van de YMCA was nog maar in een vroeg stadium toen ik erbij kwam. Er zat maar één ander meisje op de groep. Maar in de loop van een paar jaar gaf ons groeiende team demonstraties op plaatselijke scholen, in de pauze van het Angels-honkbalstadion, en namen we deel aan allerlei toernooien in heel zuidelijk Californië. De middagtrainingen gaven me de kans om de mogelijkheden van mijn lichaam te verkennen, maar ook mijn geest en mijn fantasie te oefenen. Voor het eerst begreep ik dat sport niet alleen fysiek is, maar ook tussen de oren zit.

Dat wezenlijke element van de sport drong goed tot me door

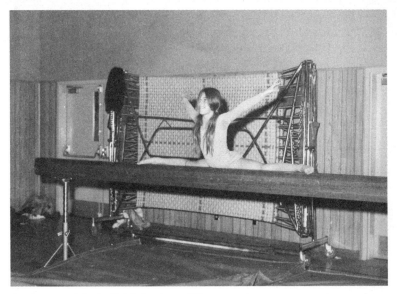

Op de evenwichtsbalk bij de plaatselijke YMCA. (ARCHIEF LYNN HILL)

bij een training toen ik net de mentale barrière had overwonnen om een arabier, een flikflak en een salto achter elkaar te doen, zonder dat mijn trainer klaarstond om me op te vangen als ik een fout maakte. Na afloop zat ik in mijn eentje in de zaal, wachtend op een lift naar huis, en bedacht hoe zelfverzekerd ik me had gevoeld toen ik helemaal zelfstandig die ingewikkelde oefening had gedaan. In een opwelling stond ik op en deed dezelfde serie flikflaks opnieuw.

Op het moment dat mijn benen over mijn hoofd vlogen vroeg ik me af of dit wel zo verstandig was. Als ik me blesseerde, zou er niemand zijn om me te helpen. Opeens verstarde ik, midden in de sprong. Voordat ik het wist lag ik op mijn rug en mijn nek op de mat. Ik had gelukkig niets gebroken, maar die ervaring leerde me dat ik me niet door angst uit mijn concentratie mocht laten halen als ik eenmaal aan de oefening begonnen was. Dat psychologische element van het turnen zou zich in de loop van de jaren ontwikkelen tot een belangrijk onderdeel van mijn klimfilosofie.

Mijn coach, Scott Crouse, had vroeger ook wedstrijden geturnd voor het team van de California State University in Fullerton, en elke week leerde hij me weer wat complexere manoeuvres. Op een dag stelde hij voor dat ik een dubbele flikflak zou

41

doen. Ik had topturnsters zoals Kathy Rigby zulke moeilijke sprongen zien uitvoeren, dus wist ik wel hoe een dubbele flikflak eruitzag, maar ik had geen idee hoe ik die visuele informatie in actie moest omzetten.

'Concentreer je maar op drie eenvoudige stappen: je springt, je rolt je tot een bal en je komt weer neer,' legde Scott uit.

Ik vond het knap ingewikkeld en zag het helemaal niet zitten, maar ik vertrouwde erop dat Scott me wel zou vangen. Bij het oefenen van de dubbele flikflak repeteerde ik elke keer in mijn hoofd hoe die sprong eruitzag en aanvoelde. Ik ontdekte dat ik de hele cyclus kon ontleden in afzonderlijke elementen, als een serie foto's. Deze leermethode, die wel 'segmenteren' wordt genoemd, was een effectieve manier om de onderdelen van de beweging in eenvoudige stappen te doorgronden. Als meisje van elf had ik zo een belangrijk hulpmiddel ontdekt om mijn lichaam te laten doen wat ik in gedachten voor me zag. Later zou blijken dat deze vorm van visueel leren ook rechtstreeks toepasbaar was op het rotsklimmen.

Scott benadrukte ook het belang van de juiste techniek en vorm bij het turnen. Hij hamerde erop dat ik goed op de zorgvuldige uitvoering van elke oefening moest letten en bij het trainen net zo scherp moest zijn als in een wedstrijd. Een van Scotts uitspraken die me nog steeds bijstaat is: 'Als je een verkeerde gewoonte door herhaling versterkt, kun je die heel moeilijk nog veranderen. Verkeerde bewegingen worden net zo in je hersens gegrift als de juiste bewegingen.'

'Houd je benen recht en je tenen gestrekt,' zei hij steeds.

Toen ik op een dag naar Shelly Lewins, een van de beste turnsters van ons district, zat te kijken begreep ik opeens de onderlinge relatie tussen vorm en functie. Shelly bewoog haar armen en benen in volmaakte lineaire of cirkelvormige patronen. Als ze een spreidsprong maakte, wist ze in de lucht een maximale amplitude en een volmaakte symmetrie te bereiken door haar armen en benen precies op het juiste moment te strekken. Als ze van de ene positie in de andere overging, maakten haar armen een vloeiende buiging of juist een explosief gebaar, waardoor ze efficiënte bewegingen aan esthetiek paarde. Zo'n perfectie was inspirerend en een goed doel om naartoe te werken.

Maar als gretige jonge turnster was ik meer geïnteresseerd in het leren van acrobatische manoeuvres dan pietluttige formaliteiten. De snoezige poses, gestileerde handgebaartjes en valse lachjes die ik tijdens een wedstrijd moest laten zien druisten tegen mijn aard in. Ik vond dat veel te gekunsteld en hield er niet van. Ik deed mijn oefeningen met kracht en souplesse, maar ook met een strak gezicht en weinig franje. Daar was de jury niet over te spreken. En toen het turnen steeds strengere regels kreeg, verloor ik mijn motivatie en enthousiasme voor het team.

In die jaren, aan het begin van mijn puberteit, verzette ik me tegen regels. Mijn non-conformistische houding was waarschijnlijk heel normaal voor een recalcitrante tiener, maar misschien werd ik ook beïnvloed door mijn sociaal turbulente omgeving. Een paar jaar eerder was er een eind gekomen aan de oorlog in Vietnam en kinderen van mijn leeftijd hadden nog iets meegekregen van de opstandigheid uit die tijd. Ik begon me te verdiepen in kwesties als emancipatie en rassengelijkheid. In 1973, toen ik twaalf was, had ik genoeg van het wedstrijdturnen en stapte ik uit het team van de YMCA.

Als puber zette ik ook vraagtekens bij het gezag en de traditionele rolverdeling binnen ons eigen gezin. De verdeling van taken in en om het huis tussen de jongens en de meisjes leek niet eerlijk. De jongens hadden maar weinig verplichtingen, behalve de vuilnisbak buiten zetten en het gras maaien, eens per week. Maar afwassen en schoonmaken – een eindeloos terugkerend gezeur – werden aan de meisjes overgelaten. Toen iemand zei: 'Een huisvrouw is nooit klaar', begreep ik ook waarom. En als ik de kranten las of naar de televisie keek, vroeg ik me af waarom vrouwen het grootste deel van het praktische werk opknapten, terwijl mannen de macht en het geld hadden. Het kostte me jaren om in te zien dat vrouwen andere machtsmiddelen hebben als tegenwicht tegen de ongelijkheid in de buitenwereld.

Tegen de tijd dat ik veertien was en naar een middelbare school ging met de optimistische naam Sunny Hills High School, wist ik al dat niet de hele wereld zo was als zuidelijk Californië. Onze voorstad van Hollywood was een toonbeeld van het welvarende, burgerlijke Amerika. Het leek of iedereen om me heen wel een of andere nieuwe trend volgde die ze op televisie hadden gezien, als karikaturen van de filmacteurs een paar kilometer bij ons vandaan. Mijn eigen gevoel voor mode – zo belangrijk om voor vol te worden aangezien binnen het sociale schoolwereldje – was door Trish ooit treffend samengevat: 'Je hebt geen flauw benul.' Het kon me ook niets schelen. Ik had net de wereld van het rotsklimmen ontdekt, een omgeving en een gemeenschap waarmee ik me kon identificeren.

Mijn leven nam een beslissende wending toen ik in die zomer van 1975 achter in de truck van de verloofde van mijn oudste zus sprong en we samen naar een klein klimgebied in het zuiden van Californië reden, bekend als de Big Rock. Voorin zat Kathy met haar langharige vriend Chuck Bludworth. Achterin zaten ik, mijn zus Trish en mijn broer Bob, Chucks klimpartner. Trish en ik hadden nog nooit geklommen en ik wist niet eens hoe klimmers ooit 'dat touw omhoogkregen' – een onschuldige vraag die veel toeristen stellen, zoals ik later merkte. De laadbak van Chucks blauwe Ford pick-uptruck – gekregen van zijn liefhebbende ouders voor zijn zestiende verjaardag – lag vol met vreemde hulpmiddelen, zoals zeshoekige metalen apparaatjes met felgekleurd nylonkoord erdoorheen. Ik had geen idee hoe die dingen je konden helpen bij het beklimmen van een rots. Terwijl de truck zijn weg zocht door de eindeloze aaneenschakeling van winkelcentra, buitenwijken en betonnen snelwegen van Los Angeles, bladerde ik wat in Chucks beduimelde exemplaar van *Basic Rock Craft* door Royal Robbins. Het maakte me niet veel wijzer. Ik zag pagina's vol met onbegrijpelijke tekeningen en foto's van gespierde, ongeschoren kerels die stunts uithaalden aan touwen en ingewikkelde knopen legden. In de tekst las ik onbekende woorden als 'mephaak', 'prusik' en 'karabiner'. Maar Chuck had vaak gezegd dat ik hier wel goed in zou zijn, omdat ik licht was en heel sterk door het turnen.

Nadat we anderhalf uur hadden gereden vanaf ons huis in Orange County naar Riverside en daarna nog een halfuur hadden gelopen over een dorre heuvel, kwamen we bij de voet van een 90 meter hoge witte granietwand, Big Rock, zo steil als een skihelling. De warme lucht bracht de geur van salie en een frisse wind van het nabijgelegen Lake Parris met zich mee. Onder aan de wand gooiden we onze rugzakken neer en keken toe terwijl Chuck systematisch die berg van rammelende spullen sorteerde. Hagedissen schoten langs de rotswand omhoog, heel lichtvoetig met hun kleine klauwtjes over het gladde oppervlak. Met mijn ongetrainde oog kon ik geen enkel houvast ontdekken.

'Als de meiden vast met deze gemakkelijke route beginnen, dan nemen Bob en ik een andere hier vlakbij,' stelde Chuck voor.

Kathy wees naar de route die Chuck voor ons in gedachten had, eentje met de bescheiden naam The Trough, en hielp Trish met de voorbereidingen.

'Oké,' zei Kathy. 'We beginnen met de 'swami'-gordel.'

Kathy (rechts) in haar gebruikelijke controlepositie onder aan de wand, met Gary Cox als zekeraar. (ARCHIEF LYNN HILL)

Het was nog in de tijd voordat de comfortabele, instelbare klimgordels met beenlussen, riemen en gespen populair werden bij klimmers. Ze wikkelde een lang eind duimdik nylonkoord om Trish' middel en sloeg een lus om haar benen. Daarna knoopte ze de einden aan elkaar en bevestigde een klimtouw aan de gordel.

'Het lijkt wel een oude veiligheidsriem die je uit een auto hebt gehaald,' zei ik wantrouwig toen ze klaar was met Trish' knopen.

'Ja, maar als het sterk genoeg is voor een auto, is het zeker sterk genoeg om jou te houden,' antwoordde Kathy vol vertrouwen.

Daarna demonstreerde ze de gevreesde lichaamszekeringmethode. Er waren toen nog geen mechanische zekeringsapparaten die automatisch wrijving op het touw uitoefenen om het tegen te houden bij een val.

'Dit is je remhand,' zei ze, terwijl ze het touw in haar rechterhand nam. 'Als de klimmer valt, vang je hem zo op.' Ze wikkelde het touw stevig om haar bil en heup.

Het zag er onhandig uit, met een grote kans op schaafwonden. Ik fronste bij de gedachte dat ik iemand zou moeten opvangen.

'Laat het touw nooit los met je remhand,' voegde Kathy er plechtig aan toe.

'Hoezo?' vroeg ik.

'Omdat de klimmer dan neerstort. Nu moeten we iemand aanwijzen om de route voor te klimmen,' zei Kathy met een blik op Trish.

Trish en ik trokken Kathy's gezag maar zelden in twijfel, maar ik vond het vreemd dat ze de leiding wilde overdragen aan haar onervaren zusje. Wat Trish en ik nog niet wisten was dat Kathy wel genoeg van klimmen wist, maar doodsbang was voor het kwetsbare gevoel om voorop te klimmen.

Trish liep wat onzeker naar de rotswand toe. Ze droeg klimschoenen die RD's werden genoemd, naar de initialen van de beroemde Franse alpinist René Desmaison, die ze had ontworpen. Aan Trish' voeten leken ze net zo onhandig als kaplaarzen. De harde, zwarte rubberzolen klosten als houten klompen toen ze haar voeten tegen de wand zette. Ik begon te lachen omdat ze zo'n logge indruk maakte.

'Kop dicht!' riep ze tegen me, en zij schoot toen ook in de lach.

'Waar moet ik heen?' vroeg Trish zenuwachtig.

'Zie je die metalen boorhaken uit de rots steken? Die volg je. Onderweg haak je je karabiners eraan vast en haal je je touw door de karabiners,' antwoordde Kathy.

Onze route had een moeilijkheidsgraad van maar 5.4, maar voor een beginner is de eerste klim altijd een mysterie en een beproeving. Trish klom naar de eerste boorhaak, bevestigde een karabiner, volgens de instructies, en ging toen op weg naar de volgende. Ik hoorde dat ze steeds zwaarder begon te hijgen. Haar voeten gleden weg en haar handen zochten onzeker naar houvast.

Tien meter boven de grond, met twee haken ingeklikt, raakte Trish verdwaald doordat ze vanaf de natuurlijke lijn van handgrepen afweek naar een deel van de wand dat haar eenvoudiger leek. Maar zodra ze de gevolgen van haar omweg bemerkte – ze was nu te ver bij de veilige haken vandaan en zou een heel eind vallen als het fout ging – riep ze met een hoog stemmetje: 'En nou?'

'Ga terug naar rechts en maak je vast aan de volgende haak,' instrueerde Kathy.

'Wat zou er gebeuren als ze viel?' vroeg ik hypothetisch aan Kathy, terwijl Trish jammerend en bevend een goed heenkomen zocht.

Rustig legde Kathy me uit hoe je iemand moest zekeren. Als Trish viel, zou ze de afstand vallen tussen het punt waar ze stond en de laatste haak die ze had ingeklikt, en nog eens zo ver als ze die haak passeerde. Daarna zou het touw – dat door de karabiner en de haak liep – haar opvangen, hoewel ze nog een eindje zou doorschieten vanwege de rek in het koord en de onvermijdelijke paar centimeter die het touw nog door Kathy's handen zou glijden. Ik dacht erover na en keek nog eens naar Trish. Ze hing nu elf meter hoog, en zo ver boven haar laatste haak dat ze volgens mij tegen de grond zou slaan voordat het touw haar zou kunnen tegenhouden. Het leek me knap gevaarlijk.

Trish' benen begonnen te trillen.

'Wat doet ze nou?' vroeg ik.

'Ze heeft last van een naaimachinebeen,' antwoordde Kathy cryptisch. Omdat Trish met haar volle gewicht op de randen van haar voeten steunde, veroorzaakte de zenuwspanning van haar spieren een op- en neergaande beweging in haar benen, als bij de naald van een naaimachine.

Trish schoof terug naar de veilige haak. Toen ze de lijn door de karabiner had gehaald, greep ze zich met twee handen vast om uit te hijgen.

'Mag ik nu naar beneden?'

Kathy liet haar zakken. Ik vroeg Trish maar niet hoe de route haar bevallen was. Ze vond het een ramp, zag ik wel toen ze met trillende handen het touw losmaakte. Het zou achttien jaar duren voordat ze weer een poging deed met haar twee jonge zoontjes, in de veilige omgeving van een klimhal in Salt Lake City.

'Oké, Lynn, nu is het jouw beurt,' zei Kathy met haar gebruikelijke gezag. Maar in plaats van The Trough nog eens te proberen besloot Kathy mij de leiding te geven bij een andere klim in de buurt, die nog moeilijker was.

Trish gaf me de RD-klimschoenen. Ze waren me een hele maat te groot en zaten veel te ruim. Kathy hielp me bij de voorbereidingen, gaf me een stel karabiners en stuurde me naar boven. Na een paar klimbewegingen keek ik over mijn schouder naar beneden. Nu begreep ik waarom Trish zo angstig gekeken had. Boven mijn hoofd zag ik de boorhaak, een roestige verankering, nog minstens een meter buiten mijn bereik. Waar was ik in godsnaam aan begonnen? Anders dan bij turnen was er hier geen vanger om me tegen te houden als ik viel. En in plaats van een zachte gymnastiekmat wachtte me hier een harde rotsbodem.

'Houd zoveel mogelijk wrijving tussen je zolen en de rots,' zei Kathy.

Ik zette mijn voeten tegen de wand, haakte mijn vingertoppen stevig achter een paar uitsteeksels en klom weer verder. Mijn voeten bleven op hun plaats, alsof ze tegen de wand zaten gelijmd. Hoe onhandig die RD's er ook uitzagen, de stroeve rubberzolen waren wel heel effectief.

Met een zucht van opluchting kwam ik bij de eerste boorhaak en haakte mijn touw eraan vast. Maar zodra ik een halve meter verder was, joeg de adrenaline door mijn lijf bij de gedachte aan de gevolgen van een val. Met elke stap hoger voelde ik me kwetsbaarder worden naarmate ik verder van de veilige haak vandaan kwam. Maar liever dan omlaag te kijken naar de grond concentreerde ik me op de weg die voor me lag.

'Doorgaan,' mompelde ik bij mezelf toen ik stap voor stap de wand beklom en me vastmaakte aan de ene boorhaak na de andere. Dit proces van hangen en staan, op kleine richels en uitstulpingen van de rots, bleek veel subtieler en onveiliger dan ik me had voorgesteld. Hoe hoger ik kwam, des te meer spierpijn ik kreeg. Toen ik bij het 'ankerpunt' kwam, zoals mijn zus het noemde – het eindpunt van de route, waar ik me kon laten zakken – voelde ik een geweldige opluchting en voldoening.

Terug op de grond zag ik een vrouw naar me toe komen die me stralend toelachte en zei: 'Goed gedaan! Was dat je eerste keer?'

Zonder het te weten was ik aangesproken door Maria Cranor, een van de weinige vrouwelijke topklimmers van dat moment. Later zou ik dikke vriendinnen met haar worden. Vanaf het eerste moment dat ik haar ontmoette was ze een bron van inspiratie en motivatie voor me, zoals voor al haar vrienden en collega's.

Tegen het einde van de dag wist ik dat ik verslaafd was geraakt aan een nieuwe sensatie. Toen we de heuvel afdaalden, terug naar de auto, zag ik hoe de granietwand oranje kleurde in de late middagzon, die alle details, grepen en treden in scherp reliëf zette. Onmiddellijk verbond ik de prachtige vormen en structuren van de wand met mijn verlangen om hem te beklimmen. Vanaf die dag bekeek ik rotsen op een andere manier.

3

Het

eerste

contact

'Hé, Lynnie, wil jij het scherpe eind?' riep Chuck vanaf de rotswand, acht meter boven me, waar hij aan het eind van het klimtouw bungelde. Hij was net gevallen uit het lastigste deel van een route met de naam Trespassers Will Be Violated, in het klimgebied Joshua Tree, ergens in de Mojavewoestijn.

'Het wát?' riep ik terug. Ik had geen idee wat het scherpe eind was.

Chuck liet zijn balkende lach horen. 'Het scherpe eind is mijn kant van het touw, de kant van de voorklimmer. Ik vraag je of je me wilt laten zakken naar jouw plaats. Dan kun jij omhoogko-

Chuck Bludworth (midden), mijn broer Bob en ikzelf, klaar voor een dagje klimmen. (CHARLIE ROW)

men en proberen deze route voor te klimmen. Ik zie geen moge-lijkheid om langs dit gedeelte te klimmen.'

Het was enkele weken nadat Chuck en Kathy me hadden mee-genomen naar Big Rock, waar ik voor het eerst geklommen had. Sindsdien had ik al een paar routes voorgeklommen. Als ik met Chuck en Bob meeging, volgde ik hen aan het veiliger 'stompe' eind van het touw, met Chuck op een standplaats, klaar om me aan de lijn op te vangen als ik wegleed. Maar al snel werd duide-lijk dat ik niet veel moeite had met de klimroutes die we volg-den. Het ging me soms nog makkelijker af dan Chuck, Bob of Kathy.

Ik hield mijn hoofd naar achteren en keek omhoog naar het deel van de route waar Chuck was uitgegleden. Twee keer was hij zijwaarts geklommen vanaf de eerste haak en twee keer had hij last gekregen van een naaimachinebeen. Eén ding had ik al geleerd: als je been op die manier begint te trillen, is het slechts een kwestie van seconden voordat je valt. En inderdaad was Chuck omlaaggetuimeld vanaf de 'crux' of sleutelpassage, het moeilijkste gedeelte van de route, precies op schema na de eerste verschijnselen van een trillend been. Hij dook zes meter schuin omlaag voordat het touw, dat door de karabiner en de haak liep, hem tegenhield. Ik zekerde de andere kant van dat touw en werd door de klap tegen de rots getrokken. Chuck was zeker twintig kilo zwaarder dan ik, dus voelde ik me als een passagier in een auto die van achteren werd aangereden.

'Goed, ik zal het proberen.'

In die tijd wist ik nog maar weinig van het puntensysteem waarmee klimmers de moeilijkheidsgraad van een route aangeven. Het huidige Amerikaanse systeem telt ongeveer vijfentwintig gradaties. De schaal loopt van 5.0 tot 5.15. Net als bij de verschillende banden in de vechtsporten duiden de nummers en letters de relatieve moeilijkheidsgraad aan. In 1976, toen ik het 'scherpe eind' van het touw overnam om een poging te wagen op Trespassers Will Be Prosecuted, lag de hoogste waardering nog bij 5.11. De klim die Chuck mij wilde laten doen scoorde 5.10+ en was niet zo goed gezekerd, met slechts drie haken langs de hele route van bijna 25 meter. Zo'n lastige klim voor een onervaren beginneling was net zoiets als je van een piste voor gevorderden storten terwijl je nog maar een dagje op de ski's staat – volslagen onverantwoord, dus. Maar zelf wist ik nergens van.

Nadat ik Chuck op de grond had laten zakken verruilden we de twee uiteinden van het touw en ging ik op weg over het verticale terrein dat hij al had verkend. Om me heen strekte het surrealistische landschap van Joshua Tree zich uit. De hele woestijn lag bezaaid met duizenden rotsen van 15 tot 60 meter hoog, die zich naar alle kanten uitstrekten, kilometers ver. Afhankelijk van je fantasie leek het op de gevolgen van een meteorietenregen of een parade van reusachtige woestijnschildpadden, omdat elk van die granietrotsen een duidelijke koepelvorm had. Chuck, die geologie had gestudeerd, gaf onze kleine klimmersgroep college over de steensoorten waar we mee worstelden. Deze rots was een granietsoort die kwartsmonzoniet werd genoemd. Het leek me een grofkorrelige steensoort, en toen ik me zijwaarts bewoog naar het punt waar Chuck was gevallen begreep ik meteen waarom hij was gevallen: dit deel van de granietwand bood nauwelijks houvast.

Ik moest me zien te redden met een vlakke rotswand met hooguit wat kristallen ter grootte van druivenpitten. Alleen als ik mijn tenen ergens kon neerzetten en mijn vingertoppen om die kleine, scherpe uitsteeksels kon klemmen zou ik deze traverse kunnen volbrengen. Het vereiste een combinatie van grote vingerkracht, het voetenwerk van een ballerina en een vloeiende balans. Als ik halverwege zou aarzelen en stoppen uit angst dat ik te ver van de haken kwam, zou ik wegglijden, net als Chuck. Hoewel ik praktisch geen klimervaring had, merkte ik toch dat ik de situatie kon analyseren als een abstract probleem. De details van de rots en mijn eigen lichaam waren stukjes van een puzzel. Het doel was de andere traverse te bereiken. Als ik al mijn bewegingen goed aan elkaar paste, zo soepel en efficiënt mogelijk, zou ik dat doel kunnen bereiken. Eén verkeerde beweging en ik zou mijn kracht verliezen en vallen.

'Oké, Chuck, daar gaan we,' zei ik toen ik me afzette.

Terwijl ik me zijwaarts bewoog, als een kreeft langs de waterlijn, besefte ik dat ik nog nooit zo'n moeilijke route had aangedurfd. De noodzaak om elke lichaamshouding te beheersen en mijn gedachten volledig af te sluiten voor de zeer reële angst om te vallen, leverde een interessant resultaat op: het gevoel dat ik me tegelijkertijd bewust was van alles en niets. Alles omdat ik me vijfentwintig jaar later nog steeds de caleidoscoop van kristalpatronen in die rotswand voor de geest kan halen – en niets omdat ik op het moment zelf zo in mijn bewegingsritme opging dat ik geen enkel besef meer had van tijd, zwaartekracht of mijn eigen bestaan. Het enige wat ik hoorde was het geluid van mijn ademhaling.

Ik passeerde het punt waar Chuck was gevallen, schoof nog wat verder langs de korrelige rotswand en zag de volgende haak op een armlengte bij me vandaan. Ik hoefde alleen nog de karabiner te bevestigen, het touw erdoorheen te halen en het was gelukt. Maar mijn lichaam plakte als een soort zeester tegen de wand en als ik maar één hand van de rots losmaakte om een karabiner van de bandslinge om mijn hals te pakken zou ik vallen, daar was ik van overtuigd.

'Rustig blijven, Lynnie. Je kunt het!' hoorde ik Chucks stem van beneden. Hij drong nauwelijks tot me door.

Maar ik was mijn tempo kwijt. De angst speelde op. Ik voelde de bal van mijn voet al trillen: een dreigend naaimachinebeen. Mijn onderarmen zwollen op en deden pijn toen het bloed zich in de aderen verzamelde. Snel moest ik mijn kansen afwegen. Ik zou snel mijn hand kunnen uitsteken en twee vingers door het stalen oog van de boorhaak kunnen steken om zo te blijven hangen. Maar het metaal zou messcherp in mijn vingers snijden, dus dat was uitgesloten. Bovendien druiste het tegen de regels van het klimmen in om aan een haak te gaan hangen; die waren er alleen voor de veiligheid, niet om mijn gewicht te dragen. Als ik die boorhaak greep, zondigde ik tegen de principes van het vrije klimmen. Ik dacht aan een tweede mogelijkheid. Ik moest proberen kalm te blijven en rustig langs de boorhaak te klimmen om een betere plek te vinden om te staan en mijn karabiner rustig aan de boorhaak vast te maken.

Ik haalde een paar keer diep adem en klom weer verder. Ik had goed gegokt. Een seconde later klikte ik de karabiner aan de boorhaak en voelde een geweldige nieuwe energie door me heen stromen. Een paar minuten later bereikte ik de top van de route, bevestigde een ankerpunt en haalde Chuck naar me toe.

'Ongelooflijk, Lynn. Ongelooflijk,' hijgde hij toen hij bij me was.

Die avond verzamelden de plaatselijke klimmers zich met een biertje rond de kampvuren van Joshua Tree en deed het verhaal de ronde over 'het meisje dat de Trespassers had voorgeklommen'. Ik wist het toen niet, maar die route had een geduchte reputatie en had al verscheidene ervaren klimmers het angstzweet doen uitbreken.

Als ik iemand zou moeten aanwijzen als mijn eerste leermeester bij het klimmen, dan is dat mijn partner van die dag in Trespassers Will Be Violated. Chuck Bludworth opende me de ogen voor de wereld van het klimmen en leerde me iets over mijn eigen hart en ziel. Chuck stimuleerde me om naar boven te gaan en mijn best te doen. Hij zat er nooit mee om te worden overtroefd door een beginneling – een jong meisje nog wel.

Chuck en mijn zus Kathy gingen al met elkaar sinds hun tienertijd. Ze waren samen naar het eindexamenbal geweest, ze waren samen aan de klimsport begonnen en ze zouden trouwen in 1977, toen ze respectievelijk tweeëntwintig en eenentwintig waren. Op een foto van hen samen, genomen op het eindexamenbal, zijn ze allebei heel officieel gekleed, mijn zus met een corsage en een baardige Chuck met zijn blonde golvende manen, die bijna net zo lang waren als Kathy's elfenhaar.

Chuck had Kathy en mijn broer Bob wel meegenomen op zijn klimexpedities, maar terwijl zij het gewoon als een leuke weekendsport beschouwden, was het voor Chuck een manier van leven. Klimmen had voor hem een mysterieuze schoonheid. Een rode zonsondergang met de silhouetten van de grillige yuccabladeren en rotskoepels in de schemering, gezien vanaf de top van onze laatste route van die dag, vertegenwoordigde voor Chuck de diepe band tussen hem en het land. Hij zag klimmen als een soort spirituele reis, zoals de visionaire zoektochten waaraan de Amerikaanse indianen zichzelf onderwierpen. Het ritueel van de planning en voorbereiding van een klim, het begin van de reis, de test van je eigen angst en uitputting in een riskante omgeving, dat alles sprak Chuck heel diep aan.

Het waren de jaren zeventig, toen de Brave New World van geestverruiming door het gebruik van allerlei middelen nog hip was en de boeken van Carlos Castaneda een groot publiek hadden. Bijna iedere klimmer had ze wel. *Een aparte werkelijkheid* en *Kennis en macht* beschreven een mystieke reis door de toverwereld van de Yaqui-indianen, compleet met ontmoetingen met geesten die werden opgeroepen met behulp van psychische rituelen en drugs als peyote. Klimmen was een heilig middel waarmee deze fans van Joshua Tree vanuit de tredmolen van het dagelijks leven in de betonjungle van Los Angeles konden ontsnappen naar een ander plan.

Met zijn Merlijn-lokken en zijn voorliefde voor het mystieke speelde Chuck een grote rol in mijn tienerjaren. Op een dag, toen ik met Chuck door een straat liep, kwamen we langs een auto waar niemand in zat. Maar opeens ging de radio aan, als vanzelf. Chuck beweerde meteen dat het door zijn krachtige, magnetische aanwezigheid kwam. Het was half een grapje, maar een deel van Chuck geloofde dat echt.

Nog meer dan door rotsklimmen werd Chuck gegrepen door het alpinisme in het hooggebergte, als de kroon op zijn spirituele zoektocht. Zijn kast stond vol boeken van beroemde bergbeklimmers uit die tijd, zoals Reinhold Messner en Walter Bonatti. Messner sprak met Duitse ernst over het klimmen in de 'zone des doods', een ijzig gebied ergens boven de achtduizend meter. In een van zijn boeken beschreef Messner zijn beproevingen op de Nanga Parbat, een berg in de Himalaya, een van de veertien toppen boven de 8000 meter, waar hij en zijn broer Günther een zware nieuwe route hadden geprobeerd. Bij de afdaling langs de andere kant was Günther in een lawine om het leven gekomen en Reinhold had, eenzaam en verdwaald, dagen van honger en angst moeten doorstaan. Tegen de tijd dat hij door inheemse herders werd gevonden was hij nog maar een schim van een man,

Chuck klimmend in de Sierra Nevada. (BOB HILL)

met zulke ernstige bevriezingsverschijnselen dat zijn tenen moesten worden geamputeerd. Verbazend genoeg keerde Messner een paar jaar later terug naar dezelfde wand waar zijn broer was verpletterd onder tonnen ijs en beklom opnieuw de Nanga Parbat. Alleen. Tijdens deze tocht schreef Messner over geesten, spoken, hallucinaties en de nabijheid van het dodenrijk – gevoelens die voortkwamen uit de combinatie van grote hoogte, lichamelijke ontberingen en zijn eigen bijna-doodervaring.

Dat waren de extreme, avontuurlijke omstandigheden waar Chuck ook naar verlangde. Maar zelf begreep ik maar weinig van zijn fascinatie voor de ijzige hoogte als ik die verhalen hoorde. Al vanaf mijn vroegste jeugd had ik het hooggebergte als een koud, ruig en onbetrouwbaar oord gezien. Ik kon me de naakte schoonheid van die hoge toppen wel voorstellen, maar het had weinig te maken met de vorm van klimsport waarmee ik zelf een steeds grotere band kreeg. Ik voelde me pas echt thuis in het zonovergoten landschap van Joshua Tree, met zijn bruinrood steen, doorspikkeld met cactusgroen. In die speeltuin van een woestijn had ik een gevoel van harmonie met de lijnen en vormen van de natuur.

Aan de andere kant had ik belangstelling voor alle vormen van klimmen en kon Chuck me gemakkelijk overhalen om mee te gaan naar de 'minibergen' van de Sierra Nevada. De Temple Crag is een semi-alpinistische top in de Palisades Range en in de zomer van 1976, toen ik vijftien was, trokken we met rugzakken over de alpenweiden, sliepen 's nachts huiverend in te dunne slaapzakken in een klein tentje en stonden voor dag en dauw weer op om een puinhelling naar de westwand te beklimmen. Ik had nog nooit over sneeuw of ijs geklommen. Toen we op een barrière van harde sneeuw stuitten, tegen een helling van ongeveer vijfenveertig graden, moesten we er treden in schoppen om te voorkomen dat we terug zouden glijden. Bij een echte alpinistentocht zouden de klimmers natuurlijk stijgijzers en waterdichte bergschoenen met stijve zolen dragen, en een pickel bij zich hebben om de sneeuwhelling te bedwingen. Maar Chuck en ik droegen gympen voor de route naar de klim en het enige hulpstuk in onze bagage dat op een pickel leek was een hamer, bedoeld voor het inslaan van mephaken en voorzien van een korte punt tegenover de hamerkop. Het leek meer op tuingereedschap dan op een pickel of ijsbijl, maar Chuck ging voorop en gebruikte zijn hamer om treden in de harde sneeuw te hakken.

Toen we van het sneeuwveld stapten aan de voet van de wand naar de top, bonden ons aan en begonnen aan de klim langs een wand van verbrijzeld alpiengraniet. Eerst wrikte ik mijn heupen in een brede spleet en werkte me omhoog. Wat verderop kwamen we stukken tegen met vierkante blokken zo groot als tv-toestellen, die op richels balanceerden en bij de geringste aanraking over de rand dreigden te storten. Terwijl we steeds hoger kwamen, de ene touwlengte na de andere, en onze nuts legden, vertelde Chuck, de geoloog, waarom de rots op een slecht ingerichte porseleinkast leek.

'Dat komt door de werking van vrieskou en dooi,' verklaarde hij. 'Overdag smelten de sneeuwhellingen boven aan de rots en druipt het water in de spleten tussen de blokken. Als het water 's nachts bevriest, zet het ijs uit en fungeert als een koevoet die de rotsen forceert en openbreekt. Het is een proces van duizenden jaren, maar het betekent wel dat de meeste bergroutes bezaaid liggen met puin.'

'Is het terrein in de Himalaya en de Andes ook zo rommelig als hier?' vroeg ik, omdat ik hem kort daarvoor nog met ontzag over die bergen had horen praten.

'Nog veel erger,' antwoordde hij. 'Hoe hoger de top, des te brokkeliger de rots.'

'Dat doet de deur dicht. Ik ga daar nooit naartoe. Ik hou het bij droge, solide rotsen in de zon,' zei ik.

We kwamen niet tot het hoogste punt van de Temple Crag. Er lag een lange richel tussen ons en de puntige top, die eruitzag alsof een vuilniswagen er een paar ladingen rotsblokken had neergegooid. Ik was niet van plan om over dat levensgevaarlijke puin te klauteren alleen om de top te bereiken. We hadden de route afgelegd – tien lengtes met een moeilijkheidsgraad van 5.9 – en dat vond ik wel voldoende.

Bij het doorbladeren van Chucks bibliotheek van alpinisten-lectuur was één ding goed tot me doorgedrongen: dat de meeste ongelukken met bergbeklimmers zich bij de afdaling voordoen. Toen we aan de andere kant van de Temple Crag afdaalden, werd het terrein steeds steiler, en nog altijd met die griezelig balancerende rotsblokken om ons heen. Op een gegeven moment moesten we het touw uitgooien en zestig meter abseilen. Als het goed gebeurt is abseilen een veilige en eenvoudige methode om een rotswand af te dalen. Je steekt een touw door een metalen apparaatje aan je gordel, dat voldoende frictie veroorzaakt, zodat je je rustig daarlangs kunt laten zakken. Maar doordat de sneeuw begon te smelten in het zonlicht van de Sierra kwamen er overal steentjes los die langs de hellingen omlaagstortten en als kogels langs ons heen floten.

'Het lijkt wel een schiettent,' zei ik geschrokken tegen Chuck.

Hij glimlachte alsof hij het allemaal al eerder had meegemaakt en wenkte me langs het touw naar beneden. Hij stond aan de voet van de wand op een smalle sneeuwbrug over een diepe afgrond. Toen ik hem bijna had bereikt stak hij zijn arm uit en greep mijn hand.

'Wat je ook doet, val niet in die *bergschrund*,' zei hij.

'In de wát?'

'De *bergschrund*. Dat is een Duits woord. *Schrund* betekent "spleet", dus het is een spleet in een berg waaruit de sneeuw is weggesmolten.'

'Waarom gebruik je daar een Duits woord voor?'

'Omdat het alpinisme in Europa is ontstaan.'

We trokken het touw weer terug van de plaats waar we het

hadden bevestigd voor het abseilen en maakten ons op voor de afdaling van de laatste tientallen meters. Op dat punt konden we alleen nog omlaag langs de steile, onbeschutte sneeuwhelling, of door de smalle spleet tussen steen en ijs die de *bergschrund* vormde. Chuck koos voor de sneeuwhelling, met behulp van ons enige hulpstuk, terwijl ik hem van bovenaf moest zekeren zonder ankerpunt. Om te voorkomen dat ik omlaag zou worden getrokken als Chuck viel, ging ik achter een groot blok ijs zitten, met mijn voeten stevig tegen dat natuurlijke steunpunt gedrukt.

Zodra Chuck veilig beneden was, riep hij naar boven: 'Oké, Lynnie, kom maar.'

Omdat Chuck als eerste was afgedaald en onze enige hamer had meegenomen, had ik geen andere keus dan tussen een glibberige ijswand en de natte rots omlaag te klimmen, schrijlings boven een kloof van bijna een meter breed. Beneden me zag ik enkel de duisternis van de ingewanden van de berg.

Mijn handen en voeten raakten verdoofd toen ik me zorgvuldig in evenwicht hield boven die donkere afgrond, met mijn blote handen en de gladde rubberzolen van mijn klimschoenen tegen het ijs aan de ene kant en de rotswand aan de andere. In gedachten zag ik schrikbeelden van een diepe val naar die kille, duistere vergetelheid.

Toen ik beneden kwam, hield Chuck een hand omhoog. 'Kijk uit daar. Ik ben bijna in dat gat gevallen, vlak voor je. Ik had het geluk dat ik een meter lager door een sneeuwbrug werd tegengehouden, maar anders zou ik bijna twintig meter zijn gevallen.'

Ik voelde me wat geruster toen we van de glibberige sneeuw weer op de dikke, turfachtige grond van de bergwei stapten. Op de terugweg over het pad dat door de grillige uitlopers van een dennenbos leidde, keek ik bewonderend naar een prachtig kristal dat ik had gevonden bij de afdaling over het puinveld onder de top. Ik vroeg me af hoe er zo'n volmaakte natuurlijke orde en schoonheid konden bestaan te midden van de willekeurige chaos van dit berggebied. Het kristal leek een symbool van de tweeslachtigheid van de natuur. De heldere, droge lucht van de hoge Sierra en het panorama van wolken en verre toppen was adembenemend, maar de bergen konden ook grimmig en levensgevaarlijk zijn. Hoewel ik blij was dat Chuck me had meegenomen voor deze klimervaring in de bergen, wist ik nu zeker dat rotsklimmen toch mijn grote liefde was. De sensatie om je langs een rotswand omhoog te bewegen, zonder je leven te hoeven wagen in de 'zone des doods', was wat mij werkelijk fascineerde. De bevrediging die ik uit het klimmen putte had niets te maken met een behoefte om de dood te tarten.

Een vorm van klimmen die me bijzonder aansprak was het 'boulderen'. Chuck leerde me de eerste stappen van die techniek: het beklimmen van de rotsblokken (*boulders*) die verspreid liggen door de woestijn van Joshua Tree. Zo ontdekte ik de kern van het vrije klimmen in zijn zuiverste vorm.

Rond de kampeerplaatsen lagen tientallen grote rotsblokken die gelegenheid boden tot een lage, maar vaak ongelooflijk lastige 'miniklim'. Vanwege de geringe hoogte had je er geen touw bij nodig. Hele groepen klimmers zwierven over deze rotsvelden om problemen op te lossen – een klim van twee meter hoog, een experiment met bepaalde technieken en bewegingen, eindigend met een val of een sprong omlaag. Na een korte rustpauze probeerden ze het dan opnieuw, maar nu gewapend met meer informatie over de klim, zodat ze het wat efficiënter konden aanpakken en hun techniek vervolmaken om weer een meter verder te komen. Ik zag overeenkomsten in de choreografie van het boulderen en de bewegingsopbouw die ik bij het turnen had geleerd. Beide sporten werkten zelfs met een 'vanger' die ingreep als het fout ging. Maar terwijl het turnen een vastomlijnde, voorgeschreven gratie had, was klimmen heerlijk vrij en spontaan, met een oneindige variatie aan bewegingen.

Ik zag een keer een foto van John Gill die aan zijn vingertoppen aan een overhangende wand hing en constateerde met verbazing hoe hij zijn gymnastische kwaliteiten naar het klimmen had vertaald. Als ex-wedstrijdklimmer was Gill beroemd om zijn ongelooflijke kracht en techniek en om zijn acrobatische sprongen tegen de rotsen. Gill, een visionaire klimmer die zijn tijd ver vooruit was, had al eind jaren vijftig een aantal lastige problemen van het boulderen opgelost. Hij leverde prestaties die in sommige gevallen nooit of pas vijfentwintig jaar later zijn geëvenaard.

Toen ik me in het boulderen verdiepte ontdekte ik dat ik eigenlijk niets had aan de oplossingen van andere klimmers. Met mijn geringe lengte en mijn eigen specifieke kenmerken klom ik totaal anders dan de mannen om me heen. Om een rotsblok te kunnen beklimmen moest ik eerst zelf alle opties onderzoeken en alle grepen en treden zelf verkennen. Op een dag klom ik snel naar de top van een rots die de Stem Gem heette door met mijn lenige heupen de afstanden te overbruggen. Boven gekomen keek ik omlaag en zag een klimmer die had toegekeken.

'Dat zou ik nooit kunnen,' zei hij hoofdschuddend en toen liep hij verontwaardigd weg.

Ik keek hem na door de woestijn en dacht een tijdje over zijn opmerking na. Het kwam nogal negatief op me over. Hij had me ook kunnen feliciteren met een klim waartoe hij zelf niet in staat was, maar in plaats daarvan deed hij het af als beginnersgeluk. Blijkbaar ging hij ervan uit dat hij als man vanzelfsprekend fysiek superieur moest zijn aan zo'n klein meisje, en het beviel hem helemaal niet dat de 'zwakkere sekse' hem had afgetroefd.

Ik was wel vaker teleurgesteld door de seksistische houding van de maatschappij buiten het klimmerswereldje, maar het ergerde me nog meer om het ook onder klimmers tegen te komen. Misschien had ik daarom het gevoel dat klimmen de eerste werkelijk geëmancipeerde bezigheid was waaraan ik had deelgenomen. Tegenover een steile rotswand was iedereen gelijk, vond ik. De schoonheid van het klimmen is dat je je eigen manier – je eigen choreografie – mag vinden om je aan de rots aan te passen.

Mijn allereerste keer in Joshua Tree, met Kathy, was trouwens een fiasco geworden juist vanwege die stereotiepe rolverdeling. Aansluitend op die eerste dag bij Big Rock had Chuck een eenvoudige klim voor ons uitgekozen (een simpele route, de Southeast Corner op Intersection Rock) en hij was zelf met Bob vertrokken om ergens anders te gaan klimmen. Hij dacht dat Kathy mij wel op sleeptouw zou nemen en zij had niet geprotesteerd. Maar zodra Chuck uit het gezicht verdwenen was, zei Kathy tegen mij dat ík maar de leiding moest nemen, net als de vorige keer. Ze vond het veel te eng om voorop te gaan, het touw vast te haken en de route uit te stippelen. Ik had sterk het gevoel dat Kathy alleen aan het klimmen was begonnen om Chuck een plezier te doen. Het was niet echt haar hobby, maar ze schikte zich erin dat Chuck elk weekend wilde klimmen.

Toen Kathy me de hulpmiddelen voor de Southeast Corner aanreikte, wist ik nauwelijks wat ik ermee moest beginnen. Om mijn hals bungelde een serie van wel twintig apparaatjes, allemaal aan een stuk touw of lijn, bevestigd aan het draagkoord om mijn nek en schouders. Er waren stoppers bij, V-vormige klemblokjes, variërend in dikte van een portemonnee tot een autosleuteltje en bedoeld om in schuin toelopende vingergaten of spleten te steken. Wat onduidelijker waren de hexentrics, zes-

De kortste weg tegen de wand van de Stem Gem in Joshua Tree. (JIM BRIDWELL)

kantige aluminium buisjes, waarvan het grootste zo dik was als een gebalde vuist en die met wat meer precisie in een rotsspleet moesten worden bevestigd. Kathy legde uit hoe de route liep.

'Je klimt eerst langs deze korte wand omhoog naar die pijler daar, waar je een van de klemblokjes in het gat kunt wringen,' zei ze.

'Welk gat?'

'Achter die pijler. Je kunt het hiervandaan niet zien, maar je ontdekt het wel als je er bent.'

Ik begon aan de klim met het gevoel van een leerling-piloot die net aan de vliegcursus is begonnen en onverwachts de stuurknuppel van het vliegtuig in zijn handen krijgt gedrukt. Ik klom een paar meter omhoog tegen een niet zo schuin gedeelte van de rots, maar toen ik omlaagkeek zag ik wel dat ik bij een val op een paar harde stenen terecht zou komen. De adrenaline bezorgde me kramp in mijn maag. Opeens voelde ik me totaal ongeschikt om nog verder te klimmen.

'Hoe gebruik ik deze dingen eigenlijk?' vroeg ik, doelend op de verzameling hulpmiddelen om mijn hals.

'Je wringt ze in een gat waar ze houvast hebben. Dat gaat heel goed, je zult het zien.'

'Maar als ik nou val?'

'Geen idee. Je moet niet vallen, oké?'

Chuck had een soort mantra over het klimmen: 'De voor-klimmer valt nooit.' Die filosofie stamde uit de begintijd van de klimsport, toen er nog geen stoppers of hexentrics waren en je bij een val waarschijnlijk te pletter zou slaan. Ik wist dat Chuck of iedere andere klimmer zo nu en dan weleens viel, dus ik nam aan dat hij bedoelde dat je alleen mocht vallen als je goed gezekerd was.

Ik keek nog eens om me heen en besefte dat dit veel te hoog gegrepen was. Ik wilde graag klimmen, maar niet in een situatie die ik totaal niet kon overzien.

'Dit wordt niks. Ik kom terug,' zei ik.

'Goed dan, kom maar naar beneden.'

Kathy leek opgelucht. Toen ik was afgedaald en op de grond stond, pakte ze vrolijk onze spullen en liep terug naar het kamp. Maar voor mij was het een grote teleurstelling. Ik had me ver-heugd op een actieve klimdag en dacht er nog steeds over na hoe ik de route toch zou kunnen volbrengen. Toen Kathy mijn teleur-gestelde gezicht zag, troostte ze me een beetje.

'Ach, het geeft toch niet? We zeggen gewoon tegen Chuck dat we niet geklommen hebben omdat jij je niet lekker voelde.'

Mijn mond viel open. Hadden we echt een smoes nodig? Kon-den we niet gewoon de waarheid vertellen, dat een van ons geen echte klimmer was en alleen meeging om haar vriendje een ple-zier te doen, terwijl de ander nog te weinig wist om voor te klim-men? Kathy ging ervan uit dat Chuck het jammer zou vinden dat we de route niet hadden volbracht en ze wilde hem niet teleur-stellen. Dat vrouwelijke excuus... 'ze voelde zich niet lekker, nou ja, meer hoef ik je niet uit te leggen'... was alleen maar een verhaaltje om Chuck te verzoenen.

Ik heb dat wel vaker meegemaakt, ook tussen onze ouders. Toen we een weekend gingen surfen bij Huntingdon Beach had-den mijn vader en moeder ruzie over iets onbenulligs. Mam maakte er een eind aan door snel te zeggen: 'Goed, Jim, je hebt gelijk.' Voor haar was het minder belangrijk of ze gelijk had of niet. Ze wilde vooral de lieve vrede bewaren, ook als ze daarvoor moest inbinden tegenover haar man. Met die houding had ik een groot probleem. Hoorden vrouwen zich écht zo te gedragen?

Verder was het een mooie, zorgeloze tijd. Ik deed aan wedstrijd-turnen in het schoolteam, dus was ik doordeweeks bezig met trainen en studeren, terwijl ik in het weekend en in de vakanties ging klimmen. Er ging geen dag voorbij dat ik niet aan klimmen dacht. Als ik 's avonds in bed lag zag ik mezelf in de toekomst al de hoge wanden van Yosemite, Joshua Tree of Tahquitz Rock beklimmen en kreeg ik klamme handen van opwinding.

Toen, in de herfst van 1976, werd het stevige fundament van ons gezin, dat ik altijd vanzelfsprekend had gevonden, opeens aan stukken geslagen. Ik hoorde voor het eerst over die dreigende catastrofe toen ik op een keer na het avondeten met mijn broer Jim naast het stenen pad voor ons huis zat. Ik wist nog van niets toen Jim plotseling zei: 'Mam en pap hebben ernstige huwelijks-problemen.'

'Wat bedoel je?'

'Pap heeft een vriendin.'

'Hoe weet je dat?'

'Omdat hij het me heeft verteld.'

Ik was verbijsterd. Ik had geen flauw vermoeden dat er iets fout zat in de relatie tussen mijn ouders. Ze leken me juist het ideale stel. Ze deden al twintig jaar alles samen. Ze waren nog betrekkelijk jong, fysiek en geestelijk actief, met leuke vrienden in de buurt. Ze maakten een gelukkige indruk. En als ze mis-schien eens ruzie hadden, merkte ik daar toch weinig van. Later, als volwassene, begreep ik wel hoe zulke dingen konden gaan, maar op dat moment was het nieuws een zware klap voor me.

Jim vertelde me dat pap de 'grote kinderen' een voor een mee uit eten had genomen om het uit te leggen. Als oudste zoon had Jim meer over de situatie te horen gekregen dan de anderen. Maar in plaats van begrip te tonen voor zijn vader had hij juist heel ver-ontwaardigd gereageerd. Wij, de 'kleine kinderen', kregen het verhaal van de ouderen te horen.

'Wie is het?' vroeg ik, opeens even nieuwsgierig als geschokt.

Ik hoorde dat de nieuwe liefde van mijn vader half zo oud was als hij, in Texas woonde en in een bar werkte. Ze hadden elkaar leren kennen toen pap in Houston was voor zaken. Uit losse opmerkingen van Jim en mijn oudere broers en zussen kon ik me een globaal beeld vormen. Ze had een zuidelijk accent, ze stu-deerde architectuur en Frans en ze had een stralende lach.

'Hoe denk je dat mam eronder is?' wilde ik weten.

'Ze is erg van streek en kwaad op hem,' antwoordde Jim. 'Maar het belangrijkste vindt ze dat hij er goed over nadenkt en geen onbezonnen dingen doet.'

In de weken die volgden heerste er een ongemakkelijke spanning in het gezin van de Hills. Pap was wel thuis, maar trok zich erg in zichzelf terug. Wij deden allemaal ons best om gewoon door te gaan met ons leven, maar niemand durfde het probleem rechtstreeks aan te snijden met onze ouders. Zelf deden ze ook weinig mededelingen over een mogelijke scheiding. Wat ik ervan te horen kreeg drong niet echt tot me door. We hielden allemaal de hoop dat pap van mening zou veranderen en toch bij ons zou blijven.

Mam gedroeg zich stoïcijns, hoewel ze zichtbaar magerder werd. Op een avond, toen mijn moeder en ik bij het aanrecht de vuile borden opstapelden na het avondeten, zag ik dat ze met een afwezige blik naar de afwas staarde. Opeens begon ze te huilen.

'Vind jij het niet erg wat er gebeurt?' vroeg ze, terwijl ze haar ogen droogde.

Ja, ik vond het vreselijk, maar ik kon er weinig aan veranderen. Het was een zaak tussen volwassenen en ik was nog maar een puber. Ik wist niets anders te zeggen of te doen dan mijn moeder te omhelzen en zelf ook te huilen. Ik had onzettend met haar te doen. Ze moest een heel nieuw leven beginnen als alleenstaande moeder met nog vier schoolgaande kinderen. Het leek een nachtmerrie en ik hoopte dat we allemaal snel weer wakker zouden worden.

Toen kwam de donkere kerst van 1976, het laatste kerstfeest dat mijn vader met ons doorbracht. Niemand had verwacht dat hij met de kerst bij ons zou zijn, maar het werd december en voordat we het wisten stond er een kerstboom in onze kamer, als een onwelkome gast. We deden wel mee aan het ritueel van kaartjes en cadeautjes, maar niemand had er plezier in. Het contrast tussen wat we voelden en deden doofde alle vreugde in de kamer. Het viel niet meer te ontkennen. Ons gezin was voorgoed veranderd.

Niet veel later was pap vertrokken.

Voor mij was het een verwarrende tijd met veel verdriet en onzekerheid. Het klimmersbestaan dat ik had ontdekt begon langzamerhand de plaats in te nemen van het gezinsleven dat onder mijn handen uit elkaar viel. Er was maar één manier om de ontwrichting van ons gezin onder ogen te zien: als een bewijs dat niets in dit leven blijvend is. Mijn weekendtochtjes naar Joshua

Tree waren mijn reddingsboei en klimmen was mijn therapie. Nog altijd is klimmen een van de weinige dingen waar ik van kan genieten zelfs als ik me terneergeslagen voel.

4

Joshua Tree

De kliek van vaste klimmers die de routes in Joshua Tree uitzette vormde een hechte gemeenschap die buitenstaanders, zoals Chuck en onze groep, nogal sceptisch bekeek. Hoewel Chuck respect had voor hun superieure klimtechniek, vond hij hen ook wel erg arrogant. Bob en hij noemden de goede klimmers de *Haughties* (omdat ze zo hooghartig waren). Dat klonk bijna als de *Hotties*, en *hot* (getalenteerd) waren ze zeker.

De oorsprong van die naam lag bij een ontmoeting met een plaatselijke Haughtie in Joshua Tree, een van de besten van het stel, een gespierde blonde adonis die John Bachar heette. Bachar had een groot talent voor moeilijke klimroutes zonder touw – een tak van onze sport die 'soloklimmen' wordt genoemd. Het was ongelooflijk spannend om een klimmer heel zorgvuldig maar ook heel zelfverzekerd zonder touw te zien klimmen. Tegenwoordig zou ik zeggen dat de risico's bij soloklimmen te groot zijn. Het vluchtige gevoel van persoonlijke voldoening dat je eraan beleeft weegt niet op tegen de gevaren van een dodelijke val of gebroken ledematen als het fout gaat. Maar Bachar was de maestro van het soloklimmen en zette nooit een voet verkeerd.

Nadat we hadden toegekeken hoe Bachar de Left Ski Track had beklommen, een route met een moeilijkheidsgraad van 5.11, wachtten Chuck, Bob en ik totdat hij weer beneden stond na een eenvoudige afdaling. 'Dat was *hot*!' riep Chuck bewonderend uit.

Bachar keurde ons nauwelijks een blik waardig, slenterde weg tussen de rotsblokken en bouwde Chuck nog even na: 'Ja hoor. Erg *hot*!'

Vandaar de bijnaam 'Haughties'.

Zonder het te weten gaf ik de Haughties op een dag een mooie demonstratie in een route die de EBGB's heette. Dat is een dubbele woordspeling. Als je bang bent, heb je de '*heebie-jeebies*'. Maar het sloeg ook op CBGB's, een bekende nachtclub in New York. Chuck had die route al eens geprobeerd, maar hij was niet voorbij het eerste obstakel gekomen, dus had hij de leiding overgedragen aan mij. Toen ik van start ging, begreep ik wat meer van Chucks oude wijsheid dat 'de voorklimmer nooit valt'. De EBGB's bestond uit lange, lastige stukken tussen de haken. Ik wist niet dat een groepje Haughties van een afstand toekeek om te zien of kleine Lynnie een smak zou maken.

Ik begon vrij sterk en wist al snel het obstakel te overwinnen waar Chuck niet voorbijgekomen was. Het was voor mij wat gemakkelijker met mijn kleine, lenige postuur. Het ging om een 'mantelbeweging', die je het best kunt uitleggen middels een beeld: stel je voor welke bewegingen je lichaam zou moeten maken als je op de schoorsteenmantel boven de haard in een huiskamer moest klimmen en moest blijven staan. Bij de EBGB's wist ik me tot borsthoogte op te trekken aan een rotsrichel, vervolgens mijn handen en ellebogen te draaien en me op te drukken tot ik beide armen recht en 'geblokkeerd' had. Vervolgens zwaaide ik mijn voet tot op heuphoogte naast mijn handen en stond op. Op dat punt begreep ik ook dat er geen weg terug meer was.

Om verder te kunnen klimmen moest ik piepkleine uitsteeksels met mijn vingertoppen grijpen, het ene na het andere, vijftien meter aan één stuk. *Crimping*, zoals dit klimmen met grote belasting van de vingers heet, veroorzaakt het pijnlijke 'pompen': een opbouw van vermoeidheid in de onderarmen. Hoe verder ik klom, des te sterker het gevoel dat ik achterwaarts omlaag zou storten. Ik werd alleen nog voortgedreven door de kick van de adrenaline. Toen ik de top van de route in het oog kreeg, dacht ik: *aha, nog even.* Ik wilde een hoge stap zetten naar een ondiepe, hellende tree in de rots, maar op het moment dat ik mijn gewicht verplaatste gleed mijn voet weg en sloeg ik achterover. Tien meter lager werd ik stuiterend opgevangen door het touw en bleef ondersteboven aan mijn gordel hangen. Verdoofd maar ongedeerd hees ik mezelf weer recht en liet me zakken. Het zou nog een paar jaar duren voordat ik de moed kon opbrengen die route nog eens te proberen, maar de show die ik voor de Haughties had gegeven leverde me wel een uitnodiging op.

Niet lang daarna kregen we 's ochtends bezoek van een van de aardigste Haughties. Hij heette John Long, maar zijn bijnaam Lar-

John Long aan de Pinch Grip Overhang in Horsetooth Reservoir, Colorado.
(MICHAEL KENNEDY)

go (Spaans voor 'groot') sloeg op zijn postuur. Hij had het lichaam van een bodybuilder. Largo kwam uit Claremont, Californië, en was bezig zijn eigen vorm van krachtklimmen te perfectioneren. Daarbij overbrugde hij lastige gedeelten van de klim door zich met de geweldige kracht van zijn armen omhoog te slingeren. Maar wat hem vooral van de anderen onderscheidde waren zijn grote mond en de manier waarop hij 's avonds bij het kampvuur alle aandacht opeiste met zijn grappen en onwaarschijnlijk sterke verhalen. Hij schreef ook gedichten, die hij met een luide bariton declameerde.

John was op weg geweest om met zijn vrienden te gaan klimmen toen hij me in het kamp zag en had gezegd: 'Wacht even. Laten we vragen of dat meisje ook mee wil.'

Hij draafde naar ons kamp en viel met de deur in huis: 'We willen vandaag een nieuwe route proberen, de Equinox. Zin om mee te gaan?'

Hoewel ik niet precies wist waar ik aan begon aarzelde ik geen seconde. Dit was de kans om een hele dag door te brengen met

Billy Westbay, Jim Bridwell en John Long na de eerste beklimming op één dag van de Nose. (ARCHIEF JIM BRIDWELL)

69

een groep klimmers die op dat moment tot de besten van het land behoorden.

Na die eerste dag klimmen met John Long op de Equinox werd ik toegelaten tot een groep van grappenmakers, excentriekelingen en wijzen, die ik tot dan toe alleen had gekend als de arrogante Haughties. Die dag kreeg ik van John ook een bijnaam, 'Little Herc', omdat hij vond dat ik zo sterk leek als Hercules. Wat begon als een kleine groep vrienden groeide al snel uit tot een gemeenschap van mensen uit alle lagen van de bevolking. Er waren veel studenten bij op allerlei terreinen als astrofysica, wiskunde en archeologie. De groep telde ook een groot aantal werkloze zwervers en zelfs half-criminele randfiguren, maar het grootste deel had gewoon een baan, variërend van timmerman, bouwvakker of winkelier tot arts, advocaat, wetenschapper of acteur. Wat ze gemeen hadden was hun passie voor het klimmen.

De leider van de Haughties was Largo, met zijn luidruchtige maar vriendelijke alomtegenwoordigheid en zijn ongelooflijke kracht, die hij met gewichttraining op peil hield. Largo had kort daarvoor deelgenomen aan een van de belangrijkste gebeurtenissen van de Amerikaanse klimgeschiedenis, de eerste beklimming op één dag van de Nose tegen El Capitan in Yosemite Valley. Normaal hadden klimmers een paar dagen nodig voor deze ruim 900 meter lange route, maar toen Largo, Jim Bridwell en Billy Westbay die zomer van 1975 een team vormden en de route wisten te voltooien in de recordtijd van vijftien uur, verpletterden ze alle voorgaande sportieve prestaties op die rots.

Largo was ook een van de oprichters van de officieuze klimfamilie die bekendstond als de Stonemasters, een los collectief van ongelooflijk fitte, vermetele en getalenteerde Californiërs, die in de jaren zeventig toonaangevend waren binnen de klimsport. De naam zegt het al: ze waren meester over de steen, maar ook dikwijls stoned. Het was een elitair genootschap dat geen lidmaatschapsgeld, geen handvest en geen geheime handdruk kende. Wel was er een ritueel vereist om tot deze exclusieve mannenclub te worden toegelaten. Je kon pas tot de Stonemasters toetreden als je een van de eerste tien routes van Valhalla had geklommen, een bijzonder riskante en angstige route op de granietwand van Suicide Rocks in de San Jacinto Mountains boven Idyllwild. Deze route, voor het eerst geklommen door Bud 'Ivan' Couch, had zo'n epische reputatie onder de jonge klimmers uit die tijd dat de voltooiing van die klim een toelatingsrite was geworden, vergelijk-

baar met de dag waarop een jonge indiaan zijn eerste buffel neer-
legt.

Jaren later hoorde ik het verhaal hoe Maria Cranor on-sight
aan Valhalla begon nadat haar partners Kevin Powell, Tim
Powell en Darrel Hensel niet in staat waren gebleken de beklimming te leiden. (Een on-sight beklimming is een indrukwekkende prestatie omdat de klimmer de route aflegt zonder te vallen en
zonder de bewegingen ooit eerder te hebben gezien of geoefend.)
Ondertussen hadden Mari Gingery en John Long de top van de
Insomnia Crack bereikt en keken ze toe hoe ze de eerste twee
lengtes aflegde. Toen Maria bij de standplaats voor de laatste
lengte kwam en zei dat ze terug wilde, riep John tegen haar: 'Nee,
ga door!' Dus klom Maria verder. Zo was ze niet alleen de eerste
vrouw die de route volbracht, maar ook nog on-sight, en dat al in
1978!

Bijna iedereen in de klimsport had een bijnaam. Russ Walling
werd Fish genoemd omdat hij als geintje een soort epileptische
aanvallen voorwendde tegenover toeristen. Dat leverde hem
medeleven en geld op. Als mensen van hem schrokken en hun
picknick achterlieten, hield hij er in elk geval wat boterhammen
aan over. Bullwinkle, oftewel Dean Fidelman, was en is nog altijd
fotograaf. Twintig jaar lang heeft Dean veel klassieke momenten
op de rotsen vastgelegd in zwart-wit.

Dave Neilson, Too Tall (bijna een meter negentig lang) kon
gemakkelijk bij treden en grepen waar de meesten van ons alleen
met een sprong konden komen. Tobin Sorenson had geen bijnaam, maar wel persoonlijkheid. Hij was bescheiden, maar verenigde als klimmer een vreemde mengeling van talent en onhan-
digheid, atletisch vermogen en roekeloosheid, brutaliteit en
geloof. Hij was heel beleefd en erg verlegen tegenover vrouwen.
Waar de meeste klimmers 'O, shit!' riepen als ze vielen, hield
Tobin het netjes op: 'O, biscuit!' Hij viel regelmatig, en diep,
omdat hij zijn eigen grenzen en die van de klimsport steeds verder verlegde. Zijn onbevreesdheid leek gedeeltelijk voort te
komen uit zijn godsdienstige achtergrond. Nadat hij een paar
maanden uit het klimwereldje was verdwenen, kwam hij terug
met het verhaal dat hij bijbels naar het communistische Bulgarije
had gesmokkeld. Later, toen hij zich op het alpinisme had
gestort, zag ik in een tijdschrift een foto van een grijnzende Tobin
tegen de gevaarlijke noordwand van de Eiger in Zwitserland. Op
zijn helm had hij geschreven ONE WAY, met een pijl omhoog.

Overdag klommen we, 's avonds was het feest. Het netwerk van ravijnen en rotsen rond Joshua Tree vormde een ideale natuurlijke speelplaats voor après-klimactiviteiten. Klimmen bij maanlicht was een van onze favoriete bezigheden. Op die nachtelijke tochten zwierven we door de woestijn naar een gemakkelijke rots, waarbij we stekelige cactussen en yucca's moesten ontwijken in het donker. Lenig als wasbeertjes klommen we dan in het maanlicht omhoog en weer terug. In donkerder nachten keken we naar vallende sterren en lichtpuntjes in de verte – waarschijnlijk militaire missies vanaf de mariniersbasis Twenty-Nine Palms. Joshua Tree ademde ook de sfeer van die mysterieuze plek Area 51, waar volgens de boulevardbladen en sensationele tv-programma's dertig jaar eerder een buitenaards ruimteschip zou zijn neergestort. Een streng geheim laboratorium zou nu bezig zijn een replica van die vliegende schotel te bouwen en te proberen hem te besturen. Dit soort fantastische verhalen sprak ons erg aan en dus zagen we in elk onbekend lichtpuntje een ruimteschip dat ons kwam halen voor het ultieme avontuur. Totdat onze blik naar de pulserende lichtkoepel van Los Angeles, vlak onder de horizon, gleed en we weer met beide benen op de grond terugkwamen.

Een van mijn meest opvallende nieuwe vrienden was John Yablonsky, bijgenaamd Yabo. Hij was twintig jaar, ooit van huis en school weggelopen en nu een bewoner van Joshua Tree in de winter en Yosemite Valley in de zomer. Eigenlijk bestond zijn leven uit niets anders dan klimmen, maar daar was hij dan ook erg goed in. Hij had maar zelden een baantje, hij waste zich sporadisch en zat altijd op zwart zaad. Met zijn warrige donkerblonde haar deed Yabo denken aan de Artful Dodger uit Charles Dickens' *Oliver Twist*. Behalve Yabo had hij nog andere bijnamen, zoals Yabarian. Hij was een eenling die vaak grapte dat hij lid was van een eenmansstam, de Yabaho Tribe. Hoewel ik wat zenuwachtig werd als hij zijn nerveuze, hoge, kakelende lach liet horen en op een leeg blikje begon te hameren om het rituele bongoritme van de Yabaho Tribe te demonstreren, had ik toch met Yabo te doen.

Op een avond werd er om vijf dollar gewed of het Yabo zou lukken in het maanlicht een naakte soloklim te volbrengen langs een route die bekendstond als de North Overhang. De route had een moeilijkheidsgraad van 5.9 en bij het lastigste gedeelte moest je door een spleet omhoogklimmen die een bijna horizontaal overhangend dak doorsneed. Yabo was weer eens blut en dat kleine bedragje was hem zeer welkom. Zonder aarzelen kleedde hij zich uit en ging op weg, alleen gekleed in klimschoenen, een rugtasje en een wollen muts. De toeschouwers op de grond moedigden hem aan en schenen met hun zaklantaarns op zijn blote witte billen toen hij zich als een aap door het dak slingerde. Toen het hem was gelukt daalde hij aan de andere kant van de overhangende wand weer af. Beneden gekomen zag hij dat zijn kleren door een van zijn vrienden waren weggehaald en verstopt. Lachend keken we toe hoe hij een paar minuten spiernaakt door de koude woestijn zwierf, tot hij ten slotte zijn hand onder een rotsblok stak en een andere broek, sokken en een trui tevoorschijn haalde.

'Ik ben wel gek, maar niet achterlijk,' zei hij, met het kakelende lachje dat ik in de jaren daarna zo goed zou leren kennen. Yabo had wel verwacht dat zijn gemene vriendjes hem een streek zouden leveren en zijn kleren zouden stelen, dus had hij een extra stel meegenomen.

Vaak luisterden we bij het kampvuur naar Largo's stoere verhalen. Terwijl de vlammen onze schaduwen over Volkswagenbusjes en roestige rammelbakken wierpen, vertelde Largo over geweldige belevenissen die half-waar en half-verzonnen waren. Hij was een geboren verteller, zonder een spoor van verlegenheid, en met zijn negentig kilo zware gestalte paradeerde hij langs de rand van de lichtcirkel alsof het een podium was en hijzelf de grote ster. Het meest spectaculaire verhaal dat ik me herinner ging over een angstige ervaring die hij een keer had meegemaakt op een soloklim in Joshua Tree, waarbij hij John Bachar probeerde bij te houden. Largo was een uitstekende klimmer, maar hij had groot ontzag voor Bachars talent als solist.

'Bachar heeft nooit problemen, met welke route dan ook,' verklaarde hij. 'Hij beheerst de hele rotswand met zijn gratie en zekerheid. Hij maakt nooit een misstap, verliest nooit de controle.'

Bachar en een paar anderen wedijverden op het hoogste plan en klommen de ene route na de andere, soms wel met een moeilijkheidsgraad van 5.12. De nog onbekende klimsport drong zelfs tot de media door toen *Newsweek* in het begin van de jaren tachtig een artikel wijdde aan Bachars tochten zonder touw.

Het was voorjaarsvakantie, vertelde Largo, toen hij naar Joshua Tree was gegaan. Daar trof hij Bachar, die hem meteen uit-

John Bachar klimt
zonder touw tegen
Leave It To Beaver
(5.12). (ARCHIEF JOHN
BACHAR)

daagde om te gaan soloklimmen. Als gastheer gaf hij Largo de
keus: een dag El Cap of een Half Dome-dag. El Cap is 900 meter
hoog, een klimtocht van ongeveer dertig lengtes. De Half Dome
heeft een hoogte van 600 meter of twintig lengtes. Maar bij soloklimmen worden geen touwen gebruikt. Largo koos wijselijk
voor de Half Dome-dag.

'In een oogwenk had Bachar zijn schoenen aangetrokken en
gingen we op weg,' vertelde Largo zijn toehoorders rond het
kampvuur. 'Onberispelijk klom hij omhoog. Daarna was het
mijn beurt. Ik was bloednerveus en stond te trillen alsof er jak-
halzen over mijn rug renden.'

Hun werkwijze was om een lastige route te klimmen tegen
een rots van zo'n 50 meter hoog en dan af te dalen via een andere,
gemakkelijke weg. Op die manier hadden ze na drie uur ruim tien
routes afgelegd.

74

'We voelden ons onoverwinnelijk,' verklaarde Largo. 'Dus besloten we van 5.9 naar 5.10 te gaan. Toen werd het dus écht moeilijk. Het ging nu langzamer, maar in het begin van de middag hadden we toch onze twintig lengtes geklommen. De Half Dome was geschiedenis.'

Maar het het was nog licht en Bachar stelde een soloklim voor met een moeilijkheidsgraad van 5.11 – zelfs voor hem een hele opgave. Met open mond en diep onder de indruk luisterde ik naar Largo's verhaal.

Hij beschreef hoe Bachar hem had meegenomen naar Intersection Rock, de wand waar Chuck, Bob en ik hadden gezien hoe Bachar zonder touw Left Ski Track had volbracht. Tientallen klimmers uit de hele wereld 'stonden als aan de grond genageld' toen ze Bachar omhoog zagen gaan voor zijn soloklim.

'Hij bewoog zich met foutloze precisie, vond met zijn vingertoppen de ondiepe grepen in de wand, die een hellingshoek heeft van honderdvijf graden. Ik keek scherp naar al zijn bewegingen en probeerde de ingewikkelde volgorde te onthouden. Op 15 meter hoogte, recht onder de overhang, hield hij halt. Hij zette zijn linkervoet op het schuine stuk, greep zich aan een heel klein puntje vast en hees zich toen naar een stevige greep boven de overhang. Daarna klom hij de laatste verticale 30 meter als een kind dat een trap op loopt. Vanaf de top liet hij dat sluwe, voldane lachje van hem horen.'

Largo vertelde hoe hij Bachar was gevolgd.

'Het eerste stuk ging vrij snel, helemaal volgens plan. Het was zwaar, maar het lukte. Daarna bereikte ik de doodskistzone,' zei hij.

Die sinistere term had Largo zelf bedacht – zoiets als de 'zone des doods' uit Messners verhalen over de Himalaya. Wat Largo ermee bedoelde was het moment waarop je tijdens een soloklim de grens van 15 meter hoogte passeerde. Als je daarna viel, kon je waarschijnlijk in een doodskist vertrekken.

Iedereen rond het kampvuur hing nu aan Largo's lippen. Met veel dramatiek beschreef hij in levendige details hoe hij een aantal fouten maakte terwijl hij al hoog in de doodskistzone was.

'Man, ik kwam net niet bij die reddende greep net boven mij en ik voelde mijn krachten snel afnemen. Mijn voet begon te trillen, de wanhoop sloeg toe en ik vroeg me af wanneer ik te pletter zou storten. Teruggaan was niet mogelijk, net zomin als een hordeloper achteruit zou kunnen springen over zijn parcours. De enige uitweg was naar boven. Ik kreeg de vreselijkste visioenen.'

De flakkerende vlammen van het kampvuur accentueerden zijn bestudeerde bewegingen toen Largo de klim van zijn leven beschreef. Hij wrong zich in dezelfde positie als tegen de rotswand, een positie waar hij niet meer uit kwam. 'Ik zat vast en ik was doodsbang. Mijn hele bestaan hing aan een speldenprik, één enkele beweging. Mijn armen en benen trilden van vermoeidheid en het bloed gonsde door mijn hoofd. Maar ten slotte overwon mijn angst zichzelf en hoorde ik een rustig stemmetje in mijn hoofd: "Doe nog een laatste poging, dan sterf je met eer."'

Vervolgens demonstreerde Largo de bijna onmogelijke beweging waarmee hij zich uit zijn benarde positie had bevrijd. Een nanoseconde voordat zijn kracht hem verliet en hij zijn dood tegemoet zou storten waagde hij met al zijn adrenaline een allesbeslissende manoeuvre. Toen hij de stevige greep te pakken kreeg en zich omhooghees, bleef hij bevend op de richel staan. Hoger wilde hij niet meer. 'Ik zou liever mijn verstandskiezen in een bankschroef hebben gezet dan nog verder te klimmen,' zei Largo. Maar hij had geen keus. Toen hij de laatste dertig meter klom, kreeg hij zwarte vlekken voor zijn ogen – de afvalproducten van angst en adrenaline. Boven gekomen werd hij begroet door Bachar, die hem grinnikend zei dat hij 'wat pips om de neus zag'.

'De volgende dag klom ik niet,' gaf Largo toe, 'maar slenterde ik lusteloos door de donkere gangen van de woestijn. Ik zocht naar schildpadden, ik vlocht guirlandes van wilde bloemen, ik genoot van het uitzicht en ik deed alles wat iemand doet die leeft van geleende tijd.'

Jaren later zou hij het relaas van die klim op schrift stellen onder de titel *De enige godslastering*. Het werd een van de klassieken uit de klimliteratuur. In dat verslag schreef hij over het allesbeslissende moment toen hij balanceerde tussen leven en dood: 'Met een diep gevoel van schaamte besefte ik dat het een godslastering zou zijn om willens en wetens mijn eigen bestaan op het spel te zetten.'

In de meeste sterke verhalen bij het kampvuur worden dit soort risico's als heldhaftig voorgesteld: opwindend, angstig, maar ook grappig. En ze hebben altijd een happy end. 'Het lukte nog op het nippertje, maar veel had het niet gescheeld.' We waren allemaal nog jong en hadden geen besef van onze sterfelijkheid.

In een ander spannend verhaal bij het kampvuur, later gepubliceerd onder de titel *Three Little Fish*, beschreef Largo Tobins eerste beklimming van Green Arch bij Tahquitz Rock. De Stonemasters hadden het al een paar keer geprobeerd, maar steeds als ze een poging waagden tegen de gladde wand met zijn lastige hoek als van een opengeslagen boek, werden ze teruggeworpen. Alleen Largo was hoog genoeg in de hoek omhooggeklommen om een hand te kunnen uitsteken naar de ronde, donkere, paddestoelvormige 'knoppen' in de donkere rots van de hoger gelegen wand. Volgens hem had je er te weinig houvast aan en dus schuifelde hij verder langs de overhangende boog tot hij uitgeput bleef hangen aan een haak die hij met veel moeite in een spleet had geslagen. Vandaar liet hij zich weer op de grond zakken. Nu was het de beurt aan Tobin, die meteen naar de onbruikbare knoppen klom.

'Daar heb je niets aan!' riep Largo nog, maar het was al te laat.

'Bedenk dat Tobin een wedergeboren christen was die bijbels naar Bulgarije had gesmokkeld met het risico van vijfentwintig jaar in een strafkamp op de Balkan. Hij had theologie gestudeerd aan een fundamentalistische universiteit,' verklaarde Largo. 'Bedenk ook dat Tobin behoorlijk geschift was. Bij het klimmen, aan het scherpe eind van het touw, trok hij zich niets aan van de consequenties. Hij spotte met alle wetten. Eén keer, in Joshua Tree, zag ik hem een lastige spleet klimmen met een strop om zijn nek gebonden. Maar het meest beangstigend was toch wel zijn vermogen om zich met hart en ziel in een route te storten.'

Tobins onbesuisdheid was heel indrukwekkend bij vrij simpele routes, vertelde Largo, maar als er meer geduld en overleg bij kwamen kijken was Tobin een ware ramp en kwam hij in de gevaarlijkste situaties terecht.

'Tegen al mijn adviezen in klauwde Tobin zich toch omhoog langs die rij van "knoppen". Die route liep dood, zoals ik al had voorspeld, en dus zat hij klem. Het besef van die domme tactiek raakte hem als een moker. Hij raakte in paniek, begon te jammeren en barstte bijna in tranen uit,' vervolgde Largo.

Tobin was al acht meter bij de haak vandaan. Als het fout ging, zou hij dus die afstand vallen, plus nog eens acht meter voorbij de haak. Door de speling en de veerkracht van het touw kwam daar nog eens zo'n drie meter bij. Maar zoals Largo al opmerkte, bestond er een grote kans dat de primitieve, wigvormige haak die hij in de spleet onder de overhang had geramd door de klap zou losschieten. Dat betekende dat Tobin nog zes meter verder zou vallen, langs de volgende haak – in totaal dus vijfentwintig meter. Largo vreesde dat hij tegen de grond te pletter zou slaan.

'Maar wie kwam er op dat moment naar ons groepje toe, terwijl Tobin daar stond te wiebelen, hoog tegen de rots? Zijn eigen vader! Een rustige, keurige, onverstoorbare dominee, die nog wat liep te hijgen van de lange wandeling naar de rots. Hij had van Tobin al zoveel over de klimsport gehoord dat hij zijn zoon eindelijk weleens in actie wilde zien.'

De bezwete en besnorde dominee 'tuurde omhoog naar de vrucht van zijn lendenen', zoals Largo het beschreef. Tobins knieën klapperden als castagnetten en hij snotterde nog steeds bij het vooruitzicht van een fatale val. Opeens schreeuwde hij omlaag naar Largo: 'Ik ga springen.'

'Springen?'

'Ja!'

'Nee!' schreeuwde Largo.

'Je redt het wel, jongen,' deed de dominee een duit in het zakje.

Aangemoedigd door de woorden van zijn vader deed Tobin een greep naar een richel boven zijn hoofd, maar zijn lot was al bezegeld. Een seconde later stortte hij omlaag. De bovenste haak schoot los met een metaalachtig geluid. Tobin kermde en zwaaide met zijn armen toen hij door de lucht tuimelde. De onderste haak ving hem op en met een klap kwam hij tot stilstand. Largo liet hem voorzichtig zakken en Tobin bleef bewegingloos op de grond liggen, zachtjes kreunend.

'Boven zijn ene oog had hij een buil zo groot als een duivenei,' vervolgde Largo. 'Wankelend kwam hij overeind.

"De volgende keer gaat het lukken," gromde Tobin.

"Er komt geen volgende keer," verklaarde Richard.

"Geef die jongen toch een kans," vond de dominee, en hij klopte Tobin op zijn schouder.'

Voor Largo was dat het bewijs dat vader en zoon allebei gestoord waren. De rest van de dag lieten ze zich niet meer zien. De eerste beklimming van de Green Arch kwam pas vier jaar later, toen Rick Accomazzo voorklom en de route briljant wist te volbrengen. Largo en Tobin volgden aan het touw. Tobin vertrok later naar de Alpen in Europa voor solobeklimmingen van de noordwand van de Matterhorn, de Walkerpijlen en de Lijkwade op de Grandes Jorasses. Ook volbracht hij de eerste beklimming in alpinestijl van de directe route op de Eiger. Bij Chuck thuis had

Bachar probeert indruk te maken met zijn lange sprongen, bij het kamp in Joshua Tree. Van links naar rechts: Mari Gingery, Jessica Perrin, Roy Mc-Clenahan, Rick Cashner, John Long, ikzelf (half verborgen) en John Bachar. (DEAN FIDELMAN)

ik over die expedities gelezen, vooral over de laatste, waarbij de Amerikaanse klimmer John Harlin honderden meters naar zijn dood omlaag was gestort toen er een touw brak. Tobins lijst van solobeklimmingen werd met de jaren steeds langer en hij groeide uit tot een van de beroemdste Amerikaanse alpinisten, tot hij in 1980 om het leven kwam in de Canadese Rockies.

Largo schreef een in memoriam voor zijn vriend waarin hij zei: 'Ik heb later nooit meer diezelfde elektriserende spanning meegemaakt als wanneer ik Tobin zag klimmen, op de grens van zijn mogelijkheden, klauwend naar het beloofde land. Hij heeft het eindelijk gevonden bij een solobeklimming van de noordwand van Mount Alberta. Zijn dood was tragisch. Maar soms vraag ik me af of God niet langer de spanning kon verdragen om Tobin wankelend en springend bezig te zien, aan de scherpe kant van het touw, en hem ten slotte maar bij zich heeft genomen.'

In mijn laatste schooljaar kreeg ik steeds meer afstand tot de betonnen jungle van Los Angeles en omgeving. In toenemende mate had ik het gevoel dat die merkwaardige vrienden die ik in de klimmerswereld ontmoette mijn ware familie vormden. Vanaf dat moment werden mijn klimexpedities met Chuck, Kathy en Bob steeds schaarser. Het was een natuurlijke overgang voor ons allemaal, alsof ieder zijn of haar eigen weg moest volgen. Ik moest denken aan die schrijnende voorspelling die mijn broer Jim ooit had gedaan tijdens een gezinsuitstapje, jaren eerder: 'Weet je, op een dag, als we groot zijn, hebben we allemaal een eigen gezin en wonen we niet meer bij elkaar.' Chuck kwam steeds minder vaak naar Joshua Tree omdat hij zijn belangstelling verlegde naar het alpinisme. Kathy had het druk met haar studie farmacologie aan de University of Southern California en het baantje dat ze erbij deed. Bob ging wel met Chuck mee op eenvoudige tochten in de bergen, maar ook minder vaak dan vroeger, omdat hij werkte en psychologie studeerde aan Fullerton Junior College. Zelf werd ik onweerstaanbaar aangetrokken door rotsgebieden zoals Joshua Tree. Daar voelde ik me een welkome gast in een vertrouwd landschap.

5

De witte wind

Kathy vertelt een verhaal over het moment in januari 1980 toen ze een voorgevoel had dat Chuck was verongelukt. Ze kampeerde in de winter in Yosemite en buiten de tent woedde een sneeuwstorm. De hele nacht moesten zij en haar tentgenote de sneeuw wegscheppen om te voorkomen dat het tentje onder het gewicht zou bezwijken. Kathy lag huiverend in haar slaapzak en sliep heel slecht. Ze dacht maar steeds aan Chuck en zag beelden waarin hij in grote moeilijkheden verkeerde. Inderdaad vocht Chuck op dat moment voor zijn leven op een hoogte van 6800 meter op de Aconcagua, de hoogste berg van het Amerikaanse continent. Een maand eerder had hij zijn alpinistendroom gevolgd en zich aangesloten bij een expeditie die de eerste Amerikaanse beklimming van de indrukwekkende en gevaarlijke zuidwand van de berg wilde volbrengen.

Na een aanloop van acht jaar waren Chuck en Kathy in augustus 1977 getrouwd. In het begin ging het huwelijk nog goed, maar toen Chuck besloot zijn baan als aardrijkskundeleraar op te geven en al zijn tijd aan het alpinisme te besteden zag hij Kathy steeds minder vaak en groeiden ze wat uit elkaar. Halverwege 1979 waren ze gescheiden, tot groot verdriet van Chuck. Ik herinner me nog een weekend in Yosemite Valley toen Chuck er ook was en ik hem in zijn auto zag zitten, waar hij huilend een brief aan Kathy schreef. Chuck leed in stilte onder de mislukking van zijn huwelijk, maar toen hij was vertrokken uit het appartement dat hij met Kathy deelde hield hij merkwaardig genoeg het contact met de familie Hill in stand door bij mijn broer Bill in Fullerton in te trekken. Zoals zo vaak bij klimmers met huwelijksproblemen concentreerde hij zich nog fanatieker op de klimsport. Misschien probeerde hij het laatste restje stabiliteit dat een partner biedt van zich af te schudden door zich in onzekere avonturen te storten.

De Aconcagua is een oude vulkaan van ruim 6900 meter hoog, in de Zuid-Argentijnse Andes. Het is een reusachtige berg, maar vanuit de meeste gezichtshoeken is hij nogal onaantrekkelijk: een soort bochel van vuile, met as besmeurde gletsjers en afbrokkelend steen. Als het niet de hoogste top van Zuid-Amerika zou zijn, zouden maar weinig mensen de moeite nemen om de licht hellende noord- en oostflank te beklimmen. Maar met zijn status als hoogste berg van het continent heeft de Aconcagua genoeg cachet om elk jaar honderden alpinisten uit alle delen van de wereld te lokken. De kans is groot dat ook de oude Inca's die berg al beklommen, want er is ooit op een hoogte van 5400 meter een mummie opgegraven. De eerste westerlingen die een poging waagden kwamen in 1897, onder het toeziend oog van de Zwitserse bergbeklimmer Matthias Zurbriggen. Zij klommen vanuit het noorden.

De beklimming van de noord- en oostwand is niet veel anders dan een stevige wandeling op grote hoogte. Inmiddels hebben zelfs mountainbikers en honden de top bereikt via de noordkant. Toch hadden omstreeks 1979 al zo'n tweehonderd klimmers de dood gevonden bij de beklimming of afdaling van die 'eenvoudige' routes. Hoogteziekte die de hersenen of de longen aantast was de oorzaak van een groot deel van die ongevallen, maar het werkelijke gevaar van de Aconcagua is de wind. Deze 'witte wind', El Viento Blanco, is een maalstroom die ontstaat in het zuidpoolgebied, over de zuidelijke oceanen en de Argentijnse pampa's loeit en dan de onbeschermde hoogten van de Aconcagua raakt met snelheden van meer dan honderdvijftig kilometer per uur. In de droge koude op grote hoogte kan El Viento Blanco binnen enkele minuten je huid laten bevriezen of onderkoeling veroorzaken. Zo'n wind is in staat een klimmer tegen de bergwand te klemmen en elke beweging onmogelijk te maken. Bij grote windkracht kan zelfs de atmosfeer rond de top worden weggezogen, waardoor op sommige plaatsen nauwelijks meer genoeg zuurstof is om te ademen. Je kunt deze vijandige elementen alleen overleven door heel snel te klimmen. Daarom komen de betrekkelijk eenvoudige noord- en oostflank het meest in aanmerking.

Maar Chuck en zijn kameraden hadden niet voor de gemakkelijke weg gekozen. Vanuit het zuiden is de Aconcagua een heel andere berg. Oprijzend vanuit de Horcones-gletsjer verheft de zuidwand zich als een 3000 meter hoge, steile wand van afbrokkelende pijlers, diepe kloven en neerstortende ijsblokken. Het eerste team dat het in 1954 probeerde was een zes man sterke Franse expeditie onder leiding van René Ferlet. De klimmers deden er een maand over, zigzaggend tussen de steile rotstorens en ijsblokken door, steeds bedacht op de lawines die hier regelmatig voorkomen. In de loop van die maand richtten ze een serie goed voorziene kampen in, onderling verbonden door vele honderden meters touw. Vlak bij de top gekomen begonnen ze aan de laatste klim, die maar liefst zeven dagen zou duren. Ze hielden vol, maar toen ze eindelijk aan de afdaling van de top begonnen hadden de meeste klimmers bevriezingsverschijnselen. Terug in Frankrijk kon slechts één van hen al zijn vingers en tenen behouden. Sindsdien heeft de Aconcagua – een oude Inca-naam die 'stenen wachter' betekent – een geduchte reputatie onder klimmers.

Tussen de Franse expeditie en 1979 waren slechts zes teams erin geslaagd deze indrukwekkende wand te bedwingen. Daar waren geen Amerikanen onder. Dat was de motivatie voor de leider van Chucks expeditie, de zevenendertigjarige Ed Connor uit Palm Springs, Californië, een civiel ingenieur die golfbanen aanlegde. De onderscheiding om als eerste – in dit geval als eerste Amerikaan – een beklimming te hebben volbracht is een wezenlijk element van het klimmersbestaan en de zuidflank van de

Aconcagua was een waardig doelwit voor die ambitie. Connor was betrekkelijk laat met klimmen begonnen, toen hij al dertig was. Hij had een grote ervaring met moeilijke ijsroutes en rotsbeklimmingen van verscheidene dagen. Hij had ook wel bergen beklommen, maar dat waren voornamelijk niet-technische gletsjertochten op grote hoogte. In 1973 had hij de top van Mount McKinley (6150 meter) bereikt, en in 1977 die van Mount Orizaba (5660 meter) in Mexico. Zijn meest ambitieuze poging dateerde uit 1978, toen hij zich had aangesloten bij een expeditie naar de top van de Annapurna III (7500 meter) in Nepal. Hoewel dit team van zeven man dat een nieuwe route wilde beklimmen geen succes had, was het toch een nuttige voorbereiding op de Aconcagua.

Voor de beklimming van de Aconcagua vroeg Connor zijn partner van de Annapurna, de twintigjarige Guy Andrews, een reisagent uit San Diego, hem te vergezellen. Andrews, ongetrouwd, was een magere, fysiek sterke jonge vent met een aangeboren talent als klimmer. In zijn dagboek over de Aconcagua schreef Connor over zijn protégé: 'Guy gaat een van de besten worden. Ik kan hem nauwelijks uitleggen wat hem allemaal te wachten staat als hij op deze manier doorgaat. Hij heeft de ideale baan, een geschikte lichaamsbouw en de juiste mentaliteit. Ik hoop dat ik iets aan zijn ontwikkeling zal kunnen bijdragen. Over een paar jaar kan hij de Jack Nicklaus van het bergbeklimmen zijn. Een tweede Messner.'

Chuck leek de vreemde eend in de bijt. Hij kende Connor en Andrews niet en had zelf nooit hoger geklommen dan 4250 meter. Via Steve Van Meter, een wederzijdse vriend in het plaatselijke klimmerswereldje, hoorde Chuck dat Connor de hele Aconcagua-expeditie financierde, behalve een vliegticket, en dat hij nog een derde man nodig had. Dus had Chuck een gesprek met de twee anderen in Connors huis in Palm Springs. Na een paar trainingen in het naburige Yosemite om de samenwerking te testen kreeg Chuck een uitnodiging van Connor om mee te gaan. Chuck had er veel zin in. Het geld voor een ticket was geen probleem en na zijn scheiding had hij ook tijd genoeg. Wat hij niet bezat was ervaring op grote hoogte.

Connor had een vaderlijke rol als leider van de expeditie en noemde Chuck en Guy 'zijn jongens'. In Santiago, Chili, schreef Connor op de heenweg in zijn dagboek: 'Ik was vergeten hoe het is om jong en ongeduldig te zijn. Chuck en Guy zijn twee bronnen van lichtenergie, nauwelijks te beteugelen. Ze richten hun verzengende stralen op de dichtstbijzijnde vrouwelijke rondingen, op hun rock-'n-rollcassettes, op elkaar of op hun stokoude leider. Het is soms moeilijk om even rust te krijgen of naar Mozart te luisteren binnen het stralingsveld van hun energie.'

Connors dagboek zou het enige verslag zijn van Chucks laatste dagen.

Connor en zijn team hadden bijzonder ambitieuze plannen met de zuidwand. Sinds die eerste Franse expeditie waren alle latere geslaagde pogingen via de zuidwand – een Argentijnse, Chileense, Oostenrijkse (een team met Reinhold Messner) en Japanse ploeg – gebaseerd geweest op de zogenoemde 'expeditiestijl' of 'belegering'. Dit houdt in dat de berg herhaalde keren wordt beklommen en weer afgedaald om de route te zekeren met honderden meters touw. Zo ontstaat een 'veilige' verkeersweg die een snelle start mogelijk maakt als het tijd wordt om naar de top te sprinten, of een snelle vluchtroute naar de lager gelegen kampen als het opeens slecht weer wordt. Deze beproefde maar logge tactiek vereist een grote ploeg met veel materiaal en kost vele weken van voorbereiding voordat er een team naar de top kan worden gestuurd.

Connor had andere plannen met de Aconcagua. Hij en 'zijn jongens' wilden geen kampen inrichten en geen vaste touwen aanleggen. Zij kozen voor een simpele, rechtstreekse beklimming: in één keer naar de top. 's Nachts zouden ze hun bivak opslaan waar het uitkwam, en ze wilden niet meer bagage meenemen dan wat ze in de rugzakken konden bergen. Ongelooflijk genoeg namen ze zelfs geen tent mee, omdat ze tegen de steile zuidwand weinig geschikte plaatsen voor een tent verwachtten tegen te komen. In plaats daarvan wilden ze op rotsrichels in hun slaapzak kruipen.

Dit was alpinisme in zijn meest vermetele vorm, een stijl die in de jaren zeventig steeds meer opgeld deed onder bergbeklimmers, grotendeels dankzij het voorbeeld van Reinhold Messner, een briljante klimmer die vond dat je een berg 'met eerlijke middelen' moest bedwingen. Hij had niet veel op met de grootse stijl van die ouderwetse expedities. Een beklimming met lichte bagage was veel avontuurlijker en versterkte het spirituele contact met de berg. De gevaren waren natuurlijk groter en de kans op succes was veel kleiner, want alleen de beste klimmers waren geschikt voor deze aanpak.

Het team kwam op 15 december in Santiago aan en ging op weg naar Mendoza. De sfeer was meteen goed. 'We hadden echt het gevoel dat we een belangrijke prestatie gingen neerzetten. Een geweldig avontuur,' zei Connor in een interview na de beklimming. 'We voelden ons heel bijzonder. We waren echte kameraden. Dat kon je ook merken op het vliegveld en tijdens het eten. We vormden een hechte groep.'

De bus bracht de klimmers met bijna driehonderd kilo bagage naar Mendoza. Door al die bagage bleef er niet veel ruimte over voor de Argentijnse passagiers, die hen lachend *gringos locos* noemden. Voor de Argentijnen moet het een vreemd idee zijn geweest dat de klimmers zo ver hadden gereisd voor een vakantie op de ijzige Aconcagua. In Mendoza stapten ze op een andere bus voor het laatste stuk van honderdvijftig kilometer naar de skihut van de Puente del Inca aan het einde van de weg. Daar huurden ze muilezels als lastdieren en vertrokken naar de berg. In zijn dagboek beschreef Connor hun eerste glimp van de Aconcagua:

> De Andes heeft de vorstelijke allure van de Himalaya, maar zonder het tropische klimaat op geringe hoogte. Dat maakt de tocht veel aangenamer. Het dal van de Horcones heeft een naakte schoonheid en grandeur die me totaal overvielen. Uitgestrekte hellende vlakten van oeroud zandsteen, vele lagen dik, ontrollen zich aan je oog. Omdat ik er tegenwoordig nog maar één of twee keer per jaar op uitga, beschouw ik elke ervaring als een grotere verrijking. De zuidwand is prachtig, anderhalf keer zo hoog als de wand van de Eiger, vier keer zo hoog als de Half Dome, met sneeuw en ijs, tweeënhalf keer zo hoog als El Cap. De afmetingen zijn onvoorstelbaar. Daar verheft zich een 3000 meter steile rots- en ijswand die nog nooit door een Amerikaan is bedwongen! Onvoorstelbaar!

Ze richtten hun basiskamp in op een hoogte van 3950 meter, waar ze twaalf dagen de tijd namen om te acclimatiseren. Connor, die veel interesse had voor geneeskunde, controleerde de bloeddruk, polsslag en longcapaciteit van de klimmers. Hij zorgde ook voor Chuck, die zware diarree had, vermoedelijk veroorzaakt door dysenterie. Na een behandeling met Lomotil en tetracycline knapte Chuck wat op en sloot zich aan bij Connor en Guy voor korte oefenbeklimmingen van de lagere delen van de berg.

Het tijdstip voor de klim was een belangrijke factor. Na ongeveer een week in het basiskamp om te wennen aan een hoogte van meer dan 3000 meter waagden ze zich tijdens de trainings-tochten tot 4800 meter, zonder schadelijke gevolgen. Tegen die tijd begonnen ze zich zorgen te maken dat er snel een eind zou komen aan het goede weer.

Connor had veel aandacht besteed aan de omvang en de locatie van de lawines die zich voortdurend langs de wand omlaagstortten en de beklimming nog gevaarlijker maakten. 'Op 30 december, omstreeks twee uur in de ochtend, werd de omgeving getroffen door een zware aardbeving,' schreef Connor. 'Omdat we uit Californië kwamen wisten we alle drie meteen wat er aan de hand was. Ons kamp lag buiten de gevarenzone, maar ik stak nog net op tijd mijn hoofd uit de tent om getuige te zijn van een uniek schouwspel. De hele negen kilometer brede en drie kilometer hoge zuidwand leek in het licht van de volle maan opeens te gaan bewegen, in slowmotion, toen de wand miljoenen tonnen losse sneeuw en ijs afschudde. Het was fascinerend om binnen anderhalve kilometer van dat natuurgeweld te staan. We werden er zo door geboeid dat we niet eens aan mogelijke gevaren of aan vluchten dachten. De lawine bereikte het dal met een doffe klap, die uiteindelijk ook een wolk stuifsneeuw over ons kamp wierp en de tent zachtjes deed klapperen. Toen alles weer rustig was, beseften we dat dit het teken moest zijn waarop we hadden gewacht. Nu al dat losse materiaal was opgeruimd zou de kans op lawines nooit meer zo gering zijn als in de dagen na de aardbeving.'

Dus begon het drietal in de oudejaarsnacht, om halfvijf 's ochtends, aan de klim naar de top. Ze droegen alle drie een rugzak met materiaal en voorraden met een gewicht van bijna vijfentwintig kilo. Daar was ook eten bij voor zes dagen. 'De beklimming had natuurlijk een element van onzekerheid,' zei Connor later. 'We wisten dat we grotere risico's namen dan ooit tevoren. Maar dat maakte het juist spannend. Het gaf ons een extra zetje om aan de klim te beginnen met de gedachte dat we het misschien niet zouden redden. Dat is precies de juiste psychische gesteldheid voor een beklimming. Als je zeker was van succes, zou het avontuurlijke element ontbreken en zou je waarschijnlijk niet eens al die moeite doen.'

De eerste dag bond het drietal stijgijzers onder de schoenen en beklom een sneeuwflank van 700 meter naar de voet van een markant punt in de wand, de Broken Towers. Om daar te komen moesten ze een aantal sneeuwlawines trotseren die werden veroorzaakt door de ochtendzon die de berg verwarmde. Nog hoger kringen seracs, verticale richels van ijs, die in de warmte van de zon ook konden losschieten, zodat er tonnen ijs langs de wand naar beneden daverden. De klimmers volgden een bochtige route die al deze gevaren rakelings omzeilde. Maar bij de Broken Towers werd het nog lastiger.

'Om kwart over zes 's avonds bevinden we ons op een messcherpe richel zonder geschikte plekken voor ons bivak in de naaste omgeving. We besluiten door te gaan om een betere slaapplaats te vinden. Chuck heeft een geweldige inspanning geleverd om bij een bivakplaats te komen, maar helaas! Geen richel, geen plek om te koken of plat te kunnen liggen. Ten slotte overnachten we maar in een met ijs gevulde schoorsteen van verbrokkelde stenen, hangend in onze gordels, niet in staat te koken of te slapen. De prijs die we betalen in energieverlies bedraagt minstens een dag.'

Toen ik las dat Chuck en zijn partners de hele nacht rechtop hadden gestaan, hangend in hun gordels om te voorkomen dat ze uit de wand zouden glijden, huiverend, dorstig en hongerig omdat ze niet konden koken en niet in hun slaapzak konden kruipen, kreeg ik het gevoel dat alles hun vanaf de eerste dag al tegen had gezeten. Ik kon niet bevatten dat iemand zulke ontberingen doorstond en toch nog doorging. Maar dat deden ze.

Ik citeer Connors dagboek: 'De Towers wilden ons maar met tegenzin laten gaan. De laatste zes meter moesten we voetje voor voetje over een angstig smalle arête balanceren, met rugzakken en zonder touw. Ik verstarde en verwachtte elk moment een dodelijke val. Mijn grootste angst was dat iemand door vermoeidheid een fout zou maken en een ongeluk zou veroorzaken.'

Na een 'verschrikkelijke strijd' van vier uur, schrijft Connor, bereikten ze de top van de Broken Towers. Daar hielden ze halt om te koken en uit te rusten. Veel verder klommen ze niet meer. Ze stopten bij een gedeelte dat bekendstaat als de Sandstone Band. Aan de voet van die 300 meter hoge rots gebruikten ze hun ijsbijlen om een richel in het ijsveld uit te hakken, waar ze de nacht doorbrachten.

'Ik schatte dat we ongeveer dertig procent van de wand achter de rug hadden (toegegeven, niet de moeilijkste dertig procent),' schreef Connor. 'Hoewel we geen goede plaats voor een bivak hadden gevonden was het weer nog goed en konden we ons aardig redden. Er was geen sprake van dat we al terug zouden gaan. We waren in uitstekende conditie en zodra we wat sneeuw hadden gesmolten op de top van de Broken Towers voelden we ons weer sterk en vol vertrouwen.'

Ze konden de top al zien, maar ze wisten niet hoe ver het nog was omdat Connor twijfelde aan de betrouwbaarheid van zijn hoogtemeter. Die gaf ruim 5100 meter aan, maar hij was ervan overtuigd dat ze al veel verder waren geklommen. Als de hoogtemeter klopte, hadden ze nog bijna 1800 meter te gaan. 'Niets lijkt meer logisch op deze hoogte,' schreef Connor over zijn verwarring. 'Het lijkt wel of we op Mars zitten, of minstens op de maan. Ik heb vandaag last van de hoogte. Mijn gedachten zijn traag en banaal.'

Op de derde dag klommen ze met moeite door de zandsteenwand, waar ze 's middags door een sneeuwstorm werden overvallen. Connor nam de leiding en zwierf over de rotshelling, op zoek naar een richel met genoeg ruimte om er 's nachts te kunnen slapen. 'Ik heb Guy een vlak gedeelte beloofd om te kunnen liggen,' schreef Connor, 'en daar hou ik me aan. Ik stamp een vlak stuk aan in de sneeuw en haal de jongens naar boven. Ze balanceren allebei op de rand van onderkoeling. Tegen negen uur 's avonds hebben we ons geïnstalleerd. We zijn doodmoe en snakken naar eten en drinken. We dwingen onszelf om te koken en sneeuw te smelten. Zonder vocht houden we het de volgende dag niet vol.'

In zijn dagboek beschrijft hij dat het door de grote hoogte steeds moeilijker wordt hun gevriesdroogde maaltijden van garnalen binnen te houden, hoe hongerig ze ook zijn. Daarna schreef hij: 'Guy krijgt zware hoofdpijn en gevoelloze voeten. Chuck was vanmiddag sneeuwblind, dus moeten we hem in de gaten houden. Hij heeft veel pijn. Het uitzicht vanaf dit ruimteplatform over de Centrale Andes is 's avonds adembenemend. Helaas hadden we het te druk met overleven om ervan te genieten.'

De vierde dag begon vrij helder, maar het drama ging door, zoals blijkt uit Connors dagboek: 'Ik ga als eerste op weg naar een sneeuwrand, en boem! Mijn rechterbeen verdwijnt in het niets. Als ik omlaagkijk zie ik een gevaarlijk gat van zo'n drie meter breed. De bodem is niet te zien. Ik hang erboven op een wankele sneeuwbrug. Guy trekt me naar achteren en met een paar wanhopige slagen van mijn ijsbijl weet ik me te redden. Maar zo komen we niet bij die sneeuwrand. Ik moet een paar halsbrekende manoeuvres over een steile ijswand uitvoeren om weer terug te komen op de route. Dat valt niet mee met een rugzak!'

Ze bivakkeerden in een smalle kloof aan de voet van de zogeheten French Rib. Ze probeerden van hun inspanningen te bekomen en waren net bezig met koken toen er een reusachtige ijstoren boven hun hoofd instortte en een lawine veroorzaakte 'groot genoeg om tien mensen te begraven'. De lawine passeert hen op vijftig meter afstand. 'We zijn te moe om onze redding te vieren,' schreef Connor.

Vanuit dit bivak hoopten ze binnen één dag de top te bereiken, maar uiteindelijk werden dat er drie. Ze hadden moeite met wakker worden op deze hoogte en ze werden bedolven door de stuifsneeuw die als een nevel rond de berg spoelde. Nadat ze twee uur nodig hadden gehad om de overgebleven voorraden te inspecteren en hun spullen opnieuw in te pakken, vertrokken ze om halfelf in de ochtend. Kort daarna stapte Chuck door een sneeuwbrug in een spleet en moest hij worden gered. Connor dacht dat ze op een hoger gelegen rand wel een eenvoudiger route konden vinden naar het wat minder steile plateau onder de top. Maar dat viel tegen. Ze vonden alleen maar lastige rotsroutes, op een hoogte van 6200 meter.

'Chuck negeert zijn sneeuwblindheid en klimt een meter of twintig voor ons uit,' schreef Connor. 'Als hij vastloopt, haalt Guy hem in om het traject af te maken. In zijn haast om een bruikbaar bivak te vinden neemt Guy te weinig materiaal mee en komt hij 15 meter boven Guy ook vast te zitten. Ik roep dat ze moeten terugkomen naar mijn positie, maar zij denken dat ze vlak bij een vlakke richel zijn.'

Connor klom naar hen toe en zag algauw dat ze een probleem hadden. Guy en Chuck hadden hun rugzakken bij hem achtergelaten en Connor kon die drie zware zakken niet de helling op sleuren. Inmiddels begon het donker te worden en wakkerde de wind nog aan. In Connors dagboek vinden we een verwijzing naar de spanning waaraan Chuck moet hebben blootgestaan: 'Chuck raakt in paniek en laat een handschoen vallen, waardoor hij nog nerveuzer wordt (ik ook)... Ik geef hem een van mijn eigen handschoenen, met een scherp bevel aan beide mannen: *Naar beneden! Nu!*'

Connor daalde een paar meter af naar de richel waar de standplaats was en probeerde daar in het ijs een plek voor hun bivak uit te hakken. Hij beval Guy en Chuck opnieuw om naar beneden te komen. Chuck 'wist nauwelijks meer waar hij was,' schreef Connor, 'en ik verwachtte hem elk moment te zien neerstorten in zijn zenuwen.'

Guy daalde af langs het touw en wist Chuck weer te kalmeren. Met hun tweeën lieten ze zich nog verder zakken, naar het plateau van ruim een meter in het vierkant dat Connor uit het ijs had gehouwen. 'Ik had niet graag gezien dat Chuck zonder hulp van Guy was afgedaald,' verklaarde Connor later. 'Hij was behoorlijk in paniek op dat moment. Soms moet je iemand gewoon in zijn gezicht slaan en zeggen: "Hé, als je nu niet in beweging komt, wordt het je dood."'

Midden in de nacht raakte de gevreesde Viento Blanco het drietal met de kracht van een locomotief. Ze zaten dicht tegen elkaar aan op hun kleine plekje, zonder tent en zonder voldoende ruimte voor de slaapzakken, zodat ze de volle kracht van de ijzige wind moesten doorstaan. Hun voeten werden kouder en kouder. Connor en Chuck legden hun voeten in elkaars kruis en probeerden elkaars veters los te maken omdat het bevroren leer van de schoenen opzwol en de bloedsomloop in hun voeten afsneed. Maar hun vingers waren te koud om iets met de veters te kunnen beginnen. Bevroren ledematen waren niet meer te voorkomen.

'Als we die veters niet loskregen, zouden we onze tenen verliezen, dat stond vast,' schreef Connor. 'We waren er een halfuur mee bezig, maar ten slotte zeiden we: "Verdomme, laat ze maar bevriezen." Dat leek vreemd, want we waren geen mensen die het zo makkelijk opgaven. Toch dachten we gewoon: Ik geef mijn tenen maar op, omdat ik te moe ben om mijn schoenen uit te trekken. Onvoorstelbaar.'

De hoogte, de ijle lucht, de kou en de vermoeidheid veroorzaakten een mogelijk fatale apathie bij de drie klimmers. Maar ze peinsden er niet over om weer af te dalen langs de zuidwand. Het was zelfmoord om te trachten de touwen te verankeren tegen een wand van enkel los steen en sneeuw. Ze móesten wel naar de top klimmen om aan de andere kant te kunnen afdalen. Dus zaten ze daar twaalf uur te wachten, ineengedoken op die richel, hun armen en benen met elkaar verstrengeld, terwijl ze de slaapzakken vasthielden die ze om zich heen hadden getrokken als beschutting tegen de wind.

In de loop van de zesde dag kon er weer geklommen worden. 'Wat me werkelijk verbaast is dat we nog in staat waren overeind te komen en te klimmen,' zei Connor. 'Je hebt gewoon geen keus, dat zal het wel zijn. Je kunt daar niet blijven en je kunt ook niet naar beneden. Op een bepaalde manier is het een psychische opluchting dat al het andere wegvalt en je nog maar één doel overhoudt. Je moet klimmen, en niemand kan je helpen. Je moet naar de top en je mag niet neerstorten.'

Connor had de storm wat beter doorstaan dan Chuck en Guy, dus nam hij de leiding bij de volgende paar lengtes omhoog. 'Het was een bijzonder steile, met sneeuw bedekte rotswand,' schreef Connor over dit traject, 'en ik had het gevoel dat ik over piepschuimkorrels tegen een steile glazen wand klom.'

Een val zou dodelijk zijn geweest, omdat de tussenzekeringen en de standplaats onder hun gewicht uit de wand zouden zijn losgeschoten. Toen 'de jongens boven kwamen, een beetje vermoeid', klom Connor weer verder over de graat, die steeds smaller en scherper werd.

Ze sloegen hun zesde bivak op onder een rotsachtige uitstulping op ruim 6500 meter. Gelukkig was het wat comfortabeler dan de vorige nacht. Ze maakten een stevige maaltijd klaar en dronken elk twee liter water voordat ze zich in hun slaapzak installeerden. Ze praatten over de kans op afgevroren tenen. 'Als je voortdurend gevoelloze voeten hebt, de hele dag, weet je dat er weefsels zijn beschadigd. In onze hachelijke situatie konden we geen therapie of behandeling proberen. We moesten zo snel mogelijk over de top en die berg weer af. Later konden we ons dan wel om de schade bekommeren.' Connor waarschuwde Guy en Chuck om in geen geval hun schoenen uit te trekken. Ze mochten wel de veters losmaken voor de circulatie, maar als ze hun schoenen uitdeden zouden hun voeten onmiddellijk opzwellen en zouden ze geen stap meer kunnen zetten.

De volgende morgen leidde Connor zijn team nog verder omhoog, tot ze het einde van het moeilijkste traject hadden bereikt en uitkwamen op een groot, bijna vlak plateau dat zich vanaf de zuidwand bij het hoogste punt van de Poolse route aansloot. De rest van de klim was niets anders dan een zware wandeling, dus besloten ze de touwen achter te laten om gewicht te sparen. Vier uur lang ploeterden ze over de sneeuwbanken heen, in de verwachting dat de top elk moment in zicht kon komen, maar steeds wachtte hun weer een volgende sneeuwheuvel. Ze verkeerden nu in een gevaarlijke toestand van oververmoeidheid en ze wisten dat hun tenen en vingers waren afgevroren. Omstreeks vijf uur 's middags leken ze het laatste obstakel van de klim te hebben bereikt: een steile richel van verbrokkeld steen.

De beklimming zou een soort koorddansen worden, met aan beide kanten een afgrond van vele honderden meters. Een val zou fataal zijn.

Ze aarzelden een tijdje, omdat de avond viel en El Viento Blanco weer aanwakkerde. Ze waren bang dat de richel niet rechtstreeks naar de top zou leiden, zodat ze misschien in een kwetsbare positie voor de nacht terecht zouden komen. De wind was al sterk genoeg om hen omver te blazen en ze moesten zich aan de rotsen vastklampen om niet te vallen. Chuck liep te wankelen en verzwakte met het uur. Connor besefte dat hij de uitputting nabij was en zei tegen Guy: 'We kunnen hem nu niet over die rand laten gaan.' Dus kropen ze dicht bij elkaar en bivakkeerden die zevende nacht op een hoogte van ruim 6800 meter.

'We lagen tussen de rotsblokken,' schreef Connor, 'en het was een ellendige nacht, omdat El Viento Blanco weer toesloeg. De rand boven het plateau leek steeds kaler en we wisten dat de top geen enkele beschutting bood en maar weinig sneeuw had om je in te graven.'

Ook deze nacht lukte het niet om de brander aan te steken en sneeuw te smelten of te koken. Tegen de ochtend loeide er nog steeds een zware storm. Weer moesten ze wachten. Connor hield het nog vol tegenover de elementen en zei de anderen dat hij erop uit zou gaan om een meer beschutte plek te vinden. Zijn postuur – een meter vijfentachtig, tachtig kilo – en de ervaring van zijn jaren leken hem op de been te houden. Ten slotte vond hij een plek en gebaarde naar de anderen dat ze moesten afdalen. Maar Chuck en Guy lieten hun rugzak achter toen ze naar hem toe kwamen. Connor ging terug en sleepte de rugzakken mee. Zo begonnen ze aan hun achtste nacht op de Aconcagua.

Connor hield nu geen dagboek meer bij, maar zei later tegen een verslaggever: 'De jongens hadden een geweldige beklimming volbracht… Niemand zou daar bijna twee dagen moeten doorbrengen als je net binnen zes dagen drieduizend meter hebt geklommen en alles hebt doorstaan wat wij moesten meemaken. Niemand had dat kunnen verdragen. Niemand had dat kunnen overleven.'

De ochtend van de negende dag werden ze begroet door een heldere hemel en maar weinig wind. Alle drie leden ze inmiddels aan de hoogte en bevriezingen. 'Op dat punt dachten we alleen nog aan overleven,' zei Connor. 'We lieten alles achter wat niet strikt noodzakelijk was. Alleen de slaapzakken, een rugtasje en een paar snoeprepen de man, meer namen we niet mee. Zelfs geen pickels.'

Ze rekenden erop dat de route nu wel mee zou vallen. Bij de afdaling langs de noordkant zouden ze hutten en misschien zelfs een paar andere klimmers tegenkomen. Ze moesten het alleen nog volhouden tot aan de top. Connor vertelde dat de jongens nog voldoende fit waren om hun rugzak in te pakken, wat te eten en de drie liter water te drinken die Connor met veel moeite had gesmolten en in hun bekers gegoten. Hij overlegde met hen over het laatste stuk naar de top en gaf hun opdracht om steeds vijf stappen te zetten, diep adem te halen en dan weer vijf stappen te doen. Zelf zou hij vooropgaan.

Connor beschreef dit kritieke moment later in een brief aan mij: 'Als we elkaar uit het oog verloren, zei ik, zou ik op de top blijven wachten. Als ik hen daar niet zag, zou ik hen treffen bij de eerste hut op de weg omlaag. Het leek geen probleem. Nu de wind was gaan liggen en ze weer een stevige maaltijd achter de kiezen hadden was de wanhoop van de vorige dag verdwenen. Ze begrepen mijn instructies en reageerden er goed op, zonder een spoor van de wazigheid die je ziet bij mensen die verward zijn geraakt door de hoogte. "Goed," zeiden ze. Toen we vertrokken, keek ik nog even om naar Guy en Chuck. We staken onze duimen naar elkaar op, hielpen elkaar de bandjes van de rugzakken strak te trekken en gingen op weg.' Connor nam de leiding. Hij zou de andere twee nooit terugzien.

Zonder de striemende wind was de laatste klim niet zo moeilijk. In iets meer dan een uur had Connor de top bereikt. Gefrustreerd besefte hij dat ze een hele dag hadden zitten wachten op nauwelijks honderd meter van de top. Daar wachtte hij ruim een uur, maar zijn kameraden kwamen niet opdagen. Eén keer daalde hij een eindje af om hen te zoeken, maar dat was te vermoeiend en hij vreesde ook voor zijn eigen leven. 'Toen ik een paar stappen terug had gedaan zakte ik al door mijn knieën. De adrenaline, die me in staat had gesteld de laatste meters af te leggen, was verdwenen en ik voelde me gevaarlijk verzwakt door de ontberingen van de voorbije week. Voor het eerst rinkelden er alarmbellen in mijn hoofd. Ik kon ongeveer de halve route terug naar het bivak overzien, en de twee anderen hadden allang in zicht moeten zijn. De top was een vlak plateau van bijna een halve hectare. Verderop zag ik een markeerpunt op de top: een paar aan elkaar gebonden tentstokken met wat draad, en nog wat losse tentstokken eromheen. Ik meende al de afdaling te herkennen naar de Berlin Hut, die ik recht beneden me zag. Bij nadere beschouwing bleek die route veel lastiger dan volgens de beschrijvingen die we hadden bestudeerd, dus nam ik een kijkje aan de westkant van het plateau. Daar vond ik de Canoleta, een brede, hellende sleuf die ik me uit de beschrijvingen herinnerde als het laatste herkenningspunt voor de top vanaf die kant. Ik raapte een paar losse tentstokken van de grond op en bond ze tot een grote pijl die naar de Canoleta wees, voor het geval de andere twee in verwarring zouden raken op de top.'

Ten slotte, toen de wind weer opstak, draaide Connor zich om en begon aan de afdaling via een uitgesleten pad door het puin.

Zo'n twintig jaar later beschreef hij me alle details van zijn eenzame terugtocht. Hij was zo moe dat hij zich op zijn achterste door de sneeuw omlaag liet glijden, terwijl hij zijn ijsbijl als rem over de rotsen sleepte. Het kostte hem drie of vier uur om de hut te bereiken, die slechts bestond uit vier wanden. Het dak was al jaren eerder weggewaaid. Connor kroop in zijn slaapzak en dommelde wat. Drie uren verstreken. Hij had Chuck en Guy binnen een uur verwacht. Ten slotte werd het donker en besefte Connor dat de jongens niet meer zouden komen. Nog zo'n nacht zonder enige beschutting tegen de koude en de wind zou hun fataal zijn.

El Viento Blanco loeide de hele nacht met een snelheid van meer dan honderdvijftig kilometer per uur. 'Ik geloof niet dat ik psychisch ooit een zwaardere nacht heb meegemaakt,' zei Connor later. 'Voor het eerst maakte ik me grote zorgen om iets anders dan zuiver technische problemen. Ik wist dat ik gevaarlijk was verzwakt en ik kon nauwelijks bedenken hoe het nu verder moest. Steeds opnieuw maakte ik mezelf wijs dat ze wel zouden komen. Ik kon niets anders doen dan daar blijven zitten, luisterend naar het loeien van de wind. Totaal uitgeput en wanhopig huilde ik mezelf in slaap. Voor het eerst hield ik rekening met het ergste.'

De volgende dag – zijn tiende op de Aconcagua – bereikte Connor een hut waar hij drie Venezolaanse klimmers tegenkwam. Een van hen daalde snel af om een reddingsactie te organiseren, terwijl de anderen Connor omlaaghielpen naar de voet van de berg. Maar door de storm duurde het vier dagen voordat er een zoekactie op gang kwam. Toen de redders de top bereikten, vonden ze daar niemand. Bij het bivak waar Connor de jongens voor het laatst had gezien lag maar één pickel, die van Guy. Spullen lagen overal verspreid. Ze vonden Guys schoenen ergens in de sneeuw en constateerden dat de hakken waren opengesneden met een mes. Die laatste ochtend moesten zijn voeten zo ernstig zijn opgezwollen dat hij een paar tennisschoenen had aangetrokken die Connor in zijn rugzak had gehad. Hij had zijn klimschoenen moeten opensnijden om zijn pijnlijk dikke voeten te bevrijden. Connor had die tennisschoenen willen gebruiken voor de wandeling terug naar het basiskamp. Het enige andere persoonlijke voorwerp dat de redders vonden was een talisman die Guy van zijn moeder had gekregen voor de expeditie.

Een paar dagen na deze trieste gebeurtenissen, op zondag 13 januari, zat een vriendin van Kathy in Los Angeles een krant te lezen en stuitte op een stukje onder de kop: 'Twee Amerikaanse bergbeklimmers doodgevroren aangetroffen op de Aconcagua.' Het artikel noemde Chuck en Guy als slachtoffers en meldde dat het leger de lichamen en Connor vlak bij de top had aangetroffen. Bijna op hetzelfde moment las Trish in een restaurant hetzelfde bericht. De kop was niet juist; er waren geen lichamen gevonden.

Chuck bezig met wat hij het liefste deed. (BOB HILL)

Op mijn zeventiende, in de noordwestwand van Half Dome, in 1977.
Zo ontdekte ik de big walls. (CHARLIE ROW)

Uitrusten op de top van Half Dome met Charlie Row. (CHARLIE ROW)

Op de top van de Nose, in 1979, met Mari Gingery en Dean Fidelman. (JESSICA PERRIN-LARRABEE)

Twilight Zone (5.13b), de Gunks.

(SANDY STEWART)

Solo in High Exposure (5.6), de Gunks, in 1984. (NED GILLETTE)

Tar and Feathers (5.12a),
Suicide Rock, Californië.

(GREG EPPERSON)

Pirate (5.12d),
Suicide Rock,
Californië, 1988.
(GREG EPPERSON)

Green Ripper (5.12b),
Mount Lemmon, Arizona.
(GREG EPPERSON)

When Legends
Die (5.13b),
Hueco Tanks,
Texas. (GREG
EPPERSON)

Terror Vision (5.12a), Needles, Californië, met Scott Franklin in 1989. (GREG EPPERSON)

Chouca in Buoux, Frankrijk (5.13c). (OLIVIER GRÜNEWALD)

Gorges du Verdon, Frankrijk, 1990. (PHILIPPE FRAGNOL)

Doorbraak van de 5.14-barrière in Masse Critique, Cimaï, Frankrijk, 1990. (PHILIPPE FRAGNOL)

Piazzen onder het Great Roof van de Nose, 1993.

(JOHN MCDONALD)

De klassieke lengte, Pancake Flake (5.11c) de Nose.

(HEINZ ZAK)

Maar het nieuws was schokkend genoeg. Na druk telefoonverkeer binnen de familie belde iemand de Amerikaanse ambassade in Argentinië, die enkele details van het verhaal bevestigde. Vanuit het ziekenhuis in Mendoza belde Connor met Steve Van Meter en vroeg hem de families te melden dat de twee mannen inderdaad werden vermist. Na zijn terugkeer in Amerika bracht Connor 'enkele droevige uren door met de vader van Guy Andrews in een park'. Maar hij sprak nooit met Guys moeder of met de Bludworths, omdat hij hoorde dat ze 'te ontdaan' zouden zijn om hem persoonlijk te ontmoeten.

Wij, Chucks vrienden, verkeerden een paar dagen in grote verwarring. Tegen beter weten in geloofden we nog dat het allemaal een tragisch misverstand was en dat Chuck binnenkort wel zou bellen om te zeggen dat hij nog leefde en gauw weer thuis zou zijn. Totdat langzamerhand het besef doordrong dat hij echt dood was. We ontdekten ook dat er op het moment van Chucks moeilijkste uren vreemde dingen waren gebeurd met sommigen van ons. Kathy had een voorgevoel gehad in haar ondergesneeuwde tent in Yosemite. En toen hij in mijn kamer zat, zag Tom de ingelijste poster van de beroemde klimmer Willi Unsoeld zomaar van de muur vallen, zonder enige oorzaak. 'Geen enkel doel is te hoog als we zorgvuldig en met zelfvertrouwen klimmen,' luidde de tekst van het affiche.

Op een avond lag ik in bed aan Chuck te denken en probeerde te accepteren dat hij nooit terug zou komen. 'Oké, Chuck,' zei ik in het donker, 'als je dood bent, kom dan nu even hier.' Misschien was het verbeelding, maar ik dacht echt dat ik zijn aanwezigheid in de kamer kon voelen.

Daarna wist ik zeker dat hij voorgoed uit ons leven was verdwenen.

Het lichaam van Chuck Bludworth en dat van Guy Andrews zijn nooit gevonden.

Al lang voor Chucks dood wist ik dat ik geen alpiniste zou worden. Het ijzige hooggebergte trok me niet aan en ik was fysiek ook niet geschikt voor de kou of voor het dragen van rugzakken die net zoveel wogen als ikzelf. De fascinatie van Chuck en anderen voor het bergbeklimmen bleef me een raadsel. Ik zou denken dat het klimmen met ijsbijlen, stijgijzers en andere scherpe hulpmiddelen in zo'n koude, zuurstofarme omgeving juist een barrière opwierp tussen de klimmer en de route. Ik hield van de aanraking van het gesteente, de intimiteit tussen klimmer en rots. Daarin ligt voor mij de schoonheid van onze sport.

Het idee van expedities stond zelfs nog verder van me af. Uit de verhalen over die groepen krijg ik vaak de indruk dat ze bestaan uit mensen die niets anders delen dan hun ambitie om een top te beklimmen, de eerste te zijn of een vlag te planten. Ik begreep niet hoe Chuck had kunnen beginnen aan een levensgevaarlijke expeditie met mensen die hij nauwelijks kende en met wie hij nooit echt samen had geklommen.

Hoewel het verlies van Chuck een grote klap voor me was, wist ik zeker dat ik zou blijven klimmen, ook na zijn overlijden. Onze gezamenlijke passie voor het klimmen en de ervaringen die we hebben gedeeld zullen altijd bij me horen.

6

Yosemite

In het begin van de jaren tachtig trokken klimmers uit Amerika en alle delen van de wereld naar Yosemite Valley. Daar namen ze hun intrek in een tijdelijk tentendorp, Camp Four, waar een groot aantal van hen leefde als een soort haveloos bezettingsleger, tot ergernis van de parkwachters. Ze betaalden geen toegangsgeld, ze bleven langer dan was toegestaan en ze gedroegen zich als zigeuners. 's Ochtends verzamelden wij – de klimmers – ons op het niet langer gebruikte parkeerterrein naast de lodge en het Four Seasons Restaurant, door ons 'Foul Seasons', 'Foul Regions' of 'Foul Squeezin's' genoemd, afhankelijk van de toestand van ons spijsverteringsstelsel na een maaltijd daar. Het parkeerterrein was door een of andere klimmer oneerbiedig omgedoopt tot de Arcing Plot, als commentaar op de elektriserende spanning die de klimmers uitstraalden. Het asfaltterrein fungeerde als ons dorpsplein, waar we – tussen spelletjes Hacky Sack door – onze routes planden en waar de belangrijkste figuren uit ons wereldje audiëntie hielden. Dit was onze omgeving en deze mensen vormden de gemeenschap waarin ik me thuisvoelde.

Lang voordat Yosemite Valley een mekka voor klimmers werd, was het een plek van inspiratie voor de stam van de Ahwahnee, die er eeuwenlang woonden. Eind negentiende eeuw schreven ontdekkingsreizigers als John Muir over het imponerende noodweer dat vanaf de High Sierras over de vallei trok. Later zou Ansel Adams dat natuurgeweld met zijn camera vastleggen. Toen de eerste klimmers in de jaren na de Tweede Wereldoorlog in Yosemite verschenen, waren de zonovergoten rotsen nog hard en solide, met spleten en treden die elke klim tot een vreugde maakten. Met zijn rotsen van alle denkbare afmetingen verdiende Yosemite zijn reputatie als een van de mooiste plekken op aarde voor de klimsport. Je vond er steenklompen zo groot als een huis, met venijnige bolderproblemen maar ook dertig meter hoge rotsen met perfecte spleten en inmens grote wanden, waarvan de beklimming wel twee weken kostte.

Vele duizenden jaren geleden hadden gletsjers dit ravijn uit de bodem van de Sierra Nevada geslepen. Na de ijstijd, toen de ijskappen waren gesmolten, bleef er een duizend meter diep, acht kilometer breed ravijn over van rotstorens en steile wanden. In het hoogste gedeelte van de vallei liggen de massieve granietbergen van de Half Dome en Mount Watkins, recht tegenover elkaar, met wanden zo glad dat het lijkt of deze oude, afgeronde steenkoepels met een vlijmscherp mes in tweeën zijn gekliefd. Stroomafwaarts langs de rivier de Merced vind je grote rotstorens als de Washington Column, de spitse Lost Arrow Spire naast het donderende geraas van Yosemite Falls, en de donkere grafsteen van Sentinel Rock. Nog verder stroomafwaarts, tussen grazige weiden en groepen hoge sequoia's, verheffen zich nog andere spectaculaire formaties: de Leaning Tower, Middle Cathedral Rock en de machtigste rots van allemaal: de geelbruine wand van El Capitan, die aan de zuidflank van de vallei steil oprijst tot een hoogte van 1000 meter. Voor niet-gelovigen is Yosemite een prachtig gebeeldhouwd geologisch ongeluk. Voor wie gelooft in een kosmisch meesterplan behoort het tot de grootste werken van de Schepper, een van de wereldwonderen van de natuur.

Mijn bezoekjes als tiener aan Yosemite, van mijn zestiende tot mijn negentiende, waren altijd ingeklemd tussen mijn schoolwerk en allerlei parttime baantjes, zoals gymnastiekles geven aan Cal State University in Fullerton of hamburgers bakken in een fastfoodrestaurant. Maar mijn klimtechniek verbeteren en tijd doorbrengen in Yosemite om naar de avonturen te luisteren van klimmers die er al langer kwamen, leek mij net zo belangrijk als wat ik op school kon leren. Op bijna elke rots was daar klimgeschiedenis geschreven, en als zodanig vormde Yosemite een bibliotheek van Amerikaanse verticale historie.

Een van de legenden die me groot respect en bewondering voor de klimpioniers van Yosemite hadden bijgebracht was het verhaal over de Lost Arrow Spire, een van de spectaculairste rotsen van de vallei. Deze 60 meter hoge toren steekt als een duim uit de grote wand omhoog vanaf een punt op ongeveer 360 meter boven de grond. Het was 1946, een tijd toen nog geen van de grote wanden van Yosemite ooit beklommen was, en de man was een in Zwitserland geboren smid en vegetariër, John Salathè.

Zoals zo vaak bij het klimmen was het een onderdeel van het

Chuck rust even uit op de Lost Arrow Spire, terwijl Bob de spectaculaire Tyrolean Traverse oversteekt. (ARCHIEF BOB HILL)

materiaal dat het lot van de sport bepaalde. In het geval van de Lost Arrow Spire ging het om een haak. Na de Tweede Wereldoorlog waren er alleen haken verkrijgbaar van zacht staal. Die waren wel geschikt voor de zachte kalksteenrotsen van Europa, waar ze werden vervaardigd, maar niet voor het harde graniet van Yosemite. Salathè ondervond dat in de praktijk toen hij als eerste naar de spitse top van de Lost Arrow probeerde te klimmen. Zijn zachte haken verbogen toen hij ze in de spleten wilde slaan, zodat er weinig meer van overbleef dan een stuk nutteloos metaal. Hoewel hij de top dicht naderde, had hij geen andere keus dan terug te gaan, omdat elke haak zijn volle gewicht moest kunnen dragen. Dat was toen de gangbare tactiek. Er werd niet vrij geklommen, maar je sloeg een ladder van haken in de wand, een methode die we nu nog 'artificieel klimmen' noemen.

Toch liet Salathè zich niet ontmoedigen door zijn verbogen haken. Met zijn vakkennis als smid stookte hij thuis het vuur op en zaagde stukken van de as van een oude Model-A Ford, die hij witheet verhitte en tot een nieuw model haak sloeg. Zijn nieuwe ontwerp, van koolstofstaal, was veel sterker en duurzamer dan de oude ijzeren haken en hun vorm was beter aangepast aan de rotsspleten van Yosemite. Ze leken zelfs op de vorm van de Lost Arrow Spire en al snel werden ze door klimmers ook zo genoemd: Lost Arrows. Voor zijn beklimming van de Lost Arrow Spire smeedde Salathè ook een soort klauw die op een grijphaak leek en die hij achter uitstulpingen van de rots kon hangen om zijn gewicht te dragen. Tegenwoordig gebruiken klimmers op El Cap deze zogeheten *skyhooks* op bijna alle grote, artificiële routes in de hoge wanden. Salathè kwam ook met hardere boren voor zijn boorhaken, die niet meer bot werden in het graniet van Yosemite. Ten slotte verfijnde hij zijn touwtactiek tot een systeem dat nog vergelijkbaar is met de huidige werkwijze. Maar ik was niet alleen in Salathè geïnteresseerd vanwege zijn technische doorbraken, maar ook om zijn psychische instelling. Hij had voldoende vertrouwen in zichzelf om dingen te proberen die niemand ooit eerder had ondernomen.

John Salathè had samen met Anton Nelson al de eerste beklimming van de zuidwestwand van de Half Dome volbracht, binnen vierentwintig uur. Dat was waarschijnlijk op dat moment de lastigste route van Amerika, maar toen het tweetal naar de Lost Arrow Spire terugkeerde en begon aan de beklimming van een diepe spleet die de wand achter de Lost Arrow splijt, stuitten ze voor het eerst op de nog grotere opgave van de 'hoge wanden': reusachtige rotsen die enkele dagen en nachten kostten om te bedwingen. In het besef dat dit langer zou gaan duren dan de Half Dome en dat ze niet genoeg water konden meenemen voor zo'n meerdaagse expeditie, trainden ze zich er in door bij andere beklimmingen zo min mogelijk te drinken. Na een paar weken van deze kamelentraining waren ze voldoende voorbereid op de dorstige vijfdaagse beklimming van de Lost Arrow Chimney. Salathès laatste geniale prestatie dateert uit juli 1950, toen hij en Allen Steck – die ik nog weleens in Camp Four heb gezien toen ik al in Yosemite kwam – in iets meer dan vierenhalve dag de noordwand van de Sentinel Rock beklommen. Klimmers zien die route nog altijd als een grote uitdaging.

Dertig jaar later, toen ik zelf aan mijn carrière in Yosemite begon, waren er grote vorderingen gemaakt op het gebied van materiaal, normen en mentaliteit. We hadden niet alleen stalen haken, maar ook nuts en klemblokjes die gemakkelijk en stevig in de spleten pasten. We hadden betere klimschoenen, sterkere touwen en handige hulpmiddelen om in alle behoeften tijdens het klimmen te voorzien. De meer atletische training en de choreografie van het vrije klimmen stelden ons in staat met onze tenen en vingertoppen langs allerlei wanden omhoog te dansen die Salathè nog artificieel zou hebben beklommen. Maar hoewel de routes misschien moeilijker waren, betwijfel ik of we met meer durf en visie klommen dan Salathè, want niets is vergelijkbaar met de eisen van een totaal onbekende uitdaging.

In de zomer van 1979 was ik op de Arcing Plot bezig mijn spullen te verzamelen voor een beklimming van de beroemdste route in Yosemite, de Nose van El Capitan. Deze route, voor het eerst volbracht in 1958, was de eerste lijn langs El Capitan omhoog. Slechts dagen voordat de eerste klimmers probeerden de Nose te beklimmen, was de steile noordwand van Half Dome al bedwongen door Royal Robbins, Jerry Gallwas en Mike Sherrick. El Cap, aan de andere kant van de vallei, tegenover Half Dome, was de volgende barrière die moest worden overwonnen. Nog nooit had iemand nog zo'n rots beklommen. De tijd, de energie en de volharding die nodig waren voor de eerste beklimming van zo'n hoge rotswand vormden een avontuur in dezelfde orde van grootte als de wedloop naar de zuidpool.

De grootste, steilste en technisch moeilijkste rotsroute uit de geschiedenis trok in de media meer aandacht dan enige andere klim daarvoor. In de periode tussen 4 juli 1957 en 12 november 1958 werkten verscheidene klimmers aan de Nose. Ze probeerden de wand te bedwingen met een stelsel van vaste touwen. De aanblik van die klimmers, bungelend tegen de rots, veroorzaakte verkeersopstoppingen in het dal beneden. Op een gegeven moment greep een van de parkwachters een megafoon en riep naar een klimmer: 'Kom als de sodemieter naar beneden!' Het parkbeheer was niet blij met al dat geklauter en verbood aanvankelijk zelfs de beklimming, maar ten slotte gaven ze toch toe en mochten de klimmers proberen zo hoog mogelijk te komen, mits ze hun pogingen maar beperkten tot het laagseizoen: tussen Labor Day en Memorial Day. Deze beperkingen, het vrij primitieve materiaal en de trage vorderingen van het artificiële klimmen vormden de reden waarom de hele onderneming zo lang duurde – in totaal vijfenveertig dagen, verspreid over bijna anderhalf jaar.

Het brein achter de eerste beklimming van de Nose en de enige die al die intensieve maanden van het begin tot het eind bij het project betrokken bleef was Warren Harding, een klimmer met visie. Later schreef Harding een merkwaardig boek met de titel *Downward Bound*, waarin hij in komische vorm de sfeer van Yosemite in de jaren zestig beschreef en de draak stak met de ijdelheden van de klimmers (hijzelf niet uitgezonderd), die hij afschilderde als een stelletje dronken aso's. In het boek noemde hij zichzelf steeds bij zijn bijnaam, Batso, afgeleid van *bat* of 'vleermuis', omdat hij als een vleermuis in grotten woonde, het leven als een vleermuis bekeek en bovendien een scherp gezicht en plat achterovergekamd haar had, waardoor hij enigszins aan een vleermuis deed denken. Met een fles wijn in de hand zag ik de inmiddels wat oudere en gebogen Harding weleens door Camp Four slenteren als ik daar kampeerde. Hij klom nog steeds, maar hij leek de Arcing Plot – met al die jonge hippies – liever te mijden. Zoals ik later in mijn leven ook zou ervaren, had Harding het gevoel dat zijn gloriejaren in Yosemite voorbij waren. Maar hij hield nog altijd van die plek en kon er geen afscheid van nemen.

Mijn eigen partners voor de beklimming van de Nose, Mari Gingery en Dean Fidelman, behoorden tot de vaste kern van Joshua Tree. Tegen die tijd had ik al een paar routes in de hoge wanden volbracht, zoals de Regular en de Direct op Half Dome, de zuidwand van Mount Watkins en andere eendaagse beklimmingen, zoals de Rostrum en de Sentinel Rock. Maar dat was altijd in het gezelschap geweest van mensen met meer ervaring dan ikzelf, zodat ik in zekere mate op hun kennis en adviezen kon vertrouwen. Bij deze beklimming van de Nose waren we wat meer aan elkaar gelijk. De Nose was steiler en langer dan alles wat ik tot dan toe had gedaan, en vereiste nogal wat artificiële technieken, waar niemand van ons veel ervaring mee had. Dus zou de Nose een leerzame expeditie worden.

Dean, een van de bekende figuren uit Joshua Tree, was voor mij bijna familie. Toen hij zei dat hij graag mee wilde naar de Nose, leken zijn goede humeur en zijn eindeloze voorraad grappen me heel nuttig voor het moreel. Mari, een rustige onderzoeksbiologe uit Los Angeles, gespecialiseerd in elektronenmicroscopie, behoorde ook tot mijn nieuwe familie. Ik had talloze weekends met haar geklommen in het rotsgebied van zuidelijk Californië. Bij die gelegenheden waren we dikwijls de enige vrouwen in een zee van grofgebekte stoere mannen. Dus hadden we een zusterverbond gesloten door onze eigen methoden te ontwikkelen om routes te volbrengen waar mannen gewoon op brute kracht vertrouwden. Omdat ik altijd de kleinste was, moest ik gebruikmaken van de kracht en soepelheid die ik bij het turnen had gekregen om passages te overbruggen waar anderen gewoon hun arm konden uitsteken. Mari, met haar ravenzwarte haar, dochter van een Duits-Amerikaanse vader en een Japanse moeder, heeft ook een tenger postuur, maar is wel een half hoofd groter dan ik. Gezegend met een balletachtige klimstijl wist ze op techniek en gevoeligheid de lastigste gedeelten te overwinnen. We hielden allebei van vrij klimmen en een groot deel van ons plezier was het uitdokteren van onze eigen unieke 'choreografie' op basis van de natuurlijke elementen van de rots.

Tijdens sommige van die weekends in Joshua Tree verloren Mari en ik alle besef van tijd, als spelende kinderen. We zwierven de woestijn door, van de ene rots naar de andere, klimmend tot onze huid gloeide door het schaven langs de scherpe steen en we ons niet meer konden vasthouden. Dan bekeken we onze krijtwitte, eeltige handen, onze gebroken nagels en gescheurde nagelriemen, en riepen lachend dat we hard aan een manicure toe waren.

Toen we die dag op de Arcing Plot onze tassen en rugzakken inpakten met genoeg eten en water voor drie dagen in de Nose, hingen er verscheidene mannen en zelfs een paar vrouwen uit de

De 'bende van Joshua Tree'. Van links naar rechts, achterste rij: Yabo, Mari Gingery, Mike Lechlinski, Randy Vogel; middelste rij: Dave Evans, Maria Cranor, Largo, Charles Cole, Dean Fidelman, Jim Angione, Craig Fry; vooraan: Brian Rennie. (BRIAN RENNIE)

harde kern van Yosemite om ons heen. De mannen, met ontbloot bovenlijf om de zon op te vangen, waren strak en gespierd door duizenden inspannende rotsbeklimmingen. De zon die over de noordrand van de vallei viel accentueerde de tekening van hun spieren. Buikige toeristen van middelbare leeftijd, op weg naar het ontbijt of naar de bus, staarden met open mond naar de levende standbeelden van dit benijdenswaardig fitte jonge volk. 'Dat moeten de klimmers zijn,' hoorde je toeristen fluisteren.

Het grootste deel van het vaste ploegje van Joshua Tree was die zomer naar Yosemite getrokken. Largo, Yabo, Mike Lechlinski, Bachar en anderen stonden in groepjes tussen de talloze busjes op het parkeerterrein, druk in gesprek met de vaste bewoners van Yosemite, zoals Jim Bridwell, Ron Kauk, Dale Bard, Mark Chapman, Werner Braun en Kevin Worrall. In die twee groepen wonen de beste Amerikaanse klimmers uit die tijd. Zo nu en dan adviseerden ze ons wat we moesten meenemen of leenden ze ons iets dat we zelf niet hadden. Het inpakken behoort tot het ritueel van een grote beklimming. Al je spullen keurig op de grond naast elkaar leggen is net zoiets als de soldaten van je leger opstellen voor een veldslag. Voor de beklimming van de Nose hadden we een verzameling hexentrics en klemblokjes om in spleten te steken; een paar haken; vijftig karabiners, aaneengeregen tot een lange zilverglinsterende ketting; stijgklemmen en slings om langs het touw te klimmen; drie stevige touwen; een takel om de haulbag omhoog te hijsen; zes vierlitertanks met water; een etenszak vol met broodjes, tonijn in blik, snoeprepen en gedroogd fruit; slaapzakken en schuimrubber matrasjes.

Terwijl de stapel groeide hoorden we het vervormde geluid van een paar autoluidsprekers. Een gitaarsolo van Jimi Hendrix overstemde het verre gebulder van Yosemite Falls. Het vormde een dramatische achtergrond bij het verhaal dat Jim Bridwell, ook bekend als de Bird of de Admiral, vertelde over een riskante artificiële klim langs een nieuwe route die hij en Kim Schmitz kort tevoren hadden geklommen op Half Dome. Die route heette de Zenith en leidde over een 600 meter hoge granietwand die zo steil was dat hij nooit nat werd in de regen. Dit stuk had een naam die de luchtigheid aangaf: Space Flake.

Bridwell was de onbetwiste leider van het klimwereldje van Yosemite Valley in die tijd. Als hij iets zei, dan luisterden de mensen. Hij was lang, gespierd, met stoffig donkerblond haar, een verweerd gezicht en een revolutionaire Che Guevara-snor. Met zijn zesendertig jaar klom hij al langer dan sommigen van ons op deze aarde rondliepen. Een groot aantal van de moeilijkste en hoogste beklimmingen van Yosemite had hij al volbracht. Zoals John Long een keer grapte: Bridwell was oud genoeg 'om de Onbekende Soldaat nog te hebben gekend en persoonlijk te hebben doodgeschoten. In zekere zin liep er van hem nog een touw tot aan het eerste begin van de klimsport.' Bovendien stimuleerde hij me in al mijn klimpogingen vanaf het moment dat ik hem leerde kennen.

'We hangen bijna vijfhonderd meter boven de grond en de wand hangt dertig graden over,' vertelde Bridwell over zijn beklimming van de Zenith. 'We komen bij flake, dertig meter hoog en zo scherp als een guillotine, die als een zwaard van Damocles boven ons hoofd hangt. "Dit wordt me te gevaarlijk," zegt Schmitz. "Eén klap met de hamer en hij laat los en splijt ons in tweeën." Dus houden we halt en staren er een hele tijd naar voordat ik genoeg moed heb verzameld om door te gaan.'

De jeugdige meute hing aan Bridwells lippen. Als een monteur gaf hij een uitvoerige technische uitleg van de ingewikkelde manier waarop hij zijn zekeringsmateriaal in de gapende opening achter de rand van de flake wist te krijgen. Zijn beschrijving is zo levendig dat ik de flake bijna als een gong kan horen weergalmen op het moment dat hij de haken erachter slaat. Hij wekt de suggestie dat elk van de haken die hij in die dertig gruwelijke meters slaat precies het juiste aantal hamerslagen nodig heeft om te blijven zitten. Eén klap te weinig en de haak zal losschieten onder druk, waardoor Bridwell als een sloperskogel tegen Schmitz aan zal worden geslingerd. Eén klap te veel en de spanning van de rotsrichel wordt gebroken, waardoor een vlijmscherp stuk steen met een gewicht van honderden tonnen in Bridwells schoot zal belanden, zijn benen zal afhakken, het touw zal doorsnijden en Schmitz van de wand zal slaan. Bridwells intuïtie om precies het juiste aantal hamerslagen te bepalen om dit avontuur te kunnen overleven, heeft niets te maken met dom geluk, maar bewijst nog eens zijn reputatie als de zen-meester van de grote beklimmingen.

Jim Bridwell was niet de enige klimmer die in die tijd nieuwe routes probeerde in Yosemite, maar vijftien jaar lang – vanaf halverwege de jaren zestig tot aan de glorietijd van zijn nieuwe beklimmingen eind jaren zeventig – was hij de koning van Yosemite Valley. Bridwells hartstocht voor het klimmen was kenmerkend voor de houding van veel klimmers in die tijd. In plaats van te streven naar een carrière en een zekere toekomst besefte hij dat je alleen een goede klimmer kon worden door al je tijd aan je sport te besteden. Tussen zijn veeleisende tochten door had hij tijdelijke baantjes om in zijn levensonderhoud te voorzien, maar zijn werkelijke bevrediging lag in het klimmen.

Jim was in 1944 geboren in San Antonio, Texas. Zijn vader was een oorlogsheld, een officier van het Army Air Corps, dus was hij als kind talloze malen verhuisd van de ene vliegbasis naar de andere. Als tiener had hij talent voor honkbal, maar door een volgende verhuizing verloor hij het contact met georganiseerde sporten. De Bridwells kwamen terecht in San Mateo, Californië, waar Jim zich toelegde op solitaire sporten zoals de valkerij en wandeltochten door de redwoods. Zijn belangstelling voor het rotsklimmen ontstond in feite uit zijn nieuwsgierigheid naar de hooggelegen nesten van roofvogels. Een bezoek aan Yosemite gaf de doorslag. Hij koos voor het klimmen. Op zijn negentiende ging hij van school en vertrok naar de vallei. Al snel vormde hij een team met een fanatieke, energieke sportmakker die ook als zo'n halfgod van Yosemite werd beschouwd: Frank Sacherer.

Bridwell was een geboren atleet, met een mentaliteit die goed paste bij de vrije klimstijl uit de jaren zestig zoals Sacherer die beoefende. Dit was de begintijd van de klimsportrevolutie, toen klimmers nog maar pas de schoonheid ontdekten van het vrije klimmen, zonder hulpmiddelen. Toch was het nog jaren voor de komst van de geveerde klemapparaten ('friends') die tegenwoordig gemeengoed zijn, om nog maar te zwijgen over de ultrasterke boorhaken van het nieuwe millennium. Mephaken vormden nog de voornaamste veiligheid; de meeste routes volgden dus een opeenvolging van rotsspleten. Dit betekende dat de klimmer een acht kilo zware ketting van stalen haken om zijn nek had, en een hamer in een holster aan zijn riem. Hij klom een meter, bleef met één arm aan een natuurlijke greep hangen, prutste een haak van zijn karabiner, stak die in een spleet en sloeg hem vast met zijn hamer. Dat was een vermoeiende en logge tactiek, die meer aan het werk van een staalarbeider deed denken dan aan klimsport. Bovendien moest de voorklimmer grote risico's nemen. Het is heel zwaar om aan één arm te hangen terwijl je met je andere hand een haak inslaat. Vaak moest de voorklimmer lange stukken afleggen voordat hij een geschikte plek vond voor een haak. Het was een gevaarlijke tactiek, maar de klimmers hadden weinig keus. Het materiaal bepaalde de werkwijze. Deze noodzaak om risico's te accepteren bij het uitzetten van een route leidde tot een klimcultuur waarin moed een grote rol speelde. Bovendien ontstonden zo enkele basisregels van het klimmen die vele jaren geldig zouden blijven.

Die belangrijkste regels waren:

Regel een: Elke beklimming begint op de grond. Als je een route van bovenaf verkent door je langs een vast touw te laten zakken, of als je van bovenaf beschermende haken in de wand slaat, is dat een vorm van bedrog.

Regel twee: Als je valt terwijl je de voorklimmer bent, moet je je onmiddellijk helemaal naar de grond laten zakken en opnieuw beginnen. Als je onderweg aan een haak blijft hangen en gewoon weer doorgaat, wordt ook dat als bedrog beschouwd en heb je het niet gehaald.

Deze regels werden onze wetten in de jaren zeventig en tachtig, en als sommige klimmers later van die tactiek wilden afwijken ontstonden er heftige discussies – ingezonden brieven in klimtijdschriften, soms zelfs knokpartijen. Maar tegen het einde van de jaren tachtig was het gedaan met deze regels. Niet alleen was het materiaal veel beter geworden, maar ook traden er belangrijke veranderingen op in de theorie en methoden van het vrije klimmen, waardoor de oude wetten uit de tijd raakten. De nadruk verschoof van de traditie van het bergbeklimmen (waarin risico's en gevaren een wezenlijk element vormden) naar klimroutes met ombindpunten waardoor nieuwe hogere moeilijkheidsgraden veilig kunnen worden uitgeprobeerd. Maar toen ik zelf met klimmen begon, golden de oude regels nog.

Volgens die doctrine van moed en gevaar volbrachten Sacherer en zijn protégé Bridwell talloze beroemde routes. Ahab (5.10), Crack of Doom (5.10d) en de eerste vrije beklimming van een tweedaagse route, North Buttress van Middle Cathedral Rock

Met stijgklemmen omhoog tegen de eerste lengte van de Nose, in 1979. (JESSICA PERRIN-LARRABEE)

(5.10a), stonden nog allemaal op het lijstje van de Yosemite-klimmers toen ik daar arriveerde. Ik kwam in contact met Bridwell, die als een soort stamoudste de harde lessen die hij van Sacherer had geleerd op ons jongeren overbracht. Die lessen, een soort bijbel, betekenden dat je je met hart en ziel op een route moest storten en steeds je grenzen moest verleggen, zowel lichamelijk als psychisch, ook al moest je daarvoor soms grote gevaren trotseren. Sacherer vertrok in 1966 uit Yosemite om als natuurkundige in Europa te gaan werken. Eind jaren zeventig klom hij in de Franse Alpen, de ijsroute de Lijkwade op de Grandes Jorasses, toen hij door de bliksem werd getroffen en overleed. Bridwell zei ooit over de plaats van zijn mentor in de klimgeschiedenis: 'Hij heeft routes vrij geklommen die volgens de beste klimmers uit zijn tijd niet vrij te klimmen waren. Hij voltooide routes binnen een dag die volgens hen onmogelijk binnen een dag konden worden voltooid. In de jaren zestig heeft Sacherer meer gedaan voor de ontwikkeling van het vrije klimmen zoals wij dat nu kennen dan enige andere klimmer uit de historie.'

Na het vertrek van Sacherer werd Bridwell de leider van de meute. Als een Romeinse generaal omringde hij zich met talentvolle jonge krijger-klimmers met wie hij teams vormde om de talloze nieuwe routes te lijf te gaan die op de waaghalzen wachtten. De lange, uiterst lastige spleten van de Outer Limits (5.10c) en de New Dimensions (5.11a) behoorden tot zijn beste vrije beklimmingen uit het begin van de jaren zeventig. Ze leerden mij heel veel over het klimmen langs steile spleten. Maar geen enkele les maakte zoveel indruk als mijn eerste keer in de Nose van El Capitan.

Hoogtevrees, kwetsbaarheid, noem het wat je wilt, maar de adrenaline en de spanning die we voelen als we aan de rand van een afgrond staan is een fundamenteel menselijke sensatie. Ooit zullen genetici wel een deel van ons DNA ontrafelen en een gen aantreffen dat onze reactie op hoogten bepaalt, zodat ouders hun kinderen kunnen testen op hun geschiktheid als deltavliegers of types die al zenuwachtig worden op een keukentrap. Naarmate Mari, Dean en ik die dag steeds verder klommen in de hoge, winderige Nose, werd duidelijk wie van ons het hoogtevrees-gen bezat en wie niet.

Ik merkte die eerste dag dat het niet goed ging met Dean toen hij zijn gevoel voor humor verloor. Opeens werd hij doodernstig,

111

nadat hij een touwlengte had geleid waarbij hij een manoeuvre had moeten uitvoeren die een pendule wordt genoemd. Tegen die tijd hingen we 150 meter boven de grond, zo hoog dat we de toppen van de hoge naaldbomen van Yosemite Valley al een heel eind beneden ons zagen. Vanuit onze positie leken ze op grote potloden die in de aarde waren gedrukt. We hadden ons voorgenomen om de beurt de leiding te nemen. Dat betekende dat ieder van ons elke derde lengte voorop zou gaan. Maar toen Dean klaar was met zijn beurt, maakte hij een bleke en nerveuze indruk. Hij had net een paar pendels gemaakt aan het einde van zijn touw, tot hij genoeg snelheid had om een spleet te bereiken, twaalf meter rechts van hem. Het was een primitieve manoeuvre, die iedereen met maar een greintje hoogtevrees de stuipen op het lijf zou jagen.

'Ik laat de leiding maar aan jullie over, meiden,' zei hij toen ik langs het touw omhoogklom en naast hem bleef hangen tegen een glad stuk rotswand.

'Wat? Wil je de volgende lengte niet doen? Dat lijkt me een mooie touwlengte,' zei Mari.

'Het is oké. Ga jij maar.'

'Nee, echt, Dean. Doe het nou. Dat vind je leuk.'

'Nee. Ik ga niet meer voorop.'

'Ach, toe nou. Ga maar vooruit, dan...'

'Verdomme! Ik zei toch nee? Ik blijf hier. Ik klim wel achter jullie aan,' snauwde hij terug met een karakteristieke diepe frons op zijn voorhoofd.

Mari en ik wisselden een blik. Goed, dan namen wij de leiding wel. We begrepen dat er voor Dean op dat moment nog maar één route naar beneden was, en dat was naar boven, achter ons aan. De rest van de dag drukte Dean zich zo dicht mogelijk tegen de rotswand aan terwijl hij ons volgde langs de touwen. Aan zijn snelle, nerveuze ademhaling kon ik horen dat hij zich niet prettig voelde op deze hoogte. En de manier waarop Mari en ik genoten van de steile wand van El Cap – achteruitleunend in onze gordels, of op onze tenen op smalle richeltjes balancerend terwijl we omlaagtuurden in de diepte – maakte hem misschien nog zenuwachtiger. Jaren later, toen ik me zelf heel ongemakkelijk voelde op een steil sneeuwveld in de bergen van Kyrgizistan, begreep ik wat Dean moest hebben doorgemaakt. Sneeuw was voor mij een element van het hooggebergte waar ik alleen maar op wilde skien en snowboarden.

De Nose-route loopt recht door het midden van El Capitan en volgt een vooruitstekende rand die op de snavel van een vogel lijkt. Dit vooruitstekende stuk wordt gespleten door een stelsel van spleten dat door een geologisch toeval, net de juiste afmetingen hebben voor een mens om zijn of haar vingers, handen of lichaam in te klemmen. Met een paar onderbrekingen vormt deze 900 meter hoge spleet een verticale hoofdweg naar de top van El Capitan.

Mari en ik namen afwisselend de leiding en klommen rustig verder, met behulp van oude haken, terwijl we zo nu en dan onze eigen nuts en hexentrics in de spleten klemden. Bepaalde gedeelten konden we ook vrij klimmen, tot een moeilijkheidsgraad van 5.10; op andere trajecten klommen we artificieel, hangend aan de touwen. Dean volgde ons, met stijgklemmen aan zijn touwen. Stijgklemmen of jumars hebben een handgreep en glijden wel langs een touw omhoog maar bijten zich vast als je eraan gaat hangen. Ze zijn een Zwitserse vinding en hebben zo'n grote invloed op het klimmen gekregen dat er in het Engels zelfs het werkwoord *to jumar* bestaat.

Op ruim 200 meter hoogte kwamen we bij een 150 meter lange, ongewoon brede spleet, de Stovelegs. Het verhaal over de manier waarop het eerste team in 1958 dit lastige stuk overbrugde is ook zo'n voorbeeld uit de klimhistorie waarbij nieuwe ontwikkelingen uit nood werden geboren. De vraag hoe Harding en zijn mensen de Stovelegs moesten overwinnen deed al weken de ronde in Camp Four, omdat er nog geen beveiliging bestond voor een klim langs zo'n brede spleet. Hoewel Salathè achter het aambeeld zijn vertrouwde Lost Arrows produceerde zo snel als klimmers ze in de rotsen konden timmeren, waren er nog geen brede haken verkrijgbaar en vormde een spleet als de Stovelegs dus een onoverkomelijk obstakel. Maar toen Hardings vriend Frank Tarver op de vuilstort van Berkeley een oude houtkachel vond, besefte hij dat de fraaie geëmailleerde hoekijzerpoten van de kachel de oplossing konden vormen voor dit deel van de route. Gewapend met de vier zware, ruim 20 centimeter lange poten, kwam Harding op 8 juli 1957 bij de Stovelegs aan. Hij hamerde ze in de spleet en haakte het touw eraan als zekering. Met een soort haasje over volgde het team de haken enkele tientallen meters omhoog, op weg naar een punt vlak onder een opvallend herkenningspunt met vlakke top dat nu de Dolt Tower wordt genoemd. Daar, met hun half-platgeslagen en verbogen kachelpoten, besloten ze weer af te dalen, ook al omdat de parkwachters stonden te brullen dat ze naar beneden moesten komen.

De afgelopen jaren hebben klimmers ontdekt dat de Stovelegs geschikt was voor een vrije beklimming, dus staken Mari en ik onze handen in de spleet en balden onze vuisten voor een speciale techniek die *jamming* heet. Daarbij klem je je vuisten in de spleet, bijna net zo stevig als wanneer je de sporten van een ladder zou grijpen. Zo klommen we omhoog, met onze voeten strak tegen de zijkanten, volgens dezelfde laddertechniek. Zo legden we vier lengtes af. De spleet eindigde bij de Dolt Tower, genoemd naar Bill Feurer, bijgenaamd Dolt, een van Hardings partners.

Op deze richel hebben zich enkele historische momenten voorgedaan tijdens de eerste beklimming. Toen Wally Reed omhoogklom langs de vaste touwen van het team, volgens een techniek die aan de uitvinding van de stijgklem voorafging, zag hij dat de touwen sporen van slijtage begonnen te vertonen. Voordat hij het wist stortte hij naar beneden. Het touw was kapotgeschuurd, maar Reed had het geluk dat hij niet veel lager op de richel landde.

Een van de minst geslaagde experimenten qua materiaaltechnologie was misschien wel de Dolt Cart. Feurer was luchtvaartingenieur en kwam met een idee om het grote gewicht van al die spullen, eten en water voor Harding en zijn team wat gemakkelijker omhoog te hijsen bij hun langdurige beklimming van de Nose. Hij schroefde een groot stalen frame tegen de rotswand, waarop een lier werd bevestigd, de Dolt Winch. Daar ging een touw doorheen, dat op de grond werd vastgemaakt aan het krankzinnigste hulpmiddel dat de klimsport ooit had gezien: de Dolt Cart. Het was een wagentje met gewone fietsbanden waarop het team een zak met ruim twintig kilo bagage laadde. Harding vond het een 'prachtig gezicht' toen de Dolt Cart langzaam de wand op reed voor zijn bijna 400 meter lange reis naar de Dolt Tower. Maar het geval kantelde nogal eens of raakte beklemd onder uitstekende rotsen. Bovendien waren er vier man voor nodig om de lier en het karretje te bedienen. Nadat de klimmers een paar dagen aan deze vinding hadden verspild viel het hele ding uit elkaar en moesten ze gewoon hun voorraden weer met spierkracht de steile wand op hijsen. Zelf gebruikten we bij onze beklimming een kleine lier om de vijfentwintig kilo zware tas steeds een touwlengte hoger te trekken, zwetend en kreunend van hitte en inspanning.

Ons eerste bivak in de Nose richtten we in op de ruime rotsrand van El Cap Tower. We spreidden de matrasjes uit op de vlakke maar harde grond en kropen in onze slaapzak. We hielden wel onze klimgordels om, die met een touw aan de haken in de wand boven de rotsrand waren bevestigd – voor het geval iemand overboord dreigde te rollen of neiging kreeg te slaapwandelen. Zodra we in onze slaapzakken lagen haalden we watertanks en eten uit de haulbag en begonnen hongerig aan het avondmaal. Toen de alpengloed van de Sierra de vallei in schakeringen van roze schilderde, veranderde de vliegshow boven ons hoofd van samenstelling. De zwaluwen die de hele dag kwetterend om de rots hadden gescheerd doken nu met topsnelheid naar de wand toe, remden op het laatste moment af en verdwenen in de spleten waar ze nestelden. Hun plaats werd ingenomen door de vleermuizen, die uit hun donkere holen kwamen om in de vallende avond op insecten te jagen.

Veilig in zijn slaapzak en zo ver mogelijk bij de rand vandaan kreeg Dean weer iets van zijn gevoel voor humor terug. Hij opende een blikje met zijn padvindersmes en reikte het Mari aan met de zwierigheid van een ober in een chique restaurant.

'Wil madame misschien een fruitcocktail?' vroeg hij. De rest van de avond zorgde hij voor het eten, serveerde koekjes en

Warren Harding, een visionaire klimmer, in 1968. (GALEN ROWELL)

pemmikanrepen en gaf de watertank door alsof het een fles goede wijn was.

De volgende dag waren we al vroeg wakker. Toen de zon zijn eerste stralen door het dal wierp, zag ik dat het nog mistte aan de grond. Boven ons hoofd, wat naar het oosten, werd een steil gedeelte van de wand van El Cap beschenen door een gouden licht. Dit was het laatste stuk van een andere beroemde route van Harding, de Dawn Wall, ook bekend als de Wall of Early Morning Light. Voor de eerste beklimming, in 1970, hadden Harding en Dean Caldwell zevenentwintig dagen nodig, klimmend en hangend in hangmatachtige 'vleermuistentjes'. Dat was twee keer zo lang als iemand ooit eerder onafgebroken tegen een wand had gehangen. Het werd een heldhaftige tocht. Het tweetal was voor deze bijzonder technische artificiële klim op weg gegaan met vijf haulbags met een totaalgewicht van honderdvijfentwintig kilo, plus vijfendertig kilo materiaal (voornamelijk haken), vijftig liter water en een paar flessen Christian Brothers-wijn. (Het wijnmerk gebruikte later in een reclamecampagne een opname van Harding tegen de wand, terwijl hij een glas van hun product naar binnen sloeg.)

Ze schoten maar langzaam op. Het kostte veel tijd om de noodzakelijke mephaken en boorhaken aan te brengen om de gladde gedeelten te overbruggen. Ze sloegen met een hamer op een handboor en elke haak vereiste een paar honderd slagen. Toen ze op ongeveer eenderde waren, regende het vier dagen aan één stuk, zodat ze geen droge draad meer aan hun lijf hadden. De vleermuistentjes liepen helemaal vol. Pas op de vijftiende dag klaarde het weer op, terwijl de hele klim maar vijftien dagen had moeten duren. Maar ze gaven het niet op en zetten zichzelf op rantsoen. Als ontbijt deelden ze een half blikje fruit, als avondeten een half blikje sardines. Na drieëntwintig dagen organiseerde het parkbeheer een reddingsoperatie. Een helikopter van de luchtmacht bleef vlak voor hen cirkelen, terwijl een klimmer aan een touw vanaf de top werd neergelaten. 'We hebben die vent verrot gescholden, zodat hij haastig weer omhoogvluchtte,' schreef Harding in zijn boek. Ze wilden zich niet laten redden. Toen ze op 19 november de top bereikten werden ze begroet door meer dan honderd journalisten en belangstellenden die geboeid waren geraakt door dit vastberaden duo.

In de Nose moesten we vanaf El Cap Tower nog tien lengtes klimmen naar ons volgende bivak, een rotsrand die Camp Five wordt genoemd. Nu Dean in feite als 'bagage' meeging, moesten Mari en ik alles voorklimmen. Om bij Camp Five te komen moesten we de Boot Flake passeren, een flinterdunne plakrots die tegen de wand lijkt te zweven en die binnenkort wel naar beneden zal komen (binnenkort, in geologische termen, kan variëren tussen volgende week en over tienduizend jaar). Vanaf de top van Boot Flake moesten we dan een grote pendel maken, de King Swing, over een groot glad stuk naar een ander stelsel van rotsspleten, ruim tien meter links van ons. Vijf lengtes na Boot Flake stonden we onder Great Roof, een soort stenen vloedgolf recht boven ons hoofd. In die tijd dacht nog geen enkele klimmer dat zo'n obstakel in vrij geklommen kon worden. Vijftien jaar later werd die bewering weerlegd, maar Great Roof is nog altijd een van de lastigste gedeelten van de hele route.

'We hebben nog twee lengtes te gaan tot aan het bivak, en de zon staat al laag,' riep ik naar Mari om haar wat aan te sporen bij de artificiële lengte die ze voor zich had.

'Ja, ik weet het,' antwoordde ze, terwijl ze systematisch van het ene naar het andere punt klom. Zelfs bij artificieel klimmen – in mijn ogen een log en noodzakelijk kwaad als alle andere mogelijkheden zijn uitgeput – bewoog Mari zich nog zorgvuldig en met gratie.

Veertig minuten nadat ze aan de lengte naar de Great Roof was begonnen naderde ze de standplaats, 40 meter boven mij. Ze riep naar beneden dat ik ter wille van de snelheid maar met stijgklemmen naar boven moest komen en 'de route moest schoonmaken' (haar materiaal moest meenemen). Dan kon Dean met stijgklemmen omhoogkomen langs ons enige andere touw, dat zou worden gezekerd aan het andere eind van de Great Roof. Dat touw hing bij de wand vandaan, een meter of twaalf naar opzij. Het was redelijk veilig om je stijgklemmen eraan vast te haken en je naar buiten te laten zwaaien, maar de gedachte om daar te bungelen, langzaam om je as draaiend terwijl je omhoogklom, duizelingwekkend hoog boven het dal, deed Dean verbleken.

'Ik volg liever de lengte dan dat ik in de vrije ruimte klim,' zei hij toonloos tegen me.

'Nee. Het gaat veel te lang duren als jij de route moet schoonmaken. Laat je maar naar buiten zwaaien. Er kan niets gebeuren.'

'Nee, Lynnie, dat is te gevaarlijk,' protesteerde hij. 'Het touw kan wel breken als ik die pendule maak. Weet je nog wat er met Chris Robbins is gebeurd?' Hij doelde op een jonge klimmer die niet lang daarvoor met stijgklemmen in een vrijhangend touw had geklommen in Tangerine Trip, een route van El Cap, en te pletter was gestort toen zijn touw kapotschuurde tegen een scherpe rand. Maar Mari had al zorgvuldig bepaald dat dit nu niet kon gebeuren.

Dean wilde met mij van plaats wisselen. Ik moest maar aan het vrije touw gaan hangen, terwijl hij Mari's route schoonmaakte, zeurde hij. Als de avond niet was gevallen, zou ik wel hebben toegestemd, maar mijn geduld raakte op omdat ik het bivak wilde bereiken voordat het helemaal donker was. 'We kunnen niet nog een uur wachten terwijl jij de route schoonmaakt,' zei ik streng. 'We hebben niet eens genoeg licht om nog bij Camp Five te komen.'

Hij kreunde, mopperde nog wat en liet zich toen terugzakken, wachtend op zijn lot.

'Klaar om te hijsen,' riep Mari vanaf het andere eind van het touw en ik stuurde de haulbag omhoog. Daarna was het de beurt aan Dean.

'Dit bevalt me niks,' zei hij.

'Het gaat wel goed,' probeerde ik hem gerust te stellen. 'Hier, ik zal het einde van het touw vasthouden en je langzaam opzij laten zakken. Dan zwaai je niet zo heen en weer.' Ik voelde me schuldig. Dean keek als een kat in het nauw.

Ik liet hem gaan, met zoveel mogelijk speling van het touw waaraan hij hing. Zodra hij de veiligheid van het wandcontact kwijt was, vertoonde hij alle symptomen van hoogtevrees. Hij trappelde met zijn voeten en sperde zijn ogen wijdopen. Ik voelde hoe het touw in mijn handen werd strakgetrokken. Op dat moment moest ik het loslaten, waardoor Dean een grote pendel zou maken, nog griezeliger dan een ritje in de achtbaan van Disneyland.

'Nee, Lynn, wacht...' smeekte Dean toen hij zag dat ik het laatste eind van het touw vasthield. Hij hing 600 meter boven de voet van El Capitan.

'Sorry, Dean, ik heb geen touw meer. Ik moet je loslaten.'

Vlak voordat ik Dean de ruimte in liet slingeren, keek hij me recht aan en zei ernstig: 'Zeg tegen Jessica dat ik van haar houd.' Jessica was zijn vriendin. Later zou Dean – doodsbang, maar ook genietend en zoekend naar een grap – dit melodramatische zinnetje dagelijks tegen ons herhalen.

Toen ik het touw losliet, zwaaide Dean de open ruimte in. Gillend greep hij zich aan zijn stijgklemmen vast en begon te klimmen met de snelheid van een man die voor een tijger op de vlucht was. Ik keek op naar Mari, bijna 40 meter hoger, en we schoten allebei in de lach.

Ik schoof mijn eigen stijgklemmen over het touw, hield zo nu en dan stil bij de klemblokjes die Mari had aangebracht, en gaf ze een schuine ruk omhoog, zodat ze losschoten. Die hele route naar Great Roof betastte ik instinctmatig de smalle spleet met mijn vingers en probeerde me voor te stellen hoe het zou zijn om dit bijzondere bouwwerk van de natuur vrij te klimmen. Klimmers als John Bachar en Ron Kauk hadden in het recente verleden verscheidene gedeelten van de Nose in vrije stijl beproefd, maar iedereen was het erover eens dat de Great Roof alleen artificieel kon worden bedwongen.

'Denk je dat het ooit iemand zal lukken dit vrij te klimmen?' vroeg Mari toen ik boven was.

'Ik weet het niet,' antwoordde ik. 'Die spleet is zo smal dat ik er nauwelijks mijn vingertoppen in krijg, en de rest van de wand is zo glad als een spiegel.' Ik zou het volgende stuk voorop gaan en klom snel langs een goudgekleurd stukje rots dat tegen de wand leek gelijmd. Dit was lengte nummer drieëntwintig, de Pancake Flake.

Tegen de tijd dat ik klaar was voor de laatste lengte naar Camp Five was het aardedonker. Als groentjes op dit gebied bezaten we geen van allen een hoofdlamp. De maansikkel ging schuil achter El Capitan, dus het was bijna helemaal donker.

'Wat nu?' vroeg Dean.

'Nou, we kunnen hier niet blijven. Dan moeten we de hele nacht rechtop staan en doen we geen oog dicht,' antwoordde Mari.

'Dean, geef me je aansteker eens. Misschien kan ik daarmee de spleet voldoende zien,' zei ik.

'Laat hem in vredesnaam niet vallen! Als ik dit moet volhouden zonder sigaretten ga ik helemaal op tilt.'

Dean zei het met zo'n stalen gezicht dat we weer moesten lachen. Hij gaf me een Bic-aansteker. Ik klikte hem open en het vlammetje verlichtte een cirkel van ongeveer een halve meter voor me uit. Maar na een paar seconden werd het zo heet dat ik het moest doven.

'Beter dan niets,' opperde ik.

'Als je maar niet al het gas gebruikt. Het is mijn enige aansteker,' waarschuwde Dean toen ik vertrok.

De lengte naar Camp Five heeft een moeilijkheidsgraad van 5.11, maar meestal wordt hier artificieel geklommen. Op dat punt in mijn carrière was het ongeveer het moeilijkste wat ik ooit had gedaan. Om de meter hield ik halt om mezelf bij te lichten met Deans aansteker. Het gele schijnsel gaf wat informatie – de breedte van de spleet voor me uit, een tree rechts van me – en ik doofde het vlammetje weer. In het donker klom ik dan een meter verder tot ik op onbekend terrein kwam en mezelf weer moest bijlichten. De spleet opende zich tot een v-vormige scheur waar ik volledig in verdween. Ik werkte me schuivend en wrikkend omhoog, half-gehypnotiseerd. Het was niet prettig of onprettig, niet geruststellend of beangstigend, niet leuk en niet saai. Het moest gewoon gebeuren, ik had geen keus en ik kroop als een insect naar boven, uit noodzaak en instinct. Ten slotte verloor ik alle besef van tijd.

Toen ik de welkome rotsrand van Camp Five bereikte was het bijna middernacht. Ik had anderhalf uur volgens een soort braille geklommen. Systematisch maakte ik een standplaats op de rand en zekerde de touwen voor Mari en Dean, zodat ze met stijgklemmen omhoog konden komen. Daarna hees ik de haulbag omhoog. Terwijl ik bezig was had ik alle tijd om na te denken over de verandering in mijn geestestoestand tijdens die nachtelijke klim. Ik begon nu echt te beseffen wat het beklimmen van deze hoge wanden precies betekende. De rots was als een levend wezen dat onze volharding testte door ons steeds met nieuwe uitdagingen te confronteren, onbekende obstakels om te overwinnen. Dat was de essentie van de verhalen van mannen als Harding en Bridwell over de vreemde stunts die ze soms moesten uithalen tijdens een klim. Want hier, op deze hoogte, was geen terugkeer mogelijk en was geen ruimte voor paniek. Pas als je te maken kreeg met zoiets als Space Flake dat dreigde af te breken en je te verpletteren, of als je in het aardedonker toch omhoog moest naar je bivak, leerde je jezelf kennen en wist je of je op jezelf kon bouwen.

Ik hees de tas over de rand vlak voordat mijn partners arriveerden. Toen we onze touwen vastmaakten en een plaatsje zochten voor onze slaapzak voor de nacht, raakten alle touwen in elkaar verstrikt. Maar na een paar happen eten en een flinke slok water sloot ik mijn ogen en viel in een diepe slaap.

Toen ik de volgende morgen wakker werd lag ik in een verkrampte houding, met een scheve rug, aan het einde van een rand die net breed genoeg was voor twee mensen. Alleen mijn bovenlichaam rustte nog op het smalle plateau. Mijn benen hingen over de rand, met mijn voeten op de haulbag. Ik voelde me versuft door slaapgebrek en vermoeidheid. Mijn handen begonnen meteen weer te kloppen; ze waren gezwollen en geschaafd door de scherpe rotsspleten en zwart van het metaaloxide van onze karabiners. Het ergste was nog dat mijn tong aan mijn gehemelte leek vastgekleefd. Het enige waar ik aan kon denken was drinken.

Ik boog me opzij om de waterfles los te haken van de standplaats. Daarbij verschoof ik mijn voeten. Uit mijn ooghoek zag ik dat ik de etenszak uit de tas schopte. Het was het enige wat we niet hadden vastgemaakt aan die wirwar van touwen en karabiners om ons heen. Wanhoop is het enige woord om mijn reactie te beschrijven toen ik al ons eten langs de rotswand omlaag zag stuiteren naar het bos, bijna 700 meter beneden ons.

'Wat was dat? Viel er iets van de rand?' vroeg Dean slaperig.

Hoe moest ik een hongerig man vertellen dat de laatste blikjes fruitcocktail en de laatste broodjes waarvan hij had gedroomd nu op weg waren naar de eekhoorns en blauwe gaaien aan de voet van El Cap?

'Oeps,' was alles wat ik kon zeggen.

'Wat is er?'

'Sorry, maar ik heb het eten over de rand gegooid.'

'Geweldig,' zei Dean terwijl hij zijn ochtendsigaretje opstak. 'Ik had het zelf niet beter kunnen verprutsen.'

Daar moesten we om lachen. Het was waar. Er waren zoveel dingen misgegaan op deze klim en dit was de *coup de grâce*, zoals de Fransen zeggen: de genadeslag. We konden niets anders doen dan onze spullen pakken, het handjevol snoepjes delen dat Dean nog in zijn zak had, flink wat water drinken en de tien lengtes afleggen die ons nog scheidden van de top.

Hongerig, maar gedreven door de noodzaak om zo snel mogelijk boven te komen, begonnen we aan de steilste 300 meter van de Nose. Laat in de middag van deze derde dag waren we bezig aan het laatste stuk. Ironisch genoeg had Harding tijdens de allereerste beklimming dit gedeelte in het holst van de nacht afgelegd. Terwijl ik me omhoogslingerde tegen deze overhangende zee van rotsgesteente, verbaasde ik me over de vasthoudendheid van die onverzettelijke kerel die als een soort schaduw rondwaarde door alle klimmerskampen van Yosemite. Net als wij had Harding de druk gevoeld om aan de wand te ontsnappen, maar hij had er veel meer tijd in doorgebracht dan wij: twaalf dagen voor het laatste stuk. In zijn boek beschrijft hij de laatste veertien uur bij het licht van een hoofdlamp, terwijl hij moeizaam de achtentwintig haken in de wand boorde voor de beklimming van het laatste overhangende wandgedeelte waar ik nu aan hing: 'De Nose heeft me goed te pakken. Die rots heeft meer dan een jaar lang mijn hele leven beheerst... Ik was een tikje vermoeid,' waren zijn woorden.

'Tikje vermoeid' beschreef goed hoe we ons voelden toen we eindelijk over de top van El Cap klommen. We hadden honger, dorst, en we waren volkomen afgepeigerd. Nog één keer keek ik om voordat ik op de vlakke granietplaten van de top stapte en ik prentte de ligging van het dal vanuit dit grootse perspectief in mijn geheugen. Ver beneden me strekten de wegen en velden zich uit, met Half Dome en de kale granieten ruggengraat van de High Sierra aan de horizon. Het was alsof ik Yosemite door een groothoeklens zag. Het was een uitzicht dat me beviel, een uitzicht dat ik nog heel vaak zou mogen bewonderen. Hoewel ik dat nog niet wist, die dag in 1979, zou ik tegen het einde van het millennium deze route nog zeven keer hebben geklommen.

7

De sensatie

van de

hoge wand

De sleutel tot goed klimmen is zo vaak klimmen als je kunt. In het begin van de jaren tachtig stortten wij ons in Yosemite zo fanatiek op het klimmen dat het meer dan een volledige dagtaak werd. We waren er vijf dagen per week, acht uur per dag, mee bezig, plus nog heel wat overuren. Het enige probleem was dat deze veeleisende baan niet werd betaald. Dus leefden de klimmers van de hand in de tand, met het beetje geld dat ze verdienden met seizoenswerk als ober, timmerman, brandwacht, dienstmeisje, pizzakoerier, fietskoerier, visser, tuinman, wegwerker, betonstorter, dakdekker, verkoper, skileraar of wat er verder nog aan tijdelijke baantjes beschikbaar was. Ik wist een hele zomer in Camp Four rond te komen van 75 dollar. Anderen woonden daar nog langer, met nog minder geld. Om een klimseizoen in Yosemite te overleven – de regen van het voorjaar, de hitte van de zomer, de verlossing van de herfst – moest je handig zijn.

De belangrijkste oogst van Yosemite waren de aluminium bier- en frisdrankblikjes die voor een stuiver per stuk konden worden ingeleverd bij het kringloopstation van Yosemite. Toeristen die het geduld niet hadden om die vijf centen te incasseren smeten een ongelooflijke hoeveelheid blikjes weg. Die kwamen terecht in de beerbeveiligde afvalcontainers van het park. De klimmers kwamen ze oogsten. Dat leverde een mager inkomen op.

Ik kwam voor het eerst met die blikjesjacht in aanraking toen ik een smoezelige Australiër en een nog smoezeliger Engelsman ontdekte op een picknickplaats, waar ze de zware klep van een container openduwden en er een houtblok onder legden om hem open te houden. Het volgende moment kroop de Australiër de grote stalen container in en doorzocht die met veel lawaai. Hij gooide handenvol blikjes naar buiten, die door de Engelsman in een draagtas werd geborgen.

'Wat doen jullie?' vroeg ik.

'Overleven,' zei de Engelsman, die zich voorstelde als Tom en vertelde dat ze de blikjes behoedden voor de vuilstort van Fresno en tegelijkertijd het Amerikaanse milieu een handje hielpen.

De Australiër kwam weer uit de container, begeleid door een zwerm vliegen en wespen. Een familie die een eindje verderop zat te picknicken had het met afgrijzen aangezien. Ze pakten hun lunch in en vertrokken. De containerduiker stelde zich voor als Greg en vertelde dat hij en Tom van plan waren om El Cap te beklimmen zodra ze genoeg geld hadden om een nieuw touw te kopen. Ze telden de kleverige blikjes die ze hadden verzameld. Vorige week hadden ze er ongeveer achthonderd bij elkaar gesprokkeld, waarvan het merendeel nu in een grot achter Camp Four lag opgeslagen.

'Een touw kost vijftig dollar, dus dat betekent dat we nog ongeveer tweehonderd blikjes nodig hebben. Nog een dag op blikjesjacht,' zei de Australiër tegen zijn maat. Daarna dook het tweetal de rivier de Merced in om het vuil van hun arbeid van zich af te spoelen, en vertrok.

Schooien was ook een manier om aan de kost te komen. Dat vond plaats in de snackbar en was – net als het blikjes verzamelen – gebaseerd op het feit dat de toeristen in Yosemite het grootste deel van wat ze kopen weer weggooien. Bij het schooien ging een groepje klimmers aan een tafel zitten, dronk bekers koffie van een kwartje en propte zich vol met de chemische soepcrackers en andere gratis hapjes van de toonbank, in afwachting van de volgende buslading toeristen. Die laadden hun bladen vol met veel meer dan ze naar binnen konden krijgen. Ze aten wat van hun macaronisalades, roereieren, patat of wat dan ook, totdat de chauffeur toeterde en de toeristen weer instapten, met achterlating van hun half-opgegeten maaltijden. Als gieren doken de klimmers dan op de kliekjes af. De beste toeristen in die tijd waren de Japanners, wie het in de jaren tachtig economisch zo goed ging dat ze per definitie twee keer zoveel bestelden als ze op konden. Zo nu en dan liep het schooien verkeerd af. Een keer zag ik Dale Bard – een van de Yosemite-klimmers met de beste conditie, die El Cap via talloze routes had bedwongen – zich meester maken van een half-opgegeten maaltje van eieren met spek toen een toerist was opgestaan. Helaas was de man nog niet klaar met zijn ontbijt, maar ging hij even naar de wc. Toen hij terugkwam, zag hij tot zijn verbijstering hoe Dale net de laatste restjes van zijn maaltijd naar binnen werkte.

Het ontwijken van het stageld was een andere truc van de vaste gasten. Dat lukte het best als je een plekje veroverde op de Rescue Site van Camp Four. Het Yosemite Search and Rescue Team was (en is nog altijd) een los verband van klimmers die door het parkbeheer worden ingehuurd voor reddingsacties op de hoge rotsen. Een gratis kampeerplaats en een klein salaris waren de beloning als je je leven wilde wagen om toeristen te redden die vermist werden op trektochten of om gewonde klimmers van de wanden weg te halen. Het was ook stoer om bij de reddingsploeg te zitten. Officieel – of omdat hij nu eenmaal het alfa-mannetje van de vallei was – scheen Jim Bridwell de leiding te hebben van de reddingsploeg. Hij woonde op de Rescue Site in een soort bedoeïentent, die het centrum vormde van alle activiteiten. Onder zijn toezicht was de Rescue Site ook een oefenterrein geworden. Er was een rekstok, bevestigd aan een gevorkte boomstam, een touwladder van stukken pvc-buis, er lagen halters op een oud tapijt en er hing een ketting tussen twee bomen waarop je je kon oefenen in het koorddansen – allemaal heel nuttig voor het ontwikkelen van de kracht en het evenwichtsgevoel die je voor het klimmen nodig had.

Toen ik in Camp Four aankwam legde ik beslag op een stukje zand met zachte dennennaalden, waar ik 's nachts mijn slaapzak kon uitrollen, omdat ik geen tent had. Mijn schaarse bezittingen borg ik op in een van de beerbeveiligde afsluitbare stalen kluisjes in het kamp. We noemden ze 'doodskisten', vanwege hun vorm. Ze waren bedoeld om het eten en de spullen van de kampeerders tegen plunderende beren te beschermen. Die grote beesten stalen alles wat maar op voedsel leek en sleepten het mee naar de bossen, waar ze het uit elkaar scheurden en opvraten. Het bos rond Camp Four lag bezaaid met verscheurde rugzakken waarin boodschappen hadden gezeten, en blikjes en dozen die duidelijke tandafdrukken vertoonden. De beren vraten alles wat de mensen voor ze verborgen probeerden te houden, zelfs pakken waspoeder, stukken zeep en bussen peper.

Dat zigeunerbestaan had een doel: zo lang mogelijk klimmen voor zo min mogelijk geld. Zo omstreeks 1980 was mijn behoefte om te klimmen werkelijk allesoverheersend. Als ik langer in Yosemite kon blijven en nog een paar routes kon klimmen door goedkoop en vuil te leven, dan was dat het waard. Geld en werk konden ons toen niet schelen, maar ironisch genoeg vormde geld wel de sleutel tot het klimmersbestaan. Jaren later beschreef de

Voorklimmen in de beroemde Serenity Crack in Yosemite, op mijn zestiende. (CHARLIE ROW)

klimsportauteur Pat Ament mij in die dagen als 'een Chaplin-achtig meisje, een zwerver met een vuil gezichtje uit het Yosemite-klimmerskamp'. Een paar maanden per jaar klopte dat ook wel. Die straatarme tijden behoren tot de mooiste en meest zorgeloze jaren van mijn leven, en hoewel ik soms dubieuze vrienden had, was hun vriendschap wel echt. Winkeldiefstal, ergens gaan eten zonder te betalen, benzine aftappen en andere vergrijpen om maar aan geld te komen voor het klimmen – het waren algemene praktijken onder een deel van de mensen aan wie ik mijn leven toevertrouwde als ik mezelf aanbond. Sommigen van hen zijn nu, twintig jaar later, advocaat, arts of aannemer geworden, maar in die dagen waren ze nauwelijks meer dan kleine diefjes.

Hoewel ik de grens trok bij diefstal, heb ik me vaak afgevraagd wat ik zou hebben gedaan als ik de kans had gekregen om mee te delen in de grootste meevaller van Yosemite: het vliegtuigongeluk van 1977, toen klimmers een fortuin aan marihuana binnensleepten uit het wrak van een smokkelvliegtuigje dat was neergestort op de hoogvlakte boven Yosemite Valley. Ik was best jaloers op de splinternieuwe spullen, de glimmende vw-busjes en de lange, goed voorziene klimuitjes die sommige klimmers aan de vruchten van die illegale bergingsoperatie overhielden. Maar ik zag ook de duistere kant.

De sterke lucht van de 'Lockheed Lodestar-wiet', zoals de klimmers van Yosemite de marihuana uit dat vliegtuig noemden, was nog twee jaar na het ongeluk te ruiken. Bewoners en bezoekers rookten nog flink van het geestverruimende kruid. Volgens een mengeling van feiten en fictie had het vliegtuig die februarimaand van 1977 ergens op een startbaan in Mexico gestaan, klaar om te vertrekken, met 240 veertigpondsbalen eerste kwaliteit rode marihuana aan boord, bestemd voor een geheime landingszone in de woestijn van Californië of Nevada. Na een vuurgevecht – volgens sommigen – zou het vliegtuig in handen zijn gevallen van een rivaliserende smokkelaarsbende, waarna de gekaapte Lockheed Lodestar vertrok voor zijn fatale vlucht.

Misschien wisten de kapers niet hoe je laag boven de contouren van het landschap moest vliegen om de Amerikaanse radar te ontwijken, of misschien waren de oorspronkelijke eigenaren van de lading zo kwaad over de kaping dat ze hun eigen vliegtuig aan de Amerikaanse narcoticabrigade hadden verraden, maar in elk geval werd het toestel onderschept door een snel vliegtuig, dat het boven het zuiden van Californië achtervolgde en de piloot daar opdracht gaf van koers te veranderen en te landen, zodat het toestel kon worden opgebracht. De vliegers van de Lodestar raakten in paniek. Ze vlogen diep de High Sierra in, ver van alle wegen of steden, terwijl hun tanks langzaam leegraakten. Beneden zich zagen ze een dikke sneeuwlaag op de bergen. Toen de motoren begonnen te sputteren door brandstofgebrek ontdekten de vliegers opeens een vlakke, witte cirkel in het landschap: Upper Merced Lake, hemelsbreed vijfentwintig kilometer van Yosemite Valley. Het meer was dichtgevroren en de ijslaag was een halve meter dik.

In een wanhoopspoging lieten de piloten het landingsgestel zakken, daalden naar het meer, stuiterden een keer, en landden op het ijs, dat brak. De Lodestar kwam in het water terecht, de romp brak doormidden en balen marihuana gleden over het ijs. Het staartstuk met het grootste deel van de lading zonk, terwijl de cockpit half onder water bleef hangen in een krater van gebroken ijs, met de neus omhoog. De twee piloten waren dood, nog altijd in hun riemen gegord. Kort daarna, tijdens een luwte tussen de sneeuwstormen, werd het wrak ontdekt door een helikopter die op verkenning was gestuurd, maar de autoriteiten vonden het toestel te onbenaderbaar en de omstandigheden te ijzig en te gevaarlijk, dus werd de bergingsoperatie uitgesteld tot de eerste dooi van het voorjaar.

Volgens het verhaal kregen een paar vaste bewoners van Camp Four er op een regenachtige dag lucht van toen ze een beleefdheidsbezoekje brachten aan het kantoor van het parkbeheer. Terwijl ze een praatje maakten hoorden ze via de radio een bulletin over het onbekende toestel dat in Upper Merced Lake was neergestort. De klimmers vroegen verder en begrepen dat er tot aan de lente geen politie of parkwachters naartoe zouden gaan. Slechts één van de klimmers die het verhaal hoorden had het lef om zijn winterkleren aan te trekken, een paar oude langlaufski's onder te binden en een kijkje te gaan nemen in die uithoek. De anderen waren bang voor moeilijkheden. Maar toen hun vriend een paar dagen later terugkeerde met een zware rugzak vol met wiet lokte de kans op gevonden geld ook de rest naar Upper Merced Lake.

Wat er daarna gebeurde is een verslag uit de zoveelste hand, afkomstig van mensen die er zelf niet bij waren. Het handjevol dat wel naar het vliegtuig ging, sprak er niet over. Feit is dat een klein groepje klimmers in Yosemite een paar dagen later plotseling rijk was. De klimmers ontfermden zich over het toestel, terwijl de autoriteiten de bergingsoperatie uitstelden, voornamelijk omdat alleen de klimmers de moeite namen om een hele dag door de bijna heuphoge sneeuw te waden om bij hun doel te komen. Het overlevingsinstinct om te kunnen kamperen in de winter, als je soms dagenlang nat en koud bent, is voor veel klimmers een tweede natuur. De DEA, de FBI en het parkbeheer schrokken blijkbaar terug voor zulke ontberingen.

De eerste klimmers die het wrak bereikten vonden een rijke oogst. De balen lagen gewoon op het ijs. Stomverbaasd over zoveel geluk beseften ze meteen dat de waarde van één baal wiet veel hoger lag dan de kosten van hun kampeerspullen, dus gooiden ze alles uit hun rugzakken en propten ze vol met marihuana. Toevallig pasten de balen precies in een rugzak. Naarmate er meer klimmers een kijkje kwamen nemen bij het meer, begon de oever steeds meer op een rommelmarkt te lijken. Overal lagen afgedankte slaapzakken, tenten en andere spullen – dingen die later wel nieuw konden worden gekocht.

Een tweede golf klimmers waagde zich ook in het wrak zelf. Met behulp van ijsbijlen haalden ze de balen boven die bij de gescheurde romp dreven. Ik hoorde een verhaal over een klimmer die een westers, met dons gevoerd vest in een plas bij het wrak zag drijven. Hij waadde het ijskoude water in om het te pakken, maar het zat ergens aan vast.

'Jezus, misschien is het wel een lijk!' riep hij uit en hij waadde weer terug naar de kant.

'Nou en? Ik ga kijken,' antwoordde zijn minder benauwde partner.

Het vest was alleen achter een ijsschots blijven haken, en toen de klimmer zijn hand in een zak stak, vond hij 1800 dollar in nieuwe biljetten van honderd en een zwart boekje met namen en telefoonnummers van mensen die de politie ongetwijfeld graag zou willen spreken. Afhankelijk van de versie van het verhaal was het boekje ter plekke verbrand of door de vinder meegenomen. Volgens de geruchten zouden maffiosi en FBI-agenten in de maanden daarna nog de omgeving hebben afgezocht en vragen hebben gesteld over het boekje en de vinder.

De wildste geruchten deden de ronde, waar of niet. Sommige mensen beweerden dat er een portefeuille met tienduizend dollar van het lichaam van de bevroren piloot was weggenomen, anderen hadden het over een koffertje met tien keer dat bedrag. Er waren ook verhalen over metalen cilinders gevuld met cocaïne, tien keer zoveel waard als het bedrag in het koffertje. Die cocaïne bestond, maar niemand (behalve de politie, die in de lente een lading van het spul opviste) heeft ooit toegegeven dat ze iets hadden gevonden.

Toch was er een ondernemend groepje dat op zoek ging naar de coke. Ze namen een kettingzaag mee om door het ijs te zagen en hadden zelfs twee diepzeeduikers met duikpakken en zuurstofflessen ingehuurd. De duikers en de klimmers zouden de drugsvondst eerlijk delen. Maar het meer was veel te troebel en er werd niets anders ontdekt dan de marihuana. De kettingzaag lieten ze op de oever achter. Anderen gebruikten hem om nog meer wiet te vinden. Dagen gingen voorbij en de gemakkelijkste balen waren al weggehaald. Ten slotte, nadat sommige klimmers al wel drie keer naar het wrak waren geweest en minstens twintig mensen een deel van de buit hadden ingepikt, ontdekte het parkbeheer al die sporen naar Upper Merced Lake en posteerde een paar parkwachters aan het einde van het pad. Twee klimmers die net op de terugweg waren met ruim dertig kilo zware rugzakken vol sterk ruikende genotsmiddelen zagen de parkwachters. En de parkwachters zagen hén. De klimmers dachten bliksemsnel na, draaiden zich om en deden alsof ze naar het meer toe wandelden, in plaats van erbij vandaan. Toen de parkwachters naar hen toe kwamen en vroegen wat ze hier te zoeken hadden, hielden ze zich van de domme.

'We willen naar het meer om een paar dagen in de sneeuw te kamperen,' antwoordde een van de klimmers.

'Sorry, jongens, maar het meer is nu verboden gebied,' zei een parkwachter.

'O ja? Wat jammer nou. Dan moeten we maar een ander plekje zoeken.'

'Prettige dag nog, jongens,' zei de parkwachter met een vriendelijk lachje.

Zo wil het verhaal, tenminste.

In de vallei lagen inmiddels tientallen balen wiet in tenten of in grotten achter Camp Four, een stinkend mengsel van harswater en vliegtuigbenzine. Hoewel het toestel door zijn brandstof heen was, bevatte het nog een restje benzine, dat in de lading was gedrongen toen de tanks scheurden. Toen de klimmers hun oogst droogden en testten, klonk er een ongezond kuchje door het kamp. De smeulende blaadjes vonkten en vulden de longen van de rokers met geestverruimende maar ook giftige rook. Het plaatselijke ziekenhuis kreeg merkwaardig veel gevallen van chemische longontsteking te verwerken.

Hoewel recreatief drugsgebruik in Yosemite niet onbekend was, vormde het bezit van honderd pond natte wiet toch wel een heel nieuwe ervaring voor de bewoners van Camp Four. Wat moesten ze ermee doen? Eén groepje gooide de kofferbak van een oude Cadillac ermee vol, reed naar de Mojave-woestijn, zocht een afgelegen plek en spreidde de hele oogst daar uit om te drogen. Net als anderen kregen ze toen te maken met de schimmige wereld van de tussenhandel, waar ze hun waren moesten slijten. De klimmers die een grote slag hadden geslagen bij het vliegtuigongeluk waren in één klap rijk. Mensen die zich eerst nog in leven hielden door te schooien en blikjes te verzamelen aten opeens biefstuk in het duurste restaurant van Yosemite, de Broiler Room Grill, en hielden de hele avond hun vrienden vrij. Ze feestten als rocksterren, ze kochten klimspullen, auto's en speeltjes. Ze gingen zelf aan de drugs en sommigen kochten het huis waarvan ze altijd hadden gedroomd.

Totdat het fout ging.

Ik ben zelf nooit naar het meer geweest, maar ik stond wel tussen de mensen op de Arcing Plot en luisterde naar de verhalen van klimmers die hadden meegedaan. Als ik het had geweten, zou ik in mijn behoefte aan geld om voor eeuwig te kunnen klimmen misschien ook wel naar het meer zijn gegaan om een baaltje mee te pikken. Ik was nog een onbezorgde tiener en die wiet klonk als manna uit de hemel. Niemand voelde zich schuldig of had het gevoel dat hij de wet overtrad. Toch ben ik blij dat ik het niet heb gedaan, want dan zou mijn leven er nu heel anders hebben uitgezien, en ik weet niet of dat wel een positieve verandering zou zijn geweest. Ik geloof in karma, en ik denk dat de marihuana die veel klimmers een klein fortuin opleverde besmet was met nog heel iets anders dan vliegtuigbenzine.

De eerste tragedie voor de nieuwe rijken van Yosemite voltrok zich vroeg in het voorjaar na het vliegtuigongeluk, toen er laat op een avond een reddingsteam werd opgetrommeld om twee klimmers te helpen die vastzaten in een route vlak bij Yosemite Falls. Onder de redders was ook Jack, die rijk was geworden van het vliegtuigongeluk en flink de bloemetjes buiten had gezet. Hij overleefde de reddingsactie niet. In het donker was hij uitgegleden op de hoge rots en te pletter gestort. Volgens de geruchten – de paranoia sloeg nu hevig toe – zou hij degene zijn geweest die het adresboekje had gevonden. De maffia had op deze manier met hem afgerekend. Waarschijnlijk was het gewoon een ongeluk. Hij zag slecht en droeg een bril met jampotglazen. Maar ook voor anderen liep het niet goed af. Er was een tweetal dat met het geld van de marihuana een voorraad cocaïne had gekocht waarop ze nog meer winst wilden maken. Het ging fout toen de zogenaamde dealers pistolen trokken en de klimmers van 50.000 dollar beroofden. Dat was het begin van een hele reeks arrestaties en deals die verkeerd gingen. Een andere jongen was onderweg met zijn auto, waarin hij zijn splinternieuwe kajak, fiets en klimspullen had geladen, toen hij even stopte om te gaan plassen in het bos. Toen hij terugkwam stond zijn hele auto in brand. Weer een ander die rijk was geworden aan het vliegtuigongeluk keek omhoog naar een rots terwijl hij achter het stuur zat en raakte daardoor met zijn busje van de weg. Zijn vriendin kwam om het leven. Een stel dat als tussenpersonen met de drugswereld optrad zou volgens de kranten twee jaar later in het zuiden van de Bay Area zijn teruggevonden, doodgeslagen bij een verkeerd afgelopen drugsdeal. Ze waren een carrière begonnen als bemiddelaars bij de marihuanaverkoop.

Voor sommigen betekende het vliegtuigongeluk een geweldig avontuur, en tegenover elke tragedie stond natuurlijk ook een verhaal over een beter leven door die onverwachte rijkdom. Toch leidden de drugs en het geld de aandacht van sommige talentvolle klimmers af van de sport waar ze zo goed in waren. Ze richtten nu al hun energie op illegale, belastingvrije praktijken om snel aan geld te komen. Begin jaren tachtig kwamen er regelmatig helikopters over, op zoek naar hennepkwekerijen in Yosemite zelf. Veel van de kwekers waren klimmers. Als je werd gepakt, ging je de bak in. Degenen die aan arrestatie wisten te ontkomen stopten meestal met klimmen, nu ze terecht waren gekomen in een wereld waarin ze steeds over hun schouder moesten kijken en altijd bang waren. Hoe dan ook, de rotsen van Yosemite treurden om het verlies van deze klimmers.

De Nose bracht Mari en mij in contact met de cultus van El Capitan. In die tijd, de jaren zeventig en tachtig, zagen klimmers een verblijf van verscheidene dagen op zo'n reusachtige rots als een mystieke pelgrimstocht. Het was een bedwelmende atmosfeer. De 'verticale retraite' was een manier om ons verzet tegen het materialisme te bevestigen en karakter op te bouwen door de harde ervaringen die je onvermijdelijk op deze beklimmingen ontmoet. Zo kreeg je ook een goed beeld van het ware karakter van je partner. Mari en ik waren de beste vriendinnen en werkten goed samen.

De Nose was een fantastische uitdaging geweest voor Mari en mij en we wilden het nog eens proberen, dus bereidden we een nieuwe route voor tegen El Cap. We kozen nu voor een steilere, lastiger klim, waarbij we ons moesten oefenen in ingewikkelde artificiële technieken. We zouden ook langer in de verticale wereld moeten leven. Als Yosemite Valley voor het rotsklimmen is wat de Himalaya voor het alpinisme betekent, dan was de Shield-route tegen El Capitan vergelijkbaar met een beklimming van de Everest.

De Shield is een totaal andere ervaring dan de Nose. De Nose is wel steil, vooral het bovenste deel van de route in de grote versnijdingen, maar de Shield helt zo ver over dat een waterdruppel die vanaf de top naar beneden valt 60 meter vanaf de voet van de wand in het bos terechtkomt. Het laatste stuk van de route – zo'n 300 meter dat de Headwall wordt genoemd – steekt zo ver uit boven het dal dat ik, toen ik voor het eerst een groepje langs die route naar boven zag klimmen, onwillekeurig moest denken aan twee vliegen die over de onderkant van een grote ballon kropen. De enige manier om die overhangende wand te bedwingen is met een rustige, systematische artificiële klimtechniek. Bij de beklimming van de Nose hadden Mari en ik nog dikwijls onze handen in de spleten kunnen steken voor een lang stuk vrij klimmen. Maar de kloven van de Shield zijn nauwelijks breder dan een stuk touw. Daarin moesten we kleine haken slaan, de ene na de andere, vele tientallen meters achtereen. Hangend aan die haken in een soort touwladders die *aiders* worden genoemd, kon het uren duren om zelfs maar een afstand van 30 meter te overbruggen. Hoewel ik meer van de natuurlijke bewegingen van het vrije klimmen houd en geen interesse heb in artificieel klimmen als zodanig, werd ik ook gefascineerd door de dramatische, totaal onbeschermde positie waarin we in Shield terecht zouden komen. Met artificieel klimmen konden we een plek op El Capitan bereiken waar je op geen andere manier kon komen.

Een ander nieuw aspect van Shield waren de leefomstandigheden in de wand. In de Nose hadden we elke avond nog 'ruime' plateaus kunnen vinden om op te slapen. De Shield had die richels niet – behalve de top. We moesten dus hangmatten meenemen die aan de haken werden opgehangen. Slapen, eten, klimmen, je behoeften doen… Alles moest gebeuren terwijl je in feite schuin naar achteren hing. Dit was het terrein van het echte *hardcore* klimmen.

Dat we zenuwachtig waren voor zo'n wilde route als de Shield was nog zacht uitgedrukt. Maar zodra we aan de slag gingen was er geen tijd meer voor zenuwen. In die fase van onze klimcarrière was elke ervaring nieuw. Steeds moesten we nieuwe manieren vinden om ons aan onbekende situaties aan te passen. En dat lukte aardig. Maar Shield was meedogenloos. Daar hád je eenvoudig geen keus. Als we eenmaal de Headwall in waren geklommen,

John Yablonsky, zwoegend
op Planet X. (DEAN FIDELMAN)

was er geen weg terug meer. Abseilen vanaf zo'n overhangende
rots is bijna onmogelijk omdat het touw vrijhangt van de wand.
Voorbij die belangrijke grens waren we dus volledig aan onszelf
overgeleverd. Bij dit aspect van de sport – dat je bij alpinisme
vaker tegenkomt – draait het om je mentale weerbaarheid op het
moment dat er geen terugkeer mogelijk is.

Voordat we vertrokken hoorden we dat er nog twee teams aan
dezelfde route wilden beginnen: Randy Leavitt en Gary Zachar,
allebei uit Californië, en nog een team uit Arizona. Beide groepen
hadden een ruime ervaring met de hoge wanden, dus besloten we
hen te laten voorgaan en stelden we ons eigen vertrek een paar
dagen uit. Het leek ons 'beleefd' om de snellere, geharde vetera-
nen de kans te geven. Maar op onze eerste dag in de wand zagen
we tot onze verbazing beide teams weer abseilen. Eerst daalden
Randy en Gary af omdat Randy een metaalsplinter in zijn oog had
gekregen. Daarna volgde het team uit Arizona.

'Wat is er aan de hand? Waarom gaan jullie terug?' riep ik naar
een van de klimmers uit Arizona boven me. Ik was al bang dat de
storm van de eeuw was losgebroken boven Yosemite, hoewel het
een strakblauwe hemel was.

134

'We hoorden vanochtend hoe iemand een zware val maakte. Een akelige schreeuw. Hij moet zwaargewond zijn, of misschien wel dood. Daar schrokken we zo van dat we besloten terug te gaan,' luidde het antwoord.

Mari en ik wisselden een blik en vertelden toen hoe het zat met die bloedstollende schreeuw. Mari's vriend Mike Lechlinski was samen met Yabo om middernacht vertrokken voor de beklimming van Triple Direct op El Cap. Ze wilden de 900 meter lange route binnen een dag voltooien. Toen Mari en ik vroeg in de morgen op de parkeerplaats onder El Cap aankwamen en het tweetal bij hun auto zagen staan, wisten we dat er iets fout zat. Mike was met hun spullen bezig, terwijl Yabo tegen de bumper leunde en een sigaretje rookte. Hij staarde het bos in.

'Wat is er gebeurd?' vroeg Mari.

'Yabo is vijfentwintig meter omlaaggestort!' antwoordde Mike.

Daarop begon Yabo te grinniken op die typische manier van hem als hij nerveus of onzeker was.

'Yabo, is alles goed met je?' vroeg ik, terwijl ik hem van hoofd tot voeten opnam, speurend naar bloed of kneuzingen. Hij leek ongedeerd.

'Ja, niks aan de hand. Ik klom op mijn tennisschoenen, omdat het niet zo'n moeilijke route is. Ik had een rugzak en een volledige voorraad materiaal, maar zonder tussenzekeringen. Het was halfvijf in de ochtend, dus ik zag niet veel. Ik ging snel omhoog, tot bijna aan de top van de lengte, toen ik opeens besefte dat mijn handvolgorde niet klopte. Op dat moment gleed mijn voet weg en maakte ik een flinke smak,' gaf hij schaapachtig toe.

'Hij zat dertig meter boven me, in de tiende lengte!' riep Mike. 'Toen ik hem door de lucht zag zeilen, haalde ik het touw door de zekering om het strak te trekken, maar ik zag dat er geen tussenzekeringen zaten tussen hem en mij. Ik dacht dat we er geweest waren en dat hij ons van de wand zou rukken, en dat we tot moes zouden worden geslagen. Maar door stom toeval bleef zijn touw achter een rotspunt haken, die de klap opving. Als hij drie meter verder was gevallen zou hij op de Mammoth Terraces te pletter zijn geslagen. Zodra Yabo de laatste meters was afgeklommen naar de richel, gaf ik een slinger aan het touw, dat losschoot en weer naar beneden kwam! Ik weet niet hoe het aan die rotspunt is blijven haken, maar anders was Yabo nog eens 25 meter omlaaggestort. Ik wist dat hij niets mankeerde toen ik hem hoorde zeggen: "Vooruit maar weer. Het zal wel lukken."'

Yabo lachte nog eens, een beetje zenuwachtig, als na een zwaar ongeluk, en stak weer een sigaret op. Ik keek hem aan en schudde mijn hoofd, half-kwaad om zijn roekeloosheid, half-bezorgd. Deze wonderbaarlijke redding was er een in een reeks van bijna-ongelukken. In een wereld waarin mensen over hun bevroren drempel uitglijden en doodvallen, was Yabo als een kat met negen levens. Hij trotseerde de zwaartekracht en wist ongestraft de grootste risico's te nemen. Een paar weken eerder had hij zonder touw een moeilijke spleet van ongeveer twaalf meter geklommen, Short Circuit, toen zijn vingers uit een rotsspleet gleden. Achterwaarts tuimelde hij door de lucht naar een groep harde, scherpe rotsen – een val die hem in elk geval invalide zou hebben gemaakt als hij het had overleefd. Maar als door een wonder was hij met zijn oksel aan de tak van een jong boompje blijven hangen. De tak was langzaam en soepel doorgebogen, als een bungee-koord, en had Yabo afgeleverd in de armen van zijn vriend Steve Sutton, die toevallig aan de voet van de rotswand stond. Bij een andere gelegenheid, toen Yabo zonder touw Right Side of the Folly klom – een route met een moeilijkheidsgraad van 5.10d – schoot zijn voet weg op een nat gedeelte van de tweede lengte. Maar op een of andere manier wist hij zich tijdens zijn val nog vast te grijpen. Er deden te veel verhalen de ronde over Yabo's wonderbaarlijke reddingen. Hij vond zelf nu ook dat hij te dikwijls op de rand van de afgrond balanceerde.

Maar Shield was er nog steeds, wachtend op Mari en mij. Nadat we de jongens hadden omhelsd en afscheid hadden genomen hesen we ons met stijgklemmen naar Heart Ledge, waar we een paar dagen eerder de touwen hadden bevestigd. Toen Mari op weg ging, mompelde ze, half bij zichzelf: 'Er komt een dag dat Yabo zo'n stomme fout niet overleeft.' Het zou een paar jaar duren, maar uiteindelijk kreeg ze gelijk.

Nu de laatste mannen waren afgedaald vanwege Yabo's oerkreet, hadden we de wand voor onszelf. We vonden het wel leuk dat wij de enigen waren die volhielden, terwijl de andere teams toch veel meer ervaring hadden.

'Een *wall without balls*,' grapte ik tegen Mari, doelend op de term die Bev Johnson en Sybille Hechtel hadden bedacht toen ze in 1973 als eerste vrouwen Triple Direct tegen El Cap hadden geklommen. De Shield, die griezelig steil leek boven ons hoofd, was nu het volledige domein van slechts twee vrouwen.

De eerste twee dagen van de klim kropen we omhoog over de

door gletsjers gladgeslepen wand van El Cap. We schoten niet erg op met deze voor ons onbekende artificiële techniek. Bovendien moesten we onze haulbag omhooghijsen, wat nog meer vertraging opleverde. Geen wonder dat klimmers die tas 'het varken' noemen. Het zijn zware, lastige dingen, die altijd tegenwerken. Ze komen klem te zitten achter rotspunten of uitsteeksels, zodat er geen beweging meer in te krijgen is. Als dat gebeurde, moest een van ons abseilen om de tas vrij te maken en er dan mee terugklimmen. Wij hadden zoveel spullen, water en voedsel bij ons dat de tas zwaarder was dan wij samen. De eerste dertig meter tegen de wand bedachten Mari en ik daarom een tweepersoonstakel. We gingen met ons volle gewicht aan het trekkoord hangen en hesen de tas omhoog met een kleine lier. Het varken beklom de wand met korte sprongetjes. We schaafden onze handen bijna open door het gesjouw, en het zweet stroomde van ons lijf.

Na twee dagen tegen de wand raakten we gewend aan het leven in een wereld waar we ons op elke beweging moesten concentreren en de gevolgen van elke handeling moesten overzien om te kunnen overleven. Of we nu een haak sloegen of onszelf bevestigden aan onze hangmatten, alles kon gevaarlijk zijn. Op die intense momenten van volledige concentratie was ik me scherp bewust van dat intuïtieve stemmetje dat op de grond zo vaak wordt overstemd door de drukte en de eisen van het leven van alledag. In de zestiende lengte vanaf de grond sloeg ik een haak in een uitdijende spleet (een spleet die zich steeds verder opent als je er iets in slaat, zodat de bevestiging nogal dubieus lijkt) en bedacht dat ik de haak wat dieper in de wand had moeten slaan. Toen ik mijn ruim één meter lange nylon ladder aan de haak hing en mijn voet erop zette, schoot de haak inderdaad los, met een luide tik. Ik stortte tien meter omlaag voordat ik werd opgevangen door een strategisch geplaatste zekering. De val duurde maar een fractie van een seconde, maar nooit zou ik de waarschuwing vergeten om heel goed naar dat stemmetje van mijn intuïtie te luisteren.

De avond was een kostbaar moment om ons te ontspannen, wat te eten en te drinken en naar de sterren te kijken – maar pas nadat we een uur bezig waren geweest met het inrichten van een hangende slaapplaats. Mari had geluk. Zij bezat een van de eerste *portaledges* die ooit waren gemaakt. Dit nieuwe hulpmiddel was een opklapbaar bed van zes pond, opgebouwd uit een aluminium frame met een nylon laken. Het hing aan zes riemen die aan elkaar waren genaaid tot één lange lus, die aan de standplaats kon worden bevestigd. Het resultaat was een comfortabel bed, zoiets als de kooi aan boord van een schip. Zelf had ik die luxe niet. Ik sliep in een banaanvormige hangmat, als een rups in een cocon. De eerste nacht viel dat niet mee. Ik hing tegen een hoek van de wand, half dubbelgevouwen, de hele nacht lang. Hoe ik ook heen en weer schoof, ik kon geen prettige houding vinden.

De vierde dag klom Mari voor naar de Headwall. De lengte die ze volgde om daar te komen heette Shield Roof. Het leek inderdaad op een reusachtig dak. Mari hing ondersteboven onder het dak, bungelend aan haar ladders, om zoveel mogelijk mephaken en nuts te plaatsen waar dat mogelijk was. Tot de meer twijfelachtige constructies waar ze aan hing behoorden de *copperheads*. Dat zijn koperen knopjes aan het einde van een dunne kabel, die worden gebruikt als een rotsspleet te ondiep is voor een haak. De koperen kop wordt met de punt van de hamer platgeslagen, zodat hij zich om de onregelmatigheden in de spleet vouwt. Daarna heeft hij de kleefkracht van isolatieband en kun je er even aan hangen voordat hij het opgeeft en losschiet. Als je veel copperheads op een rij moet gebruiken, nader je een gebied met grote kans op een diepe val.

Uren verstreken terwijl Mari vooropging naar het einde van Shield Roof. De lussen van ons touw in de latemiddagwind toen Mari ten slotte naar beneden riep dat het touw vrij was. Ik kwam met stijgklemmen naar boven terwijl ik een paar dubieus ogende copperheads weghaalde die zij in de spleten had geslagen. Toen ik me over de rand de onderkant van het 'dak' slingerde en me bij Mari voegde, aan het begin van de Headwall, zag ik dat we in een krankzinnige positie hingen. Onder onze voeten was niets anders meer dan lucht. Boven ons hoofd verhief zich een 300 meter hoge, spekgladde, overhangende wand van oranje graniet. Opzij van ons bogen de wanden zich uit het zicht. Het leek echt of we aan de rand van de wereld bungelden, samen met de haulbag, aan drie stalen boorhaken die net zo lang (en niet eens zo dik) waren als een half-opgerookte sigaret. Ik voelde me zo kwetsbaar dat ik instinctief de knoop om mijn middel controleerde, het enige wat me met de standplaats verbond. Nu begreep ik waarom deze route de Shield was gedoopt: het gedeelte van de rots waar we ons bevonden leek inderdaad op het gebogen schild van een middeleeuwse soldaat.

Er was nu geen terugweg meer. Abseilen vanaf dit punt was onmogelijk. We moesten naar de top, anders waren we verloren. Maar na een tijdje raakten we gewend aan onze kwetsbare positie, en zodra we onze portaledge en hangmat hadden geïnstalleerd voor het bivak, viel de schemering en konden Mari en ik eindelijk wat rusten. Een verre streep wolken in het westen, boven de vlakte van San Joaquin Valley, gloeide op met heldere kleuren. Naast elkaar hangend in onze bivakcocons kauwden we op broodjes en M&M's. We hadden geen hoogtevrees, alleen een versterkt gevoel van onderlinge intimiteit. Hier, op deze duizelingwekkende hoogte, leek het alsof we de laatste mensen op aarde waren en hadden we geen geheimen meer voor elkaar. Misschien omdat dit een van de zeldzame keren was dat we als vrouwen onder elkaar konden spreken zonder dat er mannen bij waren, kwam het gesprek algauw op onze relaties met mannen. Ik staarde omlaag naar het kronkelende lint van de rivier de Merced en de groene sikkel van de weide aan de voet van El Cap.

'Hoe heb je Mike eigenlijk ontmoet?' vroeg ik Mari.

'Op school. Het was een blind date. Ik wilde naar het eindexamenbal met een vriendje, maar die had meer belangstelling voor

Op Thank God Ledge, de noordwestwand van de Half Dome, in 1977.
(CHARLIE ROW)

een ander meisje, dus regelde hij een afspraak voor me met zijn vriend Mike. Vanaf die avond waren we onafscheidelijk. Ik heb nog altijd een foto van ons samen op het schoolbal. Maar hij zou die foto nooit aan iemand laten zien, omdat het de enige keer van zijn leven was dat hij een net pak droeg.'

Nu ik dit schrijf, twintig jaar later, zijn Mike en Mari nog altijd bij elkaar.

'En was Largo jouw eerste vriendje?' vroeg Mari.

'Nee, mijn eerste vriend was Charlie Row. Die heb ik trouwens daar beneden ontmoet.' Ik wees omlaag naar het dal. 'Ik kwam hem tegen op mijn eerste klimvakantie in Yosemite, toen ik zestien was. Kathy en ik waren uit Los Angeles hiernaartoe gereden om Chuck en Bob te treffen, in Camp Four. Die eerste avond zaten we allemaal rond het kampvuur toen Charlie erbij kwam zitten. Hij was zeventien en hij kwam net terug in het kamp van een beklimming van Regular Route op Half Dome. We praatten wat en keken steeds naar elkaar, totdat hij me vroeg of ik belangstelling had voor een van de beroemde bouldering-problemen van Camp Four, de Blue Suede Shoes. In het maanlicht liepen we erheen. Zo begon onze romance, en die hele zomervakantie in Yosemite hebben we samen geklommen. We hebben echt fantastische dingen gedaan: de Outer Limits, de Serenity Crack. Dat was mijn eerste 5.11-route, zonder dat ik wist hoe lastig het zou worden. Ik dacht dat het een voordeel was om slanke vingers te hebben voor zo'n smalle spleet, maar toen ik bij de crux kwam, besefte ik dat de spleet ook te smal was om mijn voeten erin te klemmen. Ik kreeg zware kramp toen ik aan één arm moest hangen om een haak te slaan, zodat ik een val maakte van tien meter. Met Charlie heb ik ook mijn eerste hoge wand beklommen. We hebben drie dagen gedaan over de noordwestwand van Half Dome. Het was een prachtige zomer.'

'En hoe zit het met Yabo?' vroeg Mari, wat ernstiger nu. Ze wist dat Yabo op me viel, maar dat was niet wederzijds.

'Ik weet echt niet wat ik met die situatie aan moet. Yabo heeft een soort obsessie voor me. Dat is al begonnen toen we de Direct Route op Half Dome klommen. Ik vertrouwde het al niet erg toen hij vroeg of hij mee mocht met Dean en mij. En toen Dean op het laatste moment afhaakte, moest ik kiezen. De klim vergeten of samen met Yabo gaan. Ik had me al zo op die route voorbereid dat ik toch maar ging. Maar de eerste nacht, toen we nog aan de voet sliepen, probeerde hij me te kussen. Daar had ik niet op gerekend en ik wist niet hoe ik moest reageren.'

'Wat heb je gedaan?'

'Ik zei dat het antwoord nee was. Toen trok hij zich wat terug. Maar die hele klim was ik me bewust van zijn gevoelens. En tegenwoordig kan ik geen stap meer zetten of Yabo is wel in de buurt. Ik vind hem een fijne vriend en als we samen klimmen voel ik een geweldige energie, maar verder? Helemaal niets.'

En daarmee stokte ons gesprek. Terwijl ik in mijn hangmat lag, dacht ik aan Yabo. Hij was het geadopteerde, problematische weeskind van onze groep. In de jaren daarop zou deze bizarre figuur uit het klimmerswereldje mijn grootste persoonlijke probleem blijven. We zouden samen enkele van onze beste klimprestaties leveren, maar we bezorgden elkaar ook grote ellende.

De volgende morgen, toen we aan de 300 meter lange, overhangende Headwall begonnen, kwamen we in een gebied van loepzuivere artificiële klimtechniek. Toen Charlie Porter in 1972 voor het eerst dit ontzagwekkende gedeelte van El Cap beklom, samen met zijn partner Gary Bocarde, zetten ze een route uit die het artificiële klimmen op een nieuw plan bracht, omdat er nog nooit een route was voltooid met zoveel lastige elementen. Ze kenden de Shield de hoogste artificiële moeilijkheidsgraad van de hoge wanden toe, een waardering van A5, hoewel door latere beklimmingen de rotsspleet is geërodeerd en uitgehamerd, zodat er nu grotere haken in kunnen en de moeilijkheidsgraad is gedaald tot ongeveer A3+. Maar Porter had nog te maken met een spleet die niet breder was dan enkele haren, en maar een paar millimeter diep. Geen enkele haak was hier bruikbaar, behalve het kleinste type, de RURP. Deze bijlvormige haak is zo groot en dik als een stuiver en de scherpe kant gaat niet meer dan een halve centimeter de spleet in. De uitvinders van de RURP, Tom Frost en Yvon Chouinard (ook een smid van huis uit, net als John Salathè, en de grondlegger van het zeer succesvolle kledinghuis Patagonia), doopten hun nieuwe ontwerp de 'Realized Ultimate Reality Piton' of RURP. Het was de kleinste haak die nog het gewicht van een klimmer kon dragen. Porter beklom de Headwall van de Shield met behulp van tientallen RURP's – vijfendertig achter elkaar voor één lengte. Blijkbaar had Porter een laconiek vertrouwen in de onbekende kwaliteiten van deze microhaken, maar toen Bocarde met stijgklemmen omhoogging en de meeste RURP's weer met zijn vingers uit de wand trok, constateerden ze nuchter dat bij een val van de voorklimmer waarschijnlijk alle haakjes uit de spleet zouden worden gerukt, inclusief de hele standplaats en alles wat eraan vastzat. Volgens Bocarde riep hij met galgenhumor tegen Porter: 'Charlie, ik hak het touw door als je valt!' Maar de klim werd een sensatie en gold een tijdlang als de zwaarste route op El Cap, hoewel Bridwell er al gauw overheen ging met nog riskantere technische routes als de Pacific Ocean Wall en Sea of Dreams. Maar in zijn glorietijd was de Shield de ultieme route. 'Porter is in zijn RURP gekropen en kijkt naar buiten,' grapte de beroemde klimmer Royal Robbins, waarmee hij deze kluizenaarsgoeroe van het artificiële klimmen het 'Realized Ultimate Reality Compliment' verleende.

Ons tempo daalde tot een slakkengang toen we de problemen van de Headwall te lijf gingen. Uit de rotsspleet voor me uit staken hier en daar wat RURP's die door andere klimmers zo hard in de wand waren geslagen dat ze er niet meer uit wilden. Oude, rafelige lussen wapperden in de wind aan deze 'vaste' RURP's. Ze kraakten vervaarlijk toen ik eraan ging hangen. Ze dreigden elk moment te knappen, dus klom ik haastig naar de volgende. Mijn enige voordeel was dat ik met mijn gewicht – nog geen vijftig kilo – veel minder kracht op de RURP's uitoefende dan andere klimmers. De zwaarder gebouwde Charlie Porter woog waarschijnlijk twee keer zoveel als ik, zoals elke andere man na hem die deze route had geklommen.

Op de vijfde dag lieten we de Headwall achter ons en begonnen aan een groot, hellend rotsplateau, Chickenhead Ledge, zo genoemd vanwege de zwarte knoppen dioriet in de wand, die door het bed van wit graniet heen steken. Ze deden soms denken aan een kop met een dunne nek, en een lollige klimmer had het vastgrijpen van die knoppen vergeleken met het wurgen van een kip. Met nog maar één dag te gaan tot aan de top sliepen we heel plezierig, in de wetenschap dat we de volgende middag weer op vlak terrein zouden staan. Sommige lengtes hadden ons maar liefst vijf uur gekost. Ik vroeg me af of ik ooit nog zo'n route zou willen klimmen met zoveel haken. Dat schoot niet op. In de tijd die wij nodig hadden gehad voor onze drie lengtes op de Headwall, hoorden we later, hadden Mari's vriend Mike en John Bachar alle drieënertig lengtes van de Nose afgelegd!

De volgende dag – de zesde sinds ons vertrek – bereikten we de top van El Cap. Negenentwintig lengtes lagen achter ons. Onze opluchting over het volbrengen van de route en de vreugde om eindelijk op de top te staan werd nog groter toen we John en Mike zagen, die naar boven waren gekomen, zoals Mari en ik ook hadden gedaan toen Mike en John de top van Shield hadden bereikt.

Bij die gelegenheid had John voorgesteld dat Mari en ik de route samen zouden klimmen. Toen we van hen hoorden wat een sensationele klim het was, hadden Mari en ik elkaar aangekeken en gezegd: 'Waarom niet? Laten we het doen.' Het was heel wat werk geweest om in zo'n spectaculaire verticale wereld te overleven, maar het was de inspanning zeker waard. Zeulend met de haulbag, met rollen touw en een snoer van haken om onze nek, deden we een paar wankele passen. Maar we waren blij dat we weer konden lopen en verheugden ons op een hete douche en vers voedsel.

Wij waren de eerste vrouwen die Shield hadden geklommen. Dat was iets om trots op te zijn. Toch voelde het niet alsof we 'los' van de mannen iets hadden gepresteerd, maar meer alsof we een 'gelijke' prestatie aan die van de mannen hadden geleverd. Voordat we aan Shield begonnen had ik Galen Rowells boek *The Vertical World of Yosemite* gelezen, waar ik met enige ergernis dit citaat tegenkwam: 'Vrouwen zijn opvallend afwezig bij de beklimmingen in dit boek. Daarvoor hoef ik me niet te verontschuldigen, want het is niet mijn plaats de geschiedenis te veranderen. In de beginjaren van de sport waren er eenvoudig geen vrouwen die belangrijke eerste-beklimmingen in Yosemite op hun naam hebben geschreven.'

Onze sport werd toen nog gedomineerd door een broederschap van mannen, en vrouwen werden nauwelijks aangespoord om mee te doen. Eerlijk gezegd was daar bij de mannen ook weinig animo voor. Toch waren er wel degelijk vrouwelijke klimmers. Goed, we waren niet met velen, maar het gaf me toch voldoening dat we nu een factor vormden. Hoewel het sommige mensen misschien opviel dat wij Shield hadden geklommen, waren er al eerder vrouwen geweest die hoge wanden hadden bedwongen. De eerste vrouwen die ooit El Capitan beklommen waren Beverly Johnson en Sibylle Hechtel, die in 1973 de Triple Direct hadden geklommen. Daarna, in 1977, klommen Barb Eastman en Molly Higgins als eerste vrouwen de Nose. Barb en Molly, twee vastberaden autodidactische klimmers, hadden drieënhalve dag nodig om boven te komen, net als Mari, Dean en ik – een redelijk snelle tijd.

Maar als ik een voorbeeld of een idool had toen ik pas begon te klimmen, was dat toch Bev. Ze was al talloze keren tegen El Cap omhoog geweest. Ze had een paar 'eerste beklimmingen' op haar naam staan, samen met haar vriendje uit die tijd, Charlie Porter. Maar ze had ook met andere vrouwen geklommen, en alleen. Terwijl je in klimsportboeken altijd sterke verhalen vindt over El Cap-routes zoals de North America Wall, die door Robbins, Chouinard en anderen als mijlpalen in de klimgeschiedenis worden gezien, was ik persoonlijk meer onder de indruk van Bevs tiendaagse solobeklimming van de Dihedral Wall op El Capitan, in 1978. Haar prestatie wordt in die boeken nauwelijks genoemd, maar na onze beklimming van Shield kreeg ik nog meer bewondering voor Bevs volharding. Al dat zware werk dat Mari en ik samen hadden gedaan – voorklimmen, de spullen verslepen, noem maar op – had Bev in haar eentje moeten klaarspelen op de Dihedral Wall. Ik had groot respect, niet alleen voor de kennis en de inspanning die ze in de klim had geïnvesteerd, maar ook voor haar moed en zelfvertrouwen om die gevaren te trotseren tegen een van de zwaarste wanden ter wereld en op de meest riskante manier: solo. Maar het was haar gelukt en ze had vrouwelijke klimmers zoals ik het vertrouwen gegeven om onszelf te zijn en ons niet te laten intimideren als minderheidsgroep in een door mannen gedomineerde sport. Sinds ik Jim Bridwell voor het eerst hoorde vertellen over Bev en haar verrichtingen, had ik het gevoel dat we veel gemeen hadden.

Bev Johnson tijdens haar tiendaagse solobeklimming van de Dihedral Wall op El Capitan, in 1978. (MIKE HOOVER)

8

Avonturen

met

Largo

Als ik een plaats en tijd zou moeten noemen waarop mijn romance met John Long begon, dan was het de Arcing Plot in Yosemite Valley, in de zomer van 1978. Op een middag had John, een amateurdichter, de laatste hand gelegd aan een geestige ballade, die hij nu declameerde voor een gehoor van klimmers. Ik luisterde even en constateerde algauw dat hij het gedicht zorgvuldig uit zijn hoofd moest hebben geleerd, omdat zijn declamatie – met zijn machtige borst naar voren om zijn zware stem nog meer kracht te geven en druk gebarend met zijn handen, als een dirigent – smetteloos verliep. Het gedicht en zijn theatrale voordracht deden me eigenlijk minder dan

die vertederende behoefte om iets dat hij zelf had gemaakt te delen
met de klimmers met wie hij zijn leven doorbracht, en hen te laten
lachen. De titel van het gedicht luidde 'Must Be No One's Fool'.

Daar hing ik, rustig aan de wand,
en zocht de weg omhoog,
Maar het was een route die, helaas,
mij jammerlijk bedroog.

Ik keek naar links en toen naar rechts,
en zag daar, stomverbaasd,
een spiernaakt meisje aan een touw.
Ik verloor mijn houvast haast.

Snel haakte ik me los en klom
achter dat droombeeld aan.
Het was een waagstuk wat ik deed
zo ver naar rechts te gaan.

Ze keek omlaag. Haar kleren kwijt?
Ik had ze niet gezien.
Mijn aandacht gold haar fraaie lijf,
dwaas die ik was, misschien.

Ik klom en zwoegde, ik leed pijn,
maar zonder veel succes.
Het meisje klom juist moeiteloos
ach, wat een harde les.

Ik zag dat ze al boven was.
Ze riep: 'Dat gaat niet goed.'
'Ik weet wel wat ik doe!' riep ik,
maar verloor al snel de moed.

Drie meter van de top was ik,
maar het ging veel te traag.
Gelukkig gooide ze meteen
Een perlonlijn omlaag.

Ik greep het touw en godzijdank
was ik daarmee gered

Die laatste meters, ach, zo zwaar
Het lukte me maar net.

Ze was verdwenen op de top,
waar ik haar nooit meer vond,
Maar even later zag ik wel
Een briefje op de grond.

'Mijn knappe vriend, je deed je best,
maar niet goed genoeg, helaas,
Ik zoek een klimmer met verstand
en geen verliefde dwaas.'

Toen hij uitgesproken was, keek hij zoekend mijn kant op, alsof zijn blauwe ogen me vroegen: *Ben ik jouw dwaas?*

Een paar dagen later waren we samen aan het boulderen op de granieten rotsblokken achter Camp Four. Terwijl we van de ene rots naar de andere liepen en het ene bouldering-probleem na het andere oplosten, kwamen de grote verschillen in onze manier van klimmen aan het licht. Voor dezelfde passage gebruikte John zijn grote, sterke lijf om met dynamische sprongen lastige gedeelten te overbruggen, terwijl ik voorzichtig overstak met behulp van kleine grepen waar Johns vingers gewoon te dik voor waren.

'Laat me die kleine knuistjes van jou eens zien,' zei John toen ik weer eens bij het eind van een route omlaag was gesprongen. Hij legde mijn kinderhand tegen zijn berenklauw. 'Ha!' zei hij luid. 'Dat is niet eerlijk, met zulke kleine handjes!' Zijn vingers waren als dikke worsten vergeleken bij mijn potlooddunne vingers. Het verschil in grootte en gewicht tussen ons beiden betekende dat ik mijn vingers om veel kleinere grepen en in veel smallere spleten kon krijgen dan hij. Toch was John zeker geen logge klimmer. Tegen de rots bewoog hij zich heel sierlijk, en toen hij mijn hand nam, streek hij heel teder met zijn vingers over de mijne. De rest van de middag zwierven we tussen de rotsblokken door, steeds dichter tegen elkaar aan, als twee magneten die heel geleidelijk hun wederzijdse aantrekkingskracht ontdekten.

Als we elkaar ondersteunden bij lastige manoeuvres, raakten we elkaar aan en spraken bemoedigende woorden. Die onderlinge hulp wordt 'spotting' genoemd. De 'spotter' moet voorkomen dat de klimmer gevaarlijk neerkomt als hij valt, zoals een turner bij moeilijke sprongen door een trainer of helper wordt begeleid om in te grijpen bij een eventuele val. De spotter staat aan de voet van het rotsblok, klaar om een tuimelende klimmer om zijn middel te pakken en met de voeten vooruit weer op de grond te zetten. Dat aspect van het boulderen doet denken aan een danspaar en heeft een zekere gratie. De harmonie tussen John en mij die dag was tastbaar, en vanaf dat moment waren we dan ook samen te vinden in de rotswanden van Californië tot aan Colorado.

In die tijd woonde John nog bij zijn ouders en studeerde hij theologie aan Claremont College in de buurt van Los Angeles. Met zijn zesentwintig jaar was hij acht jaar ouder dan ik. Hij stond aan de top in de klimsport en had beklimmingen achter de rug zoals de legendarische 'blitz' op de Nose, binnen één dag. Hoewel hij erg fysiek was ingesteld en aan honkbal, basketbal en krachttraining deed, geloofde hij ook in een geestelijk leven. Theologie sprak hem aan omdat het een studie was die zich

Onder Johns vleugels in Yosemite Valley. (TILMANN HEPP)

bezighield met de universele waarheden van het leven. Ik vermoedde dat Johns haltertraining en de opbouw van zijn soms beangstigende kracht een bepaalde reden had. Als kind was hij nogal ruw behandeld door zijn stiefvader. John was absoluut niet gewelddadig, maar toen hij opgroeide en sterker werd, had zijn vader minder de neiging hem te slaan.

Zelf studeerde ik aan Fullerton College, ook in de omgeving van Los Angeles. Omdat ik nog niet goed wist wat ik wilde, volgde ik allerlei colleges, zoals westerse beschaving, statistiek, filosofie en zoölogie. Ik was nog jong en ik ging ervan uit dat ik mijn weg wel vinden zou. Naast mijn studie en parttime baantjes trainde ik twee avonden per week samen met John in een sportschool in Redlands, waar hij als conciërge werkte in ruil voor het lidmaatschap. Hij kon met gewichten omgaan als een beroepssporter en kende de toestellen en halterbanken net zo goed als de spiergroepen in zijn lichaam.

John geloofde dat krachttraining nuttig was voor het klimmen, dus stelde hij bepaalde oefeningen voor om kracht en uithoudingsvermogen te kweken. Aanvankelijk wist ik niet zo zeker of deze vorm van trainen mijn klimtechniek wel ten goede kwam. Halteroefeningen zijn erop gericht gewichten bij je vandaan te drukken in plaats van ze naar je toe te trekken; ze staan dus haaks op de bewegingen van het klimmen. Maar ik wist genoeg van fysiologie om te beseffen dat de training van tegengestelde spiergroepen ons lichaam in balans hield. Door met halters te werken kon ik onderontwikkelde spieren versterken en daardoor blessures voorkomen en mijn algehele kracht vergroten.

Op een avond in de sportschool van Redlands zag een van Johns vrienden, een powerlifter die Jack heette, mij aan het werk op de halterbank. Na een warming-up met lichte gewichten haakte ik steeds meer schijven aan de stang, tot ik bijna 60 kilo drukte, 20 procent meer dan mijn eigen lichaamsgewicht.

'Je zou waarschijnlijk het wereldrecord voor vrouwen in jouw gewichtsklasse kunnen verbeteren als je een tijdje serieus zou trainen,' zei Jack nonchalant.

'O ja?' vroeg ik, meteen geïnteresseerd.

'Ja. Het record voor de halterbank staat op ongeveer 68 kilo voor een vrouw van jouw postuur. Als je erg je best doet zou je daar binnen zes maanden in de buurt komen, denk ik.'

Ik keek naar John om te zien wat hij ervan vond.

'Ga ervoor, Lynnie,' zei hij zonder aarzelen.

Johns onmiddellijke enthousiasme voor deze uitdaging was een van de meest positieve elementen uit onze relatie. Toen we samen klommen, had hij een kant van mijn psyche ontdekt waarvan ik me zelf maar gedeeltelijk bewust was – een kant die te maken had met vastberadenheid en het talent om me volledig op iets te kunnen concentreren.

Na een paar maanden stevig trainen bereikte ik mijn doel en drukte ik een gewicht van 68 kilo op de halterbank. Een week later schreef ik me in voor een plaatselijke wedstrijd in een armoedige sportschool in de buurt. De benauwde, zweterige atmosfeer bezorgde me bijna claustrofobie. Ik voelde me verloren, een echte buitenstaander in die grote groep krachtsporters met hun knie- en rugbeschermers. Toen het mijn beurt was om 68 kilo te drukken, kreeg ik de halter niet eens omhoog. De geestelijke rust die ik een week eerder nog had kunnen opbrengen om bijna één en eenderde keer mijn eigen lichaamsgewicht te drukken leek als sneeuw voor de zon verdwenen in deze sombere sporthal vol met vreemden. Op dat moment besefte ik dat mijn kracht en doorzettingsvermogen sterk afhankelijk waren van de juiste atmosfeer en mijn liefde voor het doel. De open ruimte, een rots in de buitenlucht, tussen bomen en leuke vrienden... daar kon ik voldoende passie en vastberadenheid opbrengen. Hoewel ik in de loop van de jaren elke winter wel een tijdje met gewichten trainde, heb ik nooit meer aan een wedstrijd meegedaan. Later hoorde ik dat het wereldrecord in mijn gewichtsklasse al ver boven de 70 kilo was gebracht door vrouwen die steroïden gebruikten. Het idee om je prestaties op zo'n kunstmatige manier te verhogen stuitte me tegen de borst. Het leek me slecht voor je lichaam en net zo oneerlijk als de eerste vrije beklimming van een bepaalde route op te eisen terwijl je eerst grepen en treden in de steen hebt uitgehakt.

Op een middag in het voorjaar van 1980, toen ik vanaf Fullerton College naar huis was gefietst, waar ik nog bij mijn moeder woonde, werd ik gebeld door Beverly Johnson, bekend van haar beklimming van El Cap. Ze vertelde me dat zij en haar man, cameraman Mike Hoover, bezig waren met de organisatie van een buitensportcompetitie voor televisie, 'Survival of the Fittest'. Het moest zich afspelen rond Yosemite Valley en het bestond uit klimonderdelen, een hindernisbaan, zwemmen, kayakvaren en hardlopen. Tot de andere vrouwen die zich hadden aangemeld behoorden Julie Brugger en Anne Tarver, allebei goede rotsklimmers,

Gabriella Anderson, een skiër met olympische ervaring, een parachutiste en een beroepsjockey. En zelfs bij verlies viel er nog geld te verdienen.

'Ik wil je graag uitnodigen. Wat vind je ervan?' vroeg Bev.

Het vrije karakter van deze competitie paste wel bij mijn eigen sport. Het idee om in de buitenlucht een wedstrijd te houden met en tegen andere vrouwen die mijn passie deelden sprak me onmiddellijk aan. Bovendien kon ik het geld goed gebruiken voor mijn studie en de financiering van mijn volgende klimseizoen.

'Ik doe het,' antwoordde ik.

Als iemand anders dan Beverly Johnson me had gevraagd om mee te doen aan 'Survival of the Fittest' zou ik misschien niet zo snel hebben toegehapt. Maar mijn bewondering voor Bev als klimmer, als vrouw en als een integer mens met een echte liefde voor avontuur was voldoende garantie. Ik had haar nog nooit persoonlijk ontmoet, maar na ons korte gesprek had ik het gevoel dat ik haar al jaren kende.

Bev had een indrukwekkende staat van dienst als klimmer en ze reisde nu de hele wereld rond om avonturenfilms te maken. Ze had stralende ogen, lang donkerblond haar en een lief gezicht. Maar ze onderscheidde zich vooral door haar openhartige karakter en haar talent om iedereen op zijn gemak te stellen. Vanaf het eerste moment dat ik haar zag voelde ik me prettig in haar gezelschap. Ze was vrolijk, spontaan en ontwapenend, maar ze kon ook heel controversiële standpunten innemen. Beroemd was haar vaak geciteerde opmerking tegen Ken Wilson, de redacteur van het Britse klimtijdschrift *Mountain*. In een interview had Wilson haar gevraagd hoeveel 5.10-routes ze had voorgeklommen. 'Ken, het gaat er niet om hoeveel 5.10's je hebt voorgeklommen, maar hoeveel 5.10-klimmers je hebt genaaid,' zei ze lichtzinnig tegen de verbouwereerde interviewer.

Na een paar weken van voorbereiding en training verzamelden de deelneemsters en de tv-ploeg zich in Yosemite bij Nevada Falls, een schuimende geiser die zich met veel geraas over een rots stort naast het pad naar de Half Dome. Hier, op een rots naast de waterval, begon het eerste onderdeel: klimmen en abseilen.

Al voor de wedstrijd was ik hartelijk verwelkomd door Bev. Naast haar stond Mike, haar man en het brein achter het evenement. Mike was zelf ook klimmer geweest, maar had zijn aandacht verlegd en was nu een hardwerkende tv-cameraman en producent. Met zijn indrukwekkende gestalte van meer dan een meter negentig en zijn doordringende blik had hij een absoluut gezag over de onderneming en hij schroomde niet om flink tegen zijn ondergeschikten tekeer te gaan als hij een betere prestatie eiste. Voor zijn avontuurlijke documentaires, vaak samen met Bev, had hij alle continenten afgereisd, inclusief Antarctica. In 1982 zou het paar naar Afghanistan vertrekken voor een NBC-reportage over de Sovjetinvasie en het verzet van de moedjahedien. Tussen tanks, kogels en gevechtshelikopters vond Mike zijn journalistieke roeping: die van oorlogscorrespondent.

Ondanks Mikes intimiderende aanwezigheid merkte ik dat hij me wel mocht en me als een verwante geest in de klimmersfamilie accepteerde. Toen de deelneemsters arriveerden aan het einde van het pad voor Nevada Falls, legde Mike de route uit. Die begon aan de voet van een niet te steile rotswand van 15 meter hoog. Er bungelden een paar dikke klimtouwen langs de wand waarlangs we omhoog moesten. Eenmaal boven moesten we een steile helling op rennen naar een pad naar de top van de rots aan de andere kant van Nevada Falls. Daar hingen dunnere touwen, waarlangs we moesten abseilen naar een diepte van 120 meter. Wie het eerst beneden was, had gewonnen. Vrij simpel voor een klimmer, maar de meest atletische en fitte deelneemsters hadden een voordeel bij de sprint tegen de heuvel op.

Toen ik met mijn teen achter de startlijn stond, voelde ik vlinders in mijn buik. Ik twijfelde er niet aan dat ik snel genoeg kon touwklimmen, maar van de sprint was ik minder zeker. Ik keek naar de gezichten van mijn tegenstandsters en probeerde hun gevoelens te peilen. John had me gewaarschuwd de anderen niet te onderschatten. Ze hadden allemaal hun sterke punten in de verschillende onderdelen, hoewel het fysieke en ruige karakter van de competitie in het voordeel leek te zijn van de klimmers. 'Pas op voor Julie Brugger,' had John gezegd. 'Zij is hardloopster en alpiniste, en ze was de eerste vrouw die bij de Lunatic Fringe heeft voorgeklommen.' Die klassieke Yosemite-route had een geduchte reputatie. Julie durfde beklimmingen aan die maar weinig vrouwen vóór haar hadden gedaan, en daar had ik respect voor.

Het startschot klonk en iedereen stoof weg. Bij de rotswand greep ik het touw, klom snel omhoog en rende over de losse stenen en langs de scherpe manzanitastruiken naar de top van de heuvel. Het kostte maar een paar minuten, maar tegen de tijd dat ik het pad bereikte proefde ik de bitterheid van mijn schurende longen en hapte ik naar adem. Boven op Nevada Falls gekomen, voelde ik mijn knieën knikken. Als eerste bereikte ik de touwen voor het abseilen. Een wedstrijdcommissaris wees me het touw dat het dichtst bij de waterval hing.

Toen ik het touw greep en een eindje optilde om het met een lus door het abseilapparaat aan mijn gordel te trekken, verbaasde ik me over het gewicht. Door het opspattende water van Nevada Falls was het kletsnat en zwaar geworden. Vaag besefte ik dat het een nadeel was geweest om hier als eerste aan te komen. Terwille van een mooie tv-opname van mij tegen de waterval had de wedstrijdcommissaris me dat touw aangewezen. Het was natter en zwaarder dan de andere, en daardoor verloor ik tijd. Het vochtige nylon bleef voortdurend in het abseilapparaat steken. Ik kon maar geen snelheid krijgen, tot ik zo'n 60 meter langs de wand was afgedaald. Op dat punt schoot Anne Tarver, een klimmer uit Seattle die ook vaak in Camp Four kwam, al langs me heen. Ik wist haar in te halen en heel even een voorsprong te nemen, maar vlak voor de finish bleef mijn touw weer steken. Anne passeerde me en won het onderdeel.

Ik was teleurgesteld dat ik tweede was geworden door het gebrekkige abseiltouw, maar die teleurstelling duurde niet lang. De volgende dag, vlak voor de hindernisbaan, zeiden Mike en Bev dat ze alle vertrouwen hadden in mijn kansen. Ik voelde me gevleid en was enorm gemotiveerd om hun vertrouwen waar te maken.

De hindernisbaan paste goed bij mijn talent. Het was een evenement langs touwen die aan een serie platforms hingen, zes meter boven de grond. Je begon met een soort Tarzan-zwaai van touw naar touw, daarna een zwaar traject touwklimmen en de oversteek van een zwiepend touw over een rivier. Aan het eind moest je je met halsbrekende snelheid aan een touw de rivier in slingeren. De eerste die in het water lag had gewonnen. Hoewel ik de leiding nam, zat Julie me dicht op de hielen. Steeds als ik haar uit mijn ooghoek zag naderen, wist ik nieuwe kracht te vinden om haar vóór te blijven. In mijn achterhoofd hoorde ik steeds dezelfde mantra: *Concentreer je. Houd je blik op de touwen. Volhouden tot het eind.*

Jaren later hoorde ik dat Julie me bij dit onderdeel een paar keer had aangekeken en een ijzige vastberadenheid in mijn blik had gezien. 'Lynn keek dwars door me heen. Toen ik haar ogen zag, wist ik dat ik haar niet kon verslaan,' zei ze tegen een vriendin.

Ik kwam als eerste over de finish. Toen ik stond uit te rusten en wachtte tot mijn ademhaling weer normaal was, begreep ik dat ik was opgezweept door een soort innerlijk wezen, dat energie ergens vandaan haalde waar geen energie meer leek te zijn, dat mijn voeten extra kracht gaf om de meute voor te blijven. Dat innerlijke wezen gaf nooit op. De ontdekking van die enorme kracht en vastberadenheid die ik bezat was een ware openbaring voor me. Ik besefte dat ik anders was dan de meesten van mijn tegenstandsters. Goed, we waren allemaal sterk en fit, maar ik was bereid nét iets dieper te gaan om mijn doel te bereiken. Dat was wat Julie in mijn ogen had gezien.

Toch eindigde ik de volgende dag bij het zwemmen en kajakvaren maar op de vierde plaats. Zelfs een mentaal overwicht woog niet op tegen mijn gebrek aan ervaring in deze sporten. Julie was sneller, maar in de totaalstand stond ik nog altijd bovenaan. Als ik bij het laatste onderdeel, de Survival Run, één of twee werd, zou ik de eindoverwinning behalen. Maar toen ik stond te praten met een van de mannelijke deelnemers, hoorde ik dat de winnaar bij de mannen 15.000 dollar won, terwijl de winnares bij de vrouwen maar 5000 dollar kreeg.

Dat vond ik helemaal niet eerlijk en ik voelde me zwaar beledigd. Ik besprak het met de andere vrouwen en stelde voor het tv-programma te boycotten. Aanvankelijk voelden ze daar niet veel voor. De mannen deden mee aan zes onderdelen, zeiden ze, de vrouwen maar aan vier. Bovendien waren die twee extra onderdelen nogal gewelddadig en middeleeuws. Een ervan was een soort tweegevecht boven een rivier, waarbij de mannen moesten proberen hun tegenstander met een stok vanaf een boomstam het water in te slaan. Het andere was een hardloopwedstrijd, steil bergafwaarts, over stenen – een gegarandeerde manier om je enkels te breken, leek het.

Maar los daarvan was mijn protest gebaseerd op een simpele rekensom: de vrouwen deden tweederde van het werk voor eenderde van het geld. Dat vond ik vernederend voor ons allemaal. Aan het eind van de discussie besloten de vrouwelijke deelnemers toch voor hun rechten op te komen. Het verhaal over de onvrede in het vrouwenkamp deed snel de ronde. Voordat ik zelf de kans kreeg om hem aan te spreken stapte de productiemanager, Bob Bagley, al op me af.

'Ik hoor dat jij hebt opgeroepen tot een boycot,' viel hij met de deur in huis.

'Ja. Ik begrijp niet waarom de hoofdprijs bij de vrouwen maar

5000 dollar is en de hoofdprijs bij de mannen 15.000. Ik weet wel dat de vrouwen maar vier onderdelen afleggen en de mannen zes, maar dan zou je de vrouwen 10.000 moeten betalen en de mannen 15.000.'

'Oké, daar zit wat in,' gaf Bob toe, 'maar ik heb die beslissing niet genomen, en het is nu te laat. Het budget voor het programma staat voor dit jaar al vast. Ik beloof je dat ik volgend jaar het prijzengeld voor de vrouwen zal verhogen. Als je dit laatste onderdeel boycot, schrappen we de hele vrouwencompetitie en verdient er niemand een cent. Als je wint, nodigen we je uit voor volgend jaar.'

Het dreigement dat hij de vrouwencompetitie zou schrappen was vermoedelijk bluf, maar als hij het meende, zou ieder van ons erbij verliezen. Dus besloten we hem op zijn woord te geloven en door te gaan. Ik wilde de wedstrijd graag afmaken, net als iedereen, maar ik was blij dat ik had geprotesteerd.

Het laatste onderdeel van het programma was de Survival Run. Voor mij zou dat een vernederend lesje worden. Het parcours bestond uit een cross-loop van zes kilometer, door de heuvels bij de rivier de Stanislaus. Dit was de grote kans voor Gabriella Anderson met haar marathonervaring en haar aerobics. Bij de start keek ik haar aan en probeerde iets in haar ogen te lezen. Ze staarde recht voor zich uit en negeerde me. Gabriella had al talloze wedstrijden gelopen en wist dat ze haar tegenstandsters niet moest aankijken. Ze kende de gevaren van een dodelijke blik. Ik stond tegenover een langlaufspecialiste met olympische ervaring, een geweldig uithoudingsvermogen en een sterke mentaliteit. Vier jaar later, bij de Olympische Zomerspelen in Los Angeles, zou Gabriella wankelend over de finish van de marathon komen. Maar ze had altijd getraind op de vlakke weg, terwijl ik de reflexen bezat voor het lopen over ruw terrein. Ik wist hoe het voelde om graniet en losse steentjes onder je voeten te hebben en ik kon de onvermijdelijke uitglijders in de wildernis snel corrigeren.

Toen het startschot door de vallei galmde, stormde ik de rotsachtige helling af. Ik wist dat ik Gabriella op het vlakke deel niet kon verslaan, dus wilde ik op de steile stukken zo hard mogelijk gaan en proberen die voorsprong vast te houden. Ik kwam als eerste onder aan de heuvel, terwijl Gabriella nog over de losse stenen ploeterde. Maar zodra ze op vlak terrein kwam was ze zo snel als de wind. Ze nam al snel de leiding over en ik zag haar in de verte verdwijnen. Nu bleek haar cardiovasculaire training, evenals mijn gebrek daaraan. Toen we het water in plonsden om de rivier over te zwemmen wist ik mijn achterstand wat terug te brengen, maar niet voldoende. Uiteindelijk won ze met twintig seconden voorsprong. Die wedstrijd tegen Gabriella motiveerde me om vanaf dat moment regelmatig te gaan joggen. Algauw werd mijn dagelijkse looptraining het rustigste moment van mijn dag, waarop ik mijn gedachten de vrije loop kon laten terwijl het bewegingsritme zich vertaalde in een natuurlijke harmonie tussen lichaam en geest.

Hoewel Gabriella de Survival Run won, had ik genoeg punten gehaald voor de eindoverwinning en het geld. De drie jaar daarna werd ik steeds opnieuw uitgenodigd voor 'Survival of the Fittest', tot in Nieuw-Zeeland toe. En ik won elk jaar. De producenten hielden zich aan hun woord en verhoogden de hoofdprijs voor de vrouwen tot 10.000 dollar. Ten slotte echter schrapte NBC de vrouwencompetitie, omdat – zo beweerden ze – ze niemand konden vinden om mij te verslaan. Of dat zo was of niet, in elk geval besefte ik wel hoe weinig vrouwen op dezelfde manier met klimmen en duursporten bezig waren als ik en hoe ik door mijn passie steeds meer in een mannenwereld terecht was gekomen.

Bev Johnson was een van mijn eerste grote voorbeelden, omdat ook zij een sterke vrouw was die zich met hart en ziel aan haar sport wijdde. Een paar jaar later, in 1994, toen ik net een verhaal schreef over Bev Johnson en haar invloed op mij als jonge klimmer, gebeurde er iets vreselijks, dat me erg aangreep. Ik kreeg een telefoontje van Jim Bridwell, die me vertelde dat Bev was omgekomen bij een helikopterongeluk in de Ruby Mountains in Nevada. Behalve Bev verongelukten ook de piloot, een skigids, en Frank Wells, de directeur van Disney Productions. Alleen Mike overleefde het, met zware verwondingen, waarvan hij uiteindelijk geheel herstelde. Hoewel we elkaar in de loop van de jaren maar enkele malen hadden ontmoet, beschouwde ik Bev toch als mijn 'zuster in het avontuur'. Ik dacht terug aan de laatste keer dat ik haar had gezien, toen we samen hadden ontbeten voor een industriële manifestatie in Salt Lake City, waar we aan een outdoor-evenement deelnamen. Bij de koffie praatten we over onze reizen en onze plannen voor de toekomst. Zoals altijd was ik onder de indruk van haar overvloedige, positieve energie, maar het gesprek gaf me ook een onrustig gevoel. In elk verhaal dat ze vertelde was wel iemand gestorven, waar ze bij was. In de bergen van de Karakoram was het een collega-filmmaker geweest die overleed aan hepatitis; in Antarctica was haar vriend, de vlieger Giles Kershaw, verongelukt toen zijn gyrocopter tegen het ijs sloeg. En zo waren er nog meer voorbeelden. Hoewel ze ongetwijfeld was geschokt door deze verliezen sprak Bev toch ontspannen over de dood, alsof het nu eenmaal een beroepsrisico was. Ze was niet luchtig of ongevoelig, maar accepteerde de dood als behorend bij het leven van oorlogscorrespondenten, avonturenfilmers, piloten, klimmers of ontdekkingsreizigers naar de jungle, de bergen of de poolkappen. Misschien was ze vaak genoeg met de dood in aanraking gekomen om zich te bevrijden van de angst die de meesten van ons ervoor koesteren. Of misschien was ze in staat om, juist door het besef van de vluchtigheid van het leven, de wereld te zien als een speeltuin vol mogelijkheden, waarin geen enkele uitdaging te grimmig voor haar was. Wat Bevs filosofie ook was geweest, het bericht over haar dood was een zware slag voor me. Ik had een verwante ziel verloren.

Aan het einde van het collegejaar, in juni 1980, investeerde ik 3000 dollar van de 5000 die ik met 'Survival of the Fittest' had gewonnen in een Volkswagen-busje. John en ik laadden het vol met klimmateriaal, kampeerspullen en boodschappen, en gingen op weg. Reizen en trekken vormt het hart van het Amerikaans rotsklimmen. Het is een zomerritueel van lange ritten over snelwegen, landweggetjes, door kleine steden en langs kampeerplaatsen aan de voet van al die rotsen in het landschap. Voor klimmers is dat de belichaming van de vrijheid.

Het was onze bedoeling een paar maanden door de westelijke staten te reizen: Yosemite; Granite Mountain in Arizona; en Eldorado Canyon en andere centra in Colorado. John was een enthousiaste voorklimmer, die zoveel mogelijk eerst-beklimmingen op zijn naam wilde schrijven, waar we ook kwamen. Ik was zijn maatje en leerde veel van hem. Terwijl we over de wegen zoefden schalde Johns favoriete muziek uit de cassettespeler: Al Di Meola, John McLaughlin, Paco de Lucia. John, die drummer was in een paar bands, trommelde met zijn dikke vingers op het dashboard.

Onze eerste stopplaats was een groot massief van bruin steen, een paar kilometer buiten Prescott, Arizona. Granite Mountain, zoals de berg bekendstaat, verheft zich uit een landschap van verweerde rotsen en saguaro-cactussen die met hun stekelige armen naar de hemel wijzen. Klimmers komen al jaren naar deze wand in de Sonora-woestijn, waar ze talloze routes hebben geopend.

Maar John wist dat de steilste beklimmingen nog niet in de meest perfecte stijl waren volbracht; er zaten nog altijd artificiële strekken in. Dat betekende dat de eerste klimmers weliswaar de top hadden bereikt, maar toch aan haken hadden gehangen als het erg moeilijk of inspannend werd. John wilde deze routes voor het eerst vrij klimmen, zonder hulpmiddelen. In de jaren tachtig waren er nog honderden klimroutes in Amerika die op een FFA (*first free ascent*) wachtten, als prijzen die konden worden opgepikt door klimmers met de juiste combinatie van kracht, talent en technische vaardigheid.

Op Granite Mountain concentreerden we ons op een route langs een spleet die de Coatamundi White-out heette, naar een nummer van Frank Zappa. Op die route kregen we gezelschap van een vriend van John uit Los Angeles, Keith Cunning. Plaatselijke klimmers hadden al een tijdje geprobeerd de route vrij te klimmen, en ik zag dat het zelfs artificieel niet eenvoudig was. Een vrije klim zou een uitputtingsslag worden, met zware inspanningen voor ons alle drie.

Ik begon en stak mijn vingers in een ruwe, smalle spleet voor een passage van drie meter. Ik schoof een kleine stopper in de spleet en zag dat ik een lastige beweging naar links moest uitvoeren om bij een horizontale spleet onder de reusachtige overhang boven mijn hoofd te komen. Ik wist mijn vingers om een paar kleine randjes te krijgen, zette mijn voeten op wat granietkristallen van de rots en boog me opzij om mijn vingers in de horizontale spleet te wrikken. Zo kon ik lang genoeg blijven hangen om nog een stopper in de spleet onder het dak te klemmen. Ik probeerde nog een beweging naar links, maar viel toen, en bleef hangen aan het klemblokje.

Keith was de volgende. Hij kwam wat verder, stak nog een stopper in de spleet en viel ook. Het aanbrengen van stoppers terwijl je balanceert aan zulke kleine grepen is ongelooflijk inspannend. Elke keer dat we vielen lieten we het touw aan ons hoogste punt hangen, zodat de volgende het voordeel had van een toprope tot aan de laatste nut. Dat werd een 'jojostijl' genoemd. John ging als laatste en wist voorbij ons hoogste punt te komen. Daarna klom hij langs de horizontale spleet naar een volgend dak dat werd gespleten door een brede spleet. Met zijn vuisten en voeten in de spleet boven zijn hoofd hees hij zich over het dak tot op de rand die het einde van de route markeerde. Daarmee had hij de eerste vrije beklimming van de Coatamundi White-out op zijn naam gebracht, een route van maar liefst 5.11, maar met hulp van zijn partners. Van bovenaf gezekerd door John klommen Keith en ik nu ook in vrije stijl naar de top.

Een paar minuten nadat we weer beneden waren gekomen arriveerden er twee plaatselijke klimmers aan de voet van de Coatamundi White-out, die vertelden dat ze juist die dag een vrije beklimming van de route hadden willen proberen. Ze hadden er maanden voor getraind en het was een enorme teleurstelling dat John Long en zijn vriendin hun voor waren geweest!

'Als je zit te slapen, ben je te laat,' zei John toen we terugliepen naar het busje.

Toch vond ik het wel sneu voor die jongens. We hadden de prijs van de belangrijkste route in hun omgeving zomaar voor hun neus weggekaapt. Veel klimmers zien nieuwe routes als heilige bezittingen en het 'eigendom' wordt bepaald door wie het eerst zo'n route klimt. Zoals surfers de ethiek kennen van de 'eerste prioriteit' op een golf, hebben klimmers hun eigen ethiek over wie de kans krijgt een eerstbeklimming uit te voeren. Wie een nieuwe route ontdekt, heeft ook het recht de eerste poging te doen. Maar zelf vind ik dat allemaal onzin. Er bestaat geen 'eigenaar' van een route. En dit zou niet de laatste keer zijn dat ik iemand vóór was bij een eerste beklimming.

De Volkswagen-bus bracht ons naar het oosten, op weg naar Telluride, een oud mijnstadje in het zuiden van Colorado, dat algauw zou veranderen in een ski-oord voor de nouveau riche. Weelderige alpenbossen, watervallen en ruige bergkammen omringen dit dal in de San Juan Mountains. We reden erheen om op het huis te passen van de grote Amerikaanse klimmer Royal Robbins, die in 1957 de Half Dome had bedwongen, de eerste hogewandbeklimming in Yosemite Valley, en nog talloze andere historische eerste beklimmingen in Amerika en daarbuiten op zijn naam had staan. Inmiddels verdiende hij aardig met zijn gelijknamige kledinglijn. Maanden eerder had hij John ingehuurd om reclame te maken voor zijn buitenmode met diashows in klimsportwinkels. Nu mochten we zijn vakantiehuis in Telluride gebruiken terwijl John een bedrijfje opzette om ons als rotsklimgidsen te verhuren. Royal was zelfs zo gul geweest om in John te investeren door een stapel folders te laten drukken met Johns foto, waarin onze diensten werden aangeboden.

Die hele bochtige bergweg lang praatte John over zijn idee, maar pas toen we in Telluride aankwamen besefte ik dat het bedrijfje niets anders was dan die folder. Op de een of andere manier zouden betalende cliënten ons moeten vinden, maar John had geen idee hóé. Telluride was in 1980 nog lang niet het luxueuze vakantiecentrum van tegenwoordig, maar een klein bergdorp, ver bij alles vandaan. En een mekka voor klimmers was het al helemaal niet. We bleven er twee maanden en in al die tijd meldde zich geen enkele klant.

Maar dat kon ons niet schelen. Wij beklommen de nabijgelegen Ophir Wall, een granietrots van 150 meter hoog. Daar zette ik een belangrijke stap in mijn klimcarrière met de eerste-beklimming van een route die Ophir Broke werd genoemd. Net als op Granite Mountain wisselden John en ik elkaar af in volgens de 'jojomethode'. Zo beklommen we eerst de overhangende wand tot een spleet die de erboven gelegen wand in tweeën spleet. John had niet veel problemen met de instap naar die spleet, omdat hij met zijn

Tom Frost, Royal Robbins en Yvon Chouinard in hun bivak in de Black Cave bij hun eerste beklimming van North American Wall van El Capitan, in 1964. (CHUCK PRATT)

lange lijf gemakkelijk een greeploos stuk kon overbruggen naar een vitale greep daarboven. Maar bij de spleet aangekomen kreeg hij zijn grote handen niet in de smalle opening en viel hij regelmatig. Voor mij was het eerste stuk juist lastig, omdat ik nergens een geschikte greep kon vinden om me naar boven te hijsen. Na enkele pogingen besefte ik dat dit gladde stuk alleen te overwinnen was met een beweging die op dat moment misschien wel de moeilijkste was die ik ooit had uitgevoerd. In een soort klimmerscode legde ik John mijn bedoeling uit.

'Ik zet mijn voeten allebei hoog op die twee smalle randjes, pak dan heel even door met mijn hand naar dat kleine greepje en ga dan dynamisch door naar de grote greep,' zei ik.

'Zo, Lynnie! Ik kan dat greepje dat je bedoelt nauwelijks zíén. Probeer het maar. Doe je best.'

Ik zette allebei mijn voeten hoog op, op twee smalle richels, en greep me lang genoeg aan de kleine kristalgreep vast om mijn balans te vinden – dat perfecte gewichtsloze moment ergens tussen vallen en springen. Het volgende moment schoot mijn hand omhoog en had ik de echte greep te pakken. Zodra ik die eenmaal had, kon ik bij de smalle spleet komen en hees ik me aan mijn handen naar de top. Toen ik bij de standplaats aankwam, besefte ik tot mijn stomme verbazing dat ik John had verslagen in deze moeilijke route. Tegenwoordig heeft de route een kwalificatie van 5.12d. In 1980 waren er nog maar weinig routes van die categorie. Hoewel ik dus als eerste boven was, wordt John in de gids van de Ophir Wall als eerste klimmer genoemd, waarschijnlijk omdat ik in 1980 nog niet bekend was – een protégé van Largo, meer niet.

De belangrijkste les die ik daar leerde was dat ik ondanks de beperkingen van mijn geringe postuur mijn eigen methoden kon ontwikkelen om lastige passages te overwinnen. Met zijn lengte en kracht kon John gemakkelijk verre grepen pakken en lange passen maken die voor mij onmogelijk waren. Maar ik vond weer houvast aan kleine grepen waar John zijn vingers niet omheen kreeg. Nog belangrijker was het besef dat we, ondanks onze fysieke verschillen, bijna elke route tot een goed einde konden brengen met de juiste combinatie van visie, motivatie en inspanning. Kort of lang, man of vrouw, de rots is een objectief medium dat iedereen op zijn of haar eigen manier kan interpreteren.

Na twee maanden werkloos in Telluride te hebben gezeten kregen we eindelijk wat te doen toen Royal een paar eigenaren van zijn beste kledingzaken naar Telluride uitnodigde voor een bedrijfsuitstapje. Deze mensen, die grote buitensportwinkels in heel Amerika bezaten, hadden maar weinig klimervaring, dus leek het Royal een leuk idee hun een klimweekend aan te bieden. Hij huurde John in om zijn gasten te begeleiden op een paar eenvoudige routes op de granietrotsen van Cracked Canyon. Ik bood aan om te helpen met de touwen en de zekering van de klimmers. Ik assisteerde de hele dag bij het coachen van de gasten en riep hun mijn instructies toe. Aan het eind van de middag stelde Royal voor om samen een wat zwaardere route te proberen op de andere, steilere kant van Cracked Canyon. Hij begon aan een route met een moeilijkheidsgraad van 5.10d, die ik in de loop van die zomer al zo vaak had geklommen dat ik alle bewegingen kon dromen. Toen Royal de sleutelpassage onder een overhangende rotsrand bereikte, aarzelde hij even. Hijgend sloeg hij de vermoeidheid uit zijn armen. Omdat ik de hele dag niets anders had gedaan, riep ik hem automatisch mijn instructies toe voor de juiste bewegingen. Toen ik zag dat het hem niet lukte en hij steeds meer gefrustreerd raakte, was ik bang dat ik hem in zijn eer had aangetast op dit klimweekend. Misschien was hij juist in zijn concentratie gestoord door mijn instructies of probeerde hij bepaalde bewegingen te vermijden vanwege de pijn in zijn reumatische polsen. Waarom gaf ik Royal adviezen over de juiste tactiek in deze route, terwijl ik er zelf helemaal niet tegen kon als andere mensen dat bij mij deden? Royals beleefde, zwijgende reactie op mijn onnozele geschreeuw was veelzeggender dan een scherp antwoord.

Aan het einde van onze zomer in Telluride verdiepte ik me in onze financiële situatie. De tweeduizend dollar die ik nog over had van 'Survival of the Fittest' was bijna op, en verder hadden we nauwelijks iets verdiend. Het werd tijd om een streep onder onze vakantie te zetten en weer aan het werk te gaan. Maar waar?

'Las Vegas!' opperde John toen ik hem zei dat de bodem van de schatkist in zicht was.

'Las Vegas? Waarom?'

'Het is er lekker warm in de winter, je kunt er genoeg werk vinden, er is een universiteit waar je je kunt inschrijven en mijn vriend Randy Grandstaff heeft er een groot huis met een lage huur.'

John had altijd wel een plannetje en ik was nergens aan gebonden, dus stapten we in de Volkswagen-bus en reden naar het westen. In de buitenwijken van Las Vegas, vlak bij het vliegveld, vonden we het huis van Randy Grandstaff. Tegenwoordig is dat deel van de stad overwoekerd door appartementen en winkelcentra. Randy's oude huis is allang gesloopt en er staan nu nieuwe huizen, maar in die tijd lag het nog bijna landelijk. Randy, een praatzieke klimmer die graag gezelschap had, bood ons een kamer aan voor 150 dollar per maand. Zo woonden we zeven maanden in Vegas en probeerden de eindjes aan elkaar te knopen. Het huis was nog ingericht volgens de mode van de jaren zestig, met een electric-blue kleed, lekkende badkamerkranen, een roestige badkuip, een zandduin dat steeds door de achterdeur naar binnen waaide als een ongewenste zwerfhond, en het gebulder van de opstijgende en landende vliegtuigen. Het had de sfeer van een achterbuurt, maar op een paar minuten van het huis lagen de Red Rocks, een spectaculair klimterrein.

We kwamen in september in Las Vegas aan, met nauwelijks een cent op zak, en het was te laat om me nog in te schrijven aan de plaatselijke universiteit. We zochten naar werk, maar er waren alleen eenvoudige baantjes te krijgen die slecht betaalden. Omdat we toch in een gokstad zaten, leek het John een goed plan om te proberen als croupier aan de slag te komen in een van de casino's.

'Ik heb een geweldig idee,' zei hij op een dag.

'Wat dan?' vroeg ik.

'Baccarat. Ik volg de croupierscursus en leer het spelletje. Die cursus duurt drie maanden. Grandstaffs vader is manager in het Sands Hotel. Hij heeft genoeg invloed om me een baantje aan een van de tafels te bezorgen.'

Ik betaalde voor Johns cursus en besefte dat we nu bijna failliet waren. Maar kort daarna deed zich een kans voor. Bij het bouilderen in Calico Basin liepen we Dan Goodwin tegen het lijf.

Ik had Dan voor het eerst ontmoet in Joshua Tree, toen hij net uit een commune was gestapt waar hij jaren had gewoond. Hij was een opvallend knappe vent met heldergroene ogen en donkerblond haar. Bij het klimmen in de Wonderland Area of Rocks, diep in Joshua Tree, vertelde hij me over de commune. Het was een warme dag en we waren de enige mensen in de woestijn, afgezien van een groepje vrienden dat op enige afstand achter ons aan kwam. Terwijl Dan het idealistische leven in de commune beschreef, trok hij steeds meer kleren uit. Poedelnaakt, met de zon op zijn toch al bruine lijf, vertelde hij hoe bevrijdend het was om naakt te kunnen zijn en dat taboe te doorbreken. Na zijn verhaal had ik er ook geen moeite meer mee mijn topje uit te trekken. Maar toen onze vrienden ons inhaalden en ons naakt en halfnaakt zagen staan, keken ze ons aan alsof we gek geworden waren. Ik keek naar mijn blote borsten en voelde me opeens verlegen. Tegelijkertijd vroeg ik me af waarom naakte borsten een probleem waren onder vrienden. Op dat moment besefte ik dat onze ideeën over hoe je erbij moet lopen eerder zijn gebaseerd op culturele tradities dan op persoonlijke keuze. Vrouwen in Afghanistan kunnen worden gestenigd als ze te veel blote huid laten zien. Veel moslimvrouwen dragen sluiers en lange gewaden om hun armen en benen te bedekken. Europese vrouwen liggen topless te zonnebaden op het strand. In sommige Afrikaanse culturen lopen vrouwen hun hele leven halfnaakt rond. Ik vond het heel natuurlijk om topless te zijn onder vrienden. Toch kleedde ik me maar weer aan.

Toen we die dag met Dan aan het klimmen waren in Calico Basin, vertelden we hem hoe moeilijk het was om werk te vinden in Las Vegas.

'Wat doe jij voor werk, Dan?' vroeg John.

'Ik treed op in een bar aan de boulevard van Las Vegas.'

'Je bent een mannelijke stripper, bedoel je?'

'Nou, niet helemaal, maar zoiets.' Dan beschreef zijn revuenummer. Hij kwam het podium op met een rugzak en een klimtouw over zijn schouder. Begeleid door muziek maakte hij een dansje en trok dan zijn kleren uit totdat hij alleen nog een tanga droeg. Hij vroeg waarom ik ook niet in die nachtclub kwam werken. Dat geld was snel verdiend.

'Nee, dank je,' zei ik lachend, terugdenkend aan mijn laatste ervaring met Dan en zijn ideeën over naaktlopen.

'Ik meen het serieus. Elke donderdagavond is er een bokswedstrijd tussen vrouwen. Daar zou je heel geschikt voor zijn.'

Geen naakte striptease, maar een bokswedstrijd? Voordat ik de kans kreeg iets te zeggen riep John: 'Goed idee, Lynnie! Dat wordt geweldig!'

Ik meldde me aan en in de geest van het evenement zocht ik een glimmend blauw sportbroekje uit, met witte strepen opzij, en een rood-wit-blauw lycra topje dat ik in de uitverkoop had gekocht. Op donderdagavond verzamelden we ons in een louche bar aan het begin van de stad, vlak achter het bord met WELKOM IN LAS VEGAS. Boven de bar hing een knipperend neonbord met de tekst DAGELIJKSE LIVESHOW. In het midden van het zaaltje was een boksring met schijnwerpers, een witte mat en rode touwen. De klandizie bestond uit mannen met cowboyhoeden, vrachtwagenchauffeurs met een bierbuik en getatoeëerde armen, en oude kerels die waarschijnlijk de afgelopen tien jaar nooit één voet buiten deze bar hadden gezet. De manager gaf me een paar veel te grote bokshandschoenen, die meer op kussens leken. Daarna bracht hij me naar de ring en stelde me voor aan mijn tegenstandster, die een half hoofd groter was dan ik, met sluik blond haar en broodmagere armen.

'Jullie vechten drie rondes van één minuut, met dertig seconden rust ertussen,' zei hij kortaf. 'Veel succes, meiden. Ga je gang.'

De bel klonk en we sloegen erop los. Mijn tegenstandster deed haar best, maar ik had veel meer kracht achter mijn slagen. Na het korte gevecht werd ik tot winnares uitgeroepen. De scheidsrechter stak triomfantelijk mijn arm boven mijn hoofd. De drinkers hieven hun glazen.

'*Way to go, baby!*' riepen ze met dubbele tong.

Ik lachte met hen mee en grijnsde om de absurde situatie, totdat ik de blik ving van een vriendin die John had meegenomen. Ze keek net zo gegeneerd als ikzelf. Op dat moment besefte ik dat ik iets heel doms had gedaan. Toen de manager me de schamele twintig dollar betaalde, voelde ik me helemaal belachelijk.

Hoewel dat mijn eerste en laatste optreden in Las Vegas was, ging het met Dans carrière heel voorspoedig. Hij deed een show in het Tropicana Hotel, globaal gebaseerd op *The Picture of Dorian Gray*, het toneelstuk van Oscar Wilde, over een man die zijn ziel aan de duivel verkoopt in ruil voor de eeuwige jeugd. Dan nodigde John en mij uit om te komen kijken. Hij speelde voor een groot publiek. Toen het doek opging, reed er een koets het toneel op in een dichte wolk van droog ijs. Uit die koets stapte Dan, in een smoking en een hoge hoed. Begeleid door zachte stripteasemuziek wipte hij met zijn wandelstok zijn hoed van zijn hoofd en trok witte handschoenen aan, die magisch in brand vlogen. Daarna verdween de rest van zijn kleren, totdat hij alleen nog een tanga droeg. Op dat moment greep hij een rekstok die aan het dak van de koets hing en deed een aantal gymnastische toeren, zodat het publiek een goed zicht had op zijn gespierde rug en billen.

Maar Dans grootste succes kwam pas later die winter, toen hij zonder touw en in een Spidermanpak de gevel van de reusachtige Sears-toren in Chicago beklom. Met die stunt verdiende hij de bijnaam Spider Dan. Deze gewaagde klim (waarvoor hij werd gearresteerd) was mogelijk met behulp van sky-hooks en industriële zuignappen, die hij hier en daar tegen het glas en marmer van de gladde gevel bevestigde. De hele stunt was bedoeld als reclame voor een piramidespel voor de verkoop van gezondheidsvoedsel bereid uit plankton. Halverwege de wolkenkrabber bleef hij hangen, in het volle zicht van de journalisten, om wat van dit product te eten. Dan bood me een baan op de verkoopafdeling van zijn plankton-imperium, maar ik bedankte. Het leek me beter om mijn studie af te maken.

Begin 1981 volgde ik colleges aan de universiteit van Las Vegas en had daarnaast wat bijbaantjes. Ik poetste koper in een meubelzaak, ik prijsde nieuwe producten in een Alpha Beta-supermarkt, ik werkte in een pizzeria en ik was hostess bij een JoJo's Restaurant aan de Las Vegas Strip. Binnen zeven maanden tijd had ik vijf verschillende baantjes. Op mijn laatste dag bij JoJo's (ik werd ontslagen omdat ik zogenaamd de lobby te lang onbeheerd liet terwijl ik naar de wc ging), zag ik vanuit de hal de zwarte rook van het MGM Grand Hotel, dat tot de grond toe afbrandde. Vierentachtig mensen kwamen om in de vlammen, stikten door de rook of sprongen hun dood tegemoet uit de ramen. Er vielen 679 gewonden. Het was afschuwelijk om te zien, en opnieuw besefte ik hoe benauwd en opgesloten ik me voelde in deze groeistad. De oppervlakkigheid en valse glitter van Las Vegas deprimeerden me.

Toen John die avond terugkwam van een dagje klimmen in de Red Rocks, moest ik hem vertellen dat ik was ontslagen. Terwijl ik het ene baantje na het andere had, was het hem niet gelukt om aan de slag te komen als croupier, zoals hij had gehoopt. Tegen de tijd dat hij de cursus had voltooid, bleek dat mensen jaren moesten wachten op een aanstelling als croupier. Aan zijn 'kruiwagen' had hij ook niet veel, dus vond hij geen werk in de casino's van Las Vegas. We hadden geen geld meer om de huur te betalen, eten te kopen of mijn collegegeld te voldoen. Onze provisiekast was letterlijk leeg. De praktijk wees uit dat het niet allemaal goud is wat er blinkt in Las Vegas.

'Je moet echt werk zoeken,' zei ik toonloos toen John zijn rugzak uitpakte. Een paar dagen later zat hij in een glazen hokje achter de kassa van een benzinestation. Voor John was dat een ideale baan. Als hij even tijd had, zat hij te studeren of schreef hij de artikelen waarmee hij uiteindelijk zijn brood zou verdienen.

Hoe troosteloos de stad ook was, de Red Rocks hielden me op

Bij de eerste vrije beklimming van Levitation 29
(5.11c). (JORGE URIOSTE)

de been. In het voorjaar van 1981 volbrachten John, Randy, Grandstaff en ik verscheidene eerstbeklimmingen. Het waren prachtige, maar ook gevaarlijke ondernemingen. In Pine Creek Canyon had je Heart of Darkness, een route die ons tot ver voorbij onze klemblokjes dwong, in een onzekere wand van zandsteen. Op een gegeven moment, toen ik vooropging, brak er een rotsrichel af, waardoor ik ruim tien meter achterwaarts door de lucht zeilde voordat ik werd opgevangen door een kleine nut in een smalle spleet. Ik bleef ondersteboven onder een dakje bungelen, versuft maar ongedeerd. John en Randy, die me zagen vallen, leken nog meer geschrokken dan ik. Ik was zo verbaasd dat ik me meteen naar de grond liet zakken, snel weer omhoogklom en de lengte afmaakte. We hadden de route wat veiliger kunnen maken met boorhaken, maar die methode was toen niet populair. Je hoorde met lef en zelfvertrouwen te klimmen. Daar beleefden we ook veel voldoening aan.

Maar onze mooiste vrije klim van dat jaar was toch een route

167

van tien touwlengtes, de Levitation 29. John en ik schreven de eerste vrije klim op onze naam, in het gezelschap van de twee klimmers die de artificiële eerstbeklimming hadden gedaan, Jorge en Joanne Urioste. De geheimzinnige naam Levitation 29 verwees naar het feit dat de klim was volbracht op Joannes negenentwintigste verjaardag en de gedachte dat een 'levitatie' wel handig zou zijn geweest om langs deze steile, 250 meter hoge wand op te stijgen. Een van mijn mooiste herinneringen aan onze tijd in Las Vegas was de wandeling door de woestijn naar deze zonovergoten hoge rots in Oak Creek Canyon. We kwamen een katfret tegen, een paar bighorn-schapen, en ik keek mijn ogen uit naar al die regenboogkleurige sedimentaire rotsen langs het pad. John en ik werkten perfect samen die dag op Levitation 29. Wat voor problemen Las Vegas ook in onze relatie veroorzaakte, John was de ideale partner in de rotsen.

Tegen het eind van het voorjaarssemester werd het veel te heet in de woestijn. Las Vegas veranderde in een oven en John en ik begonnen te twijfelen of het wel zo verstandig was om daar te blijven. Ik hing maar wat rond op de universiteit, onze baantjes stelden niets voor en ik kreeg hoofdpijn van het lelijke behang in onze huurkamer. De vraag was alleen: waar konden we naartoe?

Het was een telefoontje van Mike Hoover dat de doorslag gaf. Hij wilde John inhuren voor tv-opnamen van *The Guinness Book of Records* in Venezuela, waar ze de rots bij Angel Fall moesten abseilen – het langste traject ter wereld. John en ik hadden allebei al aan verschillende tv-programma's meegewerkt. John had een script verkocht voor een klimsportfilm in Colorado, waar mijn vriendin Beth Bennett en ik een route hadden geklommen die de Naked Edge heette. John had altijd het idee gehad dat onze toekomst in de avonturenfilm lag, en nu leek het moment aangebroken om terug te gaan naar Los Angeles – de omgeving van Hollywood. Bliksemsnel laadden we ons busje in en staken de staatsgrens weer over naar mijn familie en de vrienden van Joshua Tree die we al die maanden in Nevada zo hadden gemist.

9

Van

Las Vegas naar

Hollywood

Terug in Santa Monica betrokken John en ik een appartement op de eerste verdieping op de hoek van Lincoln en Montana, acht straten van het strand. 's Ochtends zweefde het vage geluid van de branding en de krijsende meeuwen ons raam binnen, maar tegen het spitsuur was er niets anders meer te horen dan het gedender van de auto's en bussen. Na de tv-opnames van de abseil-recordpoging bij Angel Fall in Venezuela was John er meer dan ooit van overtuigd dat we ons brood konden verdienen in Hollywood. Met die gedachte zat hij hele dagen aan de keukentafel te werken aan tv-ideeën voor productiemaatschappijen. Hij bedacht de vreemdste stunts en schreef vergezochte maar grappige verhalen zoals 'De dag dat ik zat te blowen met de Verschrikkelijke Sneeuwman', die zo nu en dan in tijdschriften als *Climbing* verschenen.

We hadden het net zo arm als in Las Vegas. John zat meestal te schrijven en ik studeerde biologie aan Santa Monica College. Verder werkte ik parttime in een buitensportwinkel om mijn studie te betalen, maar ik verdiende toch het meest met de tv-programma's waar ik zo nu en dan aan meedeed. Behalve mijn jaarlijkse optreden in *Survival of the Fittest* had ik ook deelgenomen aan shows als *The Guinness Game, That's Incredible,* en *Ripley's Believe It Or Not.* In het begin van de jaren tachtig ontdekte de televisie de wereld van de adrenalinesporten, wat tot een stortvloed van nieuwe programma's leidde, die elkaar allemaal de loef probeerden af te steken met spectaculaire, nog nooit vertoonde stunts. Deze optredens betekenden niet alleen een gemakkelijke manier om geld te verdienen, maar brachten me ook in de meest absurde situaties.

De belachelijkste stunt die ik ooit heb gedaan was misschien wel een optreden in *That's Incredible,* waar ik op een hoogte van 1800 meter over een heteluchtballon moest klimmen. Natuurlijk was dat de eerste keer dat iemand dat deed. Het was sensationeel en gevaarlijk, en niemand had ooit een reden gehad om zoiets te proberen. Ik wel, want ik kon er 4000 dollar voor krijgen.

Omdat het nog nooit gedaan was, moest ik het grondig voorbereiden. De eerste uitdaging was een goede touwladder te vervaardigen en aan de ballon te bevestigen. Met Johns hulp maakte ik een lange ladder van korte stukjes pvc-buis die ik om twee evenwijdige oude klimtouwen schoof. Deze touwladder moest over de ballon worden getrokken en vastgemaakt aan een grote metalen ring van vijftien centimeter doorsnee, bevestigd aan de top van de ballon. De ring was de enige stevige verbinding met de ballon, omdat die aan de bovenkant werd bedekt door een losse lap parachutezijde. De ballonvaarder regelde de hoogte van de ballon met behulp van lijnen die aan de parachute waren vastgemaakt, waardoor hij de hoeveelheid hete lucht kon bepalen die door de opening ontsnapte. Een van de problemen was dat de ring kon opwarmen tot wel bijna 250 graden, omdat hij zich recht boven de propaanbrander bevond, die met tussenpozen een hete vlam produceerde. Ik was bang dat de hitte van de ring het nylontouw – mijn enige verbinding met de ballon – zou laten smelten.

We namen een asbestmatje mee om boven op de ballon te leggen en zo de hitte te verspreiden. Voor alle zekerheid besloot ik ook een kleine reserveparachute op mijn rug te binden.

'Lynnie, ik heb een geweldig idee,' zei John toen we met de ladder bezig waren. 'Als je aan de andere kant van de ballon komt, gooi je je voeten los en doe je alsof alles fout gaat. Daarna laat je los en zweef je aan je parachute omlaag.'

Mijn parachute-ervaring beperkte zich tot een stoomcursus van één dag, waarbij ik twee keer uit een vliegtuig was gesprongen. Ik dacht erover na, maar schudde toen grijnzend mijn hoofd. Deze stunt was al krankzinnig genoeg en het leek me heel dom mijn leven toe te vertrouwen aan een enkele reserveparachute.

Op de dag van de opnamen bevestigden we de ladder rond de ballon, die met hete lucht werd gevuld via de propaanbrander. Langzaam verhief het gevaarte zich als een reusachtige paddestoel, bijna vijftien meter hoog. De ballonvaarder had geen ervaring met een ballon die in de lucht beklommen werd en was een beetje zenuwachtig bij het vertrek. Het verbaasde me dat hij niet eens een reserveparachute bij zich had. Net als de kapitein van een vissersboot zou hij met zijn vaartuig ten onder gaan als er iets fout ging.

De ballon zweefde op een krachtige noordenwind over de dorre vlakke velden ten noorden van Los Angeles. Toen we een hoogte van 1800 meter hadden bereikt, kregen we een seintje van de cameraman aan boord van de helikopter: 'Klaar om te draaien.'

Het geraas van de helikopter die om ons heen cirkelde maakte mijn opwinding nog groter toen ik de ladder greep en langs de zijkant van die vreemde zwevende bol begon te klimmen. Door het model van de ballon – een omgekeerde peer – slingerde het eerste stuk van de ladder nogal wild heen en weer.

'Wees voorzichtig bovenop,' zei de ballonvaarder terwijl hij een kleine camera op me richtte.

Mijn gewicht drukte tegen de wand van de ballon en vervormde de met lucht gevulde zeepbel. Ik verdween in de plooien van veelkleurig nylon. Toen ik helemaal boven was, voelde ik de hete lucht van de brander recht beneden me. Ik hield even halt om te zwaaien naar de helikopter die om ons heen draaide. Rechtop gaan staan op de ballon was uitgesloten. Het enige wat me op mijn plaats hield, 1800 meter boven de grond, was de touwladder die over dit zachte, opbollende kussen van lucht en textiel gebonden was. Als ik van de ladder viel, zou ik door de opening en het verstikkend hete binnenste van de ballon naar de vlammen van de brander tuimelen. Ik bleef lang genoeg op het dak van de ballon om die prachtige sensatie van totale bewegingloosheid te ervaren. Hoewel we werden voortgedreven door een harde wind, voelde ik me als een zwevend veertje.

Toen ik afdaalde langs de andere kant van de ballon, drukte mijn gewicht niet alleen tegen het dundoek, waardoor het een diepe plooi vertoonde, maar trok ik ook het dak van de ballon naar me toe, zodat hij op een vooruitstekend voorhoofd begon te lijken. Door die overhang bungelde ook de touwladder weer los. Op het punt gekomen waar ik weer in het mandje moest klimmen hing ik er een meter onder. Misschien zou ik toch mijn parachute nog moeten gebruiken, dacht ik toen ik daar heen en weer zwaaide. De enige manier om in de mand te komen was me met één arm omhoog te hijsen en dan mijn hand bijna een meter opzij te steken naar een vierkante tree die in het midden van de mand was uitgesneden. Gelukkig wist ik die stevige greep te pakken te krijgen. Daarna moest ik me nog met kracht afzetten om de bovenrand van de mand te bereiken voordat ik weer naast de ballonvaarder kon klimmen.

'Oké, we gaan dalen,' riep hij tegen me en hij zei erbij dat de harde wind ons veel sneller boven de landingszone had gebracht dan hij verwacht had.

Ik werd een beetje duizelig van de grond die onder ons door schoot en de cirkelende helikopter om ons heen. De ballonvaarder trok aan de lijnen om een stoot hete lucht te laten ontsnappen en we daalden snel. De aarde kwam met angstwekkende snelheid op ons af. De mand raakte met een klap de grond en sloeg om, zodat we eruit werden geworpen. Voor ons uit zakte de ballon in elkaar toen de lucht eruit stroomde. De cameraploeg en mijn zus Trish stonden klaar om ons op te vangen. Ongelooflijk opgelucht toastten we met champagne op deze unieke prestatie.

Nog spannender misschien dan deze stunt was mijn optreden, een week later, in de studio van de show in Hollywood. Jamie Lee Curtis, de presentatrice, stelde me aan de kijkers voor terwijl ik me voor het studiopubliek aan een touw op het toneel liet zakken.

'Was je niet bang daar boven?' vroeg ze.

Bij de repetities had de regisseur al gemerkt dat ik niet zo spraakzaam was tegenover een camera, dus hielp hij me. 'Niet zo bang als ik nu ben,' las ik mijn antwoord op van een kaart die hij omhooghield.

Kort daarna verkocht John een andere stunt aan *That's Incredible* en gingen we weer de lucht in, deze keer voor de langste abseil-poging ter wereld, vanuit een helikopter. John had al een poging gedaan dat record te vestigen bij Angel Fall, maar een hevig noodweer had hem en Jim Bridwell – zijn partner bij de stunt – overvallen toen ze halverwege de touwen waren. Het tweetal was bijna verdronken in de stortregens, maar de helikoptervlucht daarna was nog angstiger toen ze verdwaalden in de regen en de mist en de benzine bijna opraakte. Gelukkig ontdekten ze de lichten van een vliegveldje en maakten ze een noodlanding op de startbaan. In plaats van nog een poging te doen vanaf een rots, vond John, zouden we een nog langer touw onder aan een helikopter kunnen hangen. Als tweede stunt bedacht John dat ik door de lucht zou kunnen klimmen aan een touw dat tussen de helikopter en een heteluchtballon werd gespannen.

Ons startpunt was een drooggevallen meer bij de luchtmachtbasis Edwards, een plek waar ook veel pogingen werden gedaan om snelheidsrecords op het land te breken. Op de grond legden we zorgvuldig twee reusachtige touwen van elk 540 meter lengte uit en bevestigden ze allebei aan de helikopter. Ik zou langs het ene touw abseilen, John langs het andere. We stapten in de helikopter en op een hoogte van 600 meter probeerden we ons vast te maken aan de abseilapparaten die al aan de touwen zaten. Maar de touwen waren zo zwaar dat we ze geen van beiden konden optillen om langs de skids van de helikopter te komen. We moesten weer landen om onszelf van tevoren aan de touwen vast te maken, voorbij de skids. Daarna stegen we weer op. Nu lukte het wel en John en ik daalden samen af. Hoewel de touwen een aanzienlijke frictie veroorzaakten met de abseilapparaten, dreigden ze steeds sneller door de apparaten te glijden naarmate we lager kwamen. Op ongeveer 300 meter waren de metalen apparaten zo gloeiendheet geworden dat ze de buitenste vezels van de touwen deden smelten. Ik spuwde erop om te zien hoe heet ze waren. Mijn speeksel siste als boter in een braadpan en verdampte meteen. John had ook problemen, zo te zien.

'Mijn benen zijn gevoelloos, en dat is het enige niet,' riep hij met een grimas. De beenlussen van zijn gordel hadden de bloedsomloop in zijn dijen afgesneden en de tinteling was bijna niet te harden. Camera's zoomden op ons in om onze gelaatsuitdrukking vast te leggen toen we aan het eind van de touwen bungelden en de helikopter ons voorzichtig naar de grond liet zakken.

Vanwege de sterke wind ging de oversteek per touw van de helikopter naar de ballon niet door, maar om het toch spannend te maken stelde Darr Robinson, een stuntman met wie we bevriend waren geraakt op de set, voor dat hij en ik weer met de helikopter omhoog zouden gaan om het nummer af te maken. Dus stegen we weer op en even later hingen we naast elkaar aan de touwen. Op een hoogte van ongeveer 1000 meter begon Darr te glijden en schoot hij van het touw af. Na een vrije val van een paar seconden opende hij zijn parachute. De helikopter liet mij naar de grond zakken. De producenten vonden het een prachtig nummer.

In de maanden die volgden leerden we Darr wat beter kennen. Hij was een ervaren stuntman, bekend om zijn spectaculaire vrijevaltechniek in de lucht, en hij werd op elke filmset met respect behandeld. Hij bezat het wereldrecord voor de hoogste vrije val vanuit een helikopter naar een luchtkussen – vanaf een hoogte van 95 meter! Nu wilde hij een vrouw een wereldrecord laten vestigen met een val uit een helikopter vanaf 55 meter. Darr vroeg me of ik misschien dat kunstje wilde leren.

'Je zou er heel geschikt voor zijn, omdat je zo'n goede lichaamsbeheersing hebt door het turnen,' zei hij tegen me. 'Je hoeft je alleen maar in de lucht om te draaien en plat op je rug te landen.'

Ik mocht in zijn achtertuin oefenen. Als het goed ging, zou hij me inhuren als stand-in bij een stunt die een week daarna zou worden gefilmd. Als de aangewezen springer zich bedacht, zou ik 5000 dollar krijgen om het over te nemen. Dat aanbod was te goed om af te slaan.

Vanuit een boom, 15 meter hoog, staarde ik omlaag naar een luchtkussen van zes meter dik, dat Darr had gevuld met behulp van een compressor. Hij had me de theorie van de sprong uitgelegd, nu moest ik zijn lessen nog in praktijk brengen. Op de rand van het houten platform slikte ik de adrenaline uit mijn keel en waagde de sprong. Ik zag de grasvelden en zwembaden van de buurtuinen om me heen draaien en kwam toen pijnloos neer. Een paar minuten later sprong ik nog eens en maakte opnieuw een perfecte landing. Maar bij mijn derde sprong draaide ik te ver en kwam onder een verkeerde hoek terecht, waardoor mijn kin pijnlijk tegen mijn borst knalde. Toen ik weer van het luchtkussen stapte was ik blij dat ik slechts de stand-in was en niet de vrouw in de schijnwerpers.

De week daarop kwam de vrouw die het record moest breken bijna om het leven op de filmset. Ik werd aan haar voorgesteld op de dag van de stunt. Toen ik haar op haar beurt zag wachten, met haar pasgeboren baby in haar armen, had ik medelijden met haar – en met mezelf – dat we zulke idiote dingen moesten doen om aan geld te komen. Hoe goed deze stunt ook betaalde, het woog niet op tegen het risico om voor de rest van je leven verlamd te raken. Ik kon het niet aanzien toen ze eindelijk uit de helikopter sprong. Ze kwam bijna naast het luchtkussen terecht, en het mocht een wonder heten dat ze geen blessures overhield aan de landing. Het was heel interessant en spannend om vernieuwende stunts te bedenken en uit te voeren, en je kon er leuk mee verdienen, maar mijn flirt met Hollywood had ook iets vernederends, vond ik.

Tijdens een auditie in Hollywood besefte ik pas goed met welke flauwekul ik eigenlijk bezig was. Door mijn optredens in *That's Incredible* had ik inmiddels een agent, die soms tv-werk voor me vond waarin ik mijn atletische ervaring kon gebruiken. Deze keer had ze me naar de audities voor een tv-spotje voor een frisdrank gestuurd. Ze zochten een sportieve jonge vrouw, was het enige wat ik te horen kreeg. Maar bij de auditie zag ik me omringd door vlekkeloos gekapte dames die je eerder bij een missverkiezing zou verwachten. Ik voelde me totaal niet op mijn gemak en was er al van overtuigd dat mijn tv-carrière ten dode was opgeschreven toen iemand een videocamera op me richtte en ik moest doen alsof ik door de lucht vloog boven op een frisdrankfles.

'Blijf lachen, steek je armen naar voren alsof je door de lucht suist en roep "Joepie!", zo hard als je kunt,' instrueerde de producent.

Ik stak mijn armen naar voren als een slaapwandelende zombie en piepte wat.

'Je hoort nog van ons,' zei de casting-director. Natuurlijk hoorde ik niets en ik heb ook nooit meer auditie gedaan voor een reclamespot.

Meer dan ooit vond ik dat het tijd werd om mijn studie af te maken en iets nuttigs met mijn leven te gaan doen. Een paar jaar later las ik in een krant in Los Angeles dat Darr was overleden nadat hij zijn milt had gescheurd bij een motorongeluk.

Het geld van mijn schaarse stunts en mijn parttime baantje was voldoende voor de rekeningen en mijn studie, maar 'Survival of the Fittest' was nog altijd mijn echte melkkoe. Ik trainde ervoor door dagelijks te rennen op de atletiekbaan van Santa Monica College, maar eigenlijk wist ik niets van een serieuze atletiektraining. Mijn eigen methode was simpel: ik rende veertig minuten lang, zo hard als ik kon. Maar op een dag hoorde ik een vrouw naar me roepen toen ik weer over de baan sprintte.

'Ik ben de looptrainer en ik wil met je praten,' riep ze.

Ze stelde zichzelf voor als Anna Biller, coach en zelf ook een uitstekend atlete. Bij de kwalificatiewedstrijden voor de Olympische Spelen van 1980 was ze als vierde geëindigd op de 400 meter horden. Ze wilde weten waarom iemand die niet in de atletiekploeg zat zo fanatiek trainde. Ik legde uit dat ik me voorbereidde op 'Survival of the Fittest' en dat ik als klimmer wel gewend was om tot het uiterste te gaan.

'Ik kan je helpen bij je training als je je aansluit bij het atletiekteam. We trainen elke middag. Als je wilt, kom dan morgenmiddag om drie uur.'

Anna had een charisma waardoor ik haar aanbod onmogelijk kon afslaan. Toen ik me de volgende dag bij haar team meldde, was dat het begin van een hechte vriendschap, die nu al twintig jaar duurt.

Als coach analyseerde Anna elk element van het lopen. Ze besteedde aandacht aan subtiele nuances zoals de manier waarop we onze voeten op de grond zetten, of de kunst met om je armen in een strak tempo naar voren te pompen om jezelf nog meer snelheid te geven. Door me op deze bewegingen te concentreren merkte ik dat ik minder aan mijn vermoeidheid dacht. Op maandagmiddag – de zwaarste dag van de training – renden we tien keer 400 meter, op volle snelheid. Anna stond erbij met een stopwatch in haar hand en schreeuwde ons de tijden toe als we voorbijkwamen. Week na week voelde ik mijn aërobisch vermogen toenemen. Toevallig was een van mijn jaargenoten Hans Messner, de jongere broer van de wereldberoemde bergbeklimmer Reinhold Messner, die zonder extra zuurstof de Mount Everest had beklommen. Net als Reinhold had Hans een geweldige longinhoud. Als mijn benen weer van rubber leken en mijn longen brandden, dook Hans naast me op om me aan te sporen, net als Anna.

Ik weet niet of Anna het wist, maar haar team fungeerde soms ook als een opvanghuis voor studenten die problemen hadden in het leven. Toen ik op een dag de veters van mijn loopschoenen vastmaakte naast de baan, stelde Anna me voor aan Karen, een nieuw lid van het team. Ze zou een talentvolle loopster blijken, die stevig meetrainde, maar algauw ontdekte ik dat ze een moeilijke achtergrond had. Ze was door een andere universiteit – waar het niet goed ging – overgeplaatst naar Santa Monica. Als tiener was ze seksueel misbruikt en van huis weggelopen. Ze was haar stadje aan de oostkust ontvlucht en had een tijd door de straten van Los Angeles gezworven, totdat een katholieke priester in Venice haar vond toen ze in zijn kerk lag te slapen. Hij had een pleeggezin voor haar geregeld en haar geholpen terug te gaan naar de universiteit, maar door een opvliegend karakter en haar historie van voortijdige schoolverlating gaf Karen er weer snel de brui aan. Zo zwierf ze van de ene universiteit naar de andere. Santa Monica was haar laatste kans, en vanwege haar slechte cijfers had het Anna grote moeite gekost om Karen bij de atletiekploeg te krijgen. Hardlopen bleek een manier te zijn voor Karen om haar energie te bundelen, maar ze bleef erg grillig. Ooit werd ze kwaad om iets dat Anna tijdens de training tegen haar zei en smeet een paar loopschoenen met spikes naar haar toe. Toch raakte ik bevriend met haar. Ik had begrip voor Karens problemen, zoals ik ook altijd begrip had gehad voor mijn goede vriend Yabo.

Sinds mijn terugkeer naar Los Angeles had ik de vriendschap met Yabo weer opgevat. Er was bijna een jaar verstreken sinds we samen hadden geklommen, en ik miste de manier waarop wij het beste in elkaars techniek en passie voor het klimmen naar boven brachten. Zelfs twintig jaar en duizenden routes later beschouw ik sommige van mijn tochten met Yabo als de mooiste prestaties uit mijn begintijd in Yosemite. Toch was ik niet blind voor zijn obsessieve interesse in mij.

Toen ik Yabo leerde kennen, was ik achttien en hij tweeëntwintig. Ik begon net allerlei facetten van het leven te ontdekken, en klimmen was de machtigste ervaring die ik kende. Door die gezamenlijke hartstocht voor het vrije klimmen ontstond er een hechte band tussen Yabo en mij. Onze puristische benadering van het klimmen weerspiegelde onze houding in het leven. We hielden allebei van simpele, eerlijke, natuurlijke dingen. Facetten van de populaire cultuur, zoals modieuze kleren, dure auto's en andere materiële zaken – kortom, de nadruk op geld verdienen – zagen wij als een onnozele tijdverspilling, die ons alleen maar kon afleiden van ons ware doel: de volmaakte vrije klim. Onze heilige graal was een beklimming waarin we een topprestatie konden leveren in de meest 'zuivere' vorm die we konden vinden en bij voorkeur een route die door nog niemand was beklommen. In die dagen, het begin van de jaren tachtig, betekende een 'zuivere' stijl dat je aan de voet van een rots begon en naar de top klom zonder aan touwen of haken te gaan hangen om lastige stukken te overbruggen. De bedoeling was om elke beweging in vrije stijl uit te voeren, slechts met behulp van een 'natuurlijke' beveiliging onderweg. In plaats van boorhaken en mephaken, die een permanente beschadiging van de rots veroorzaken, gebruikten wij verwijderbare stoppers, die we in de spleten staken (je had toen nog geen moderne Friends). Yabo en ik begonnen aan zulke routes met mijn minimale materiaal en wat spullen die Yabo ergens had gevonden of van vrienden had geleend. We streefden ernaar zoveel mogelijk uit ons zelf te halen zonder te vallen of gebruik te maken van hulpmiddelen. Het doel

Yabo demonstreert zijn vasthoudendheid in Joshua Tree. Mari Gingery, Chris Wagner en Charles Cole kijken toe. (DEAN FIDELMAN)

was het onbekende, de vrije klim die geen enkel spoor naliet op de rotswand. Als je daarvoor een greeploos stuk van 15 meter moest klimmen zonder tussenzekeringen, dan was dat het pact dat je met de rots gesloten had. Die idealen vormden onze bijbel. Zij gaven onze inspanningen zin.

Ik herkende de 'nobele wilde' in Yabo's karakter die hem ertoe dreef het uiterste van zichzelf te geven. In dat opzicht voelden we elkaar goed aan en vormden we een sterk team, dat heel wat moeilijke routes tot een goed einde bracht. Hoewel ik sindsdien grote vorderingen heb gemaakt in de toepassing van moderne klimtechnieken en materiaalgebruik (zoals boorhaken), is die benadering van een 'maximaal resultaat met minimale middelen' nog altijd een deugd die ik hoog in het vaandel heb.

Hoewel ik vertrouwen had in Yabo's aanpak, begon ik toch ernstig aan zijn oordeel te twijfelen na een angstige ervaring bij de eerst-beklimming van een nieuwe route, The Scariest of Them All. Deze route van tien touwlengtes op Fairview Dome in het granieten hoogland boven Yosemite is in geen enkele gids te vinden. We hebben de route ook nooit aangemeld omdat we na onze eigen beklimming beseften dat waarschijnlijk niemand dit ooit zou herhalen. Wie er toevallig op stuitte en dezelfde 'zuivere' stijl zou kiezen als wij – en het zou overleven – mocht zich de route wat mij betrof toe-eigenen. We lieten geen enkel spoor achter op die gladde, onbeveiligde wand.

De klim begon vrij onschuldig op een zomerdag in 1979. Yabo en ik klommen al een maand lang, iedere dag. Hij volgde me overal en sliep zelfs naast me in het reddingskamp van Camp Four. Het werd steeds heter in het dal, dus stelde Yabo voor om te gaan klimmen in Tuolumne Meadows, waar het aanzienlijk koeler was. De Fairview Dome is de hoogste en mooist gevormde granietrots van dat gebied, dus gingen we daarnaartoe. Over een met wilde bloemen begroeid veld wandelden we naar de 300 meter hoge rotswand om ons kamp op te slaan voor de nacht. Onder het lopen vertelde Yabo over een nieuwe route in een wand waar hij al lang een oogje op had. Zijn opwinding over dat plan sloeg al snel om in een andere stemming toen hij begon over zijn liefde voor mij. Dat was de eerste keer dat ik Yabo ernstig door het lint zag gaan.

'Verdomme, Lynnie!' riep hij, hyperventilerend van woede. 'Ik kan hier niet meer tegen. Ik hou van je. Als ik je niet kan krijgen, klim ik solo die rots op en spring ik ervanaf!'

'Doe niet zo belachelijk,' zei ik. Natuurlijk nam ik zijn dreigement niet serieus. 'We gaan gewoon samen klimmen. Die nieuwe route die je in gedachten hebt.'

Hij kwam weer met beide benen op de grond. In plaats van te beginnen aan een fatale solo – niets anders dan een vorm van emotionele chantage – wilde Yabo me nu aan zich vastmaken aan het andere eind van het touw. Maar was het wel verstandig om aan een onbekende route van 300 meter te beginnen met zo'n gevaarlijke gek? Bovendien hadden we niet eens haken bij ons. Als we zouden doodlopen tegen die zee van glinsterende rots, zouden we geen haak kunnen boren om veilig af te dalen. Maar Tuolumne was Yabo's thuisbasis, dus ging ik ervan uit dat hij wist wat hij deed, ondanks zijn impulsieve gedrag. Yabo's liefde voor het vrije klimmen was zo groot dat hij soms een bijna mystieke uitstraling kreeg. Toen hij ons schaarse materiaal over zijn schouder slingerde, volgde ik hem in blind vertrouwen. In werkelijkheid had ik geen idee waar ik aan begon.

Yabo klom de eerste lengte voor tegen een steil stenen schild, zo gladgeslepen door een oude gletsjer dat het glinsterde als een spiegel. Hij bereikte een smalle richel, 30 meter boven de grond, en zekerde me terwijl ik omhoogkwam. Daarna was het mijn beurt om voorop te gaan. Boven mijn hoofd verhief zich een ondiepe versnijding naar links, met een nog gladdere wand erboven. Geen enkele klimmer had hier ooit een voet gezet. Ik klom door de kleine versnijding, plaatste een zeshoekig metalen klemblokje in de spleet, maakte het touw eraan vast en klom nog vijf meter verder tot de spleet eindigde bij weer zo'n glad stuk. Ik wist echt niet waar deze vage route moest uitkomen, maar de volgende zes meter zouden gruwelijk lastig worden, dat stond vast.

'Yabo, hou me in de gaten. Dit ziet er heel moeilijk en onzeker uit. Als ik val, kom ik op die richel terecht, twintig meter beneden me.'

'Ik hou je in het oog. Probeer het maar. Je valt heus niet,' riep Yabo vol vertrouwen.

Ik geloofde hem. Balancerend begon ik aan een onomkeerbare en lastige klim. Mijn enige houvast waren kleine kristallen, zo miniem dat ik ze nauwelijks kon voelen met mijn vingers of voeten. Algauw lag mijn laatste tussenzekering tien meter beneden me en zag ik geen spleten meer waarin ik nog een nut kon plaatsen. Met elke stap omhoog dreigden de gevolgen van een val ernstiger te worden. Ik concentreerde me om de juiste lichaamspositie vast te houden en de juiste balans in mijn bewegingen te vinden. Eén verkeerde manoeuvre zou waarschijnlijk een bijzonder pijnlijke, zo niet fatale afloop betekenen. Ik had me vrijwillig in deze situatie begeven en had nu geen andere keus meer dan me er klimmend uit te redden.

Na nog een meter of drie bereikte ik een smalle richel en slaakte een zucht van opluchting dat de beproeving voorbij was. Ik schoof een kleine nut in een spleet, bevestigde het touw en riep: 'Touw vrij!' Even later haalde ik het touw in toen Yabo naar me toe klom.

'Goed gedaan. Dat viel niet mee,' zei Yabo eenvoudig toen hij me bereikte. Ik had geen idee welke moeilijkheidsgraad ik zojuist geklommen had, alleen dat het verdraaid zwaar was geweest, met een grote kans op een dodelijke val. Ik had me zo intens geconcentreerd dat ik nergens anders aan had kunnen denken. Yabo keek me aan met een blik die leek te zeggen: *Zie je wel waar je toe in staat bent als je echt wilt!* Vervolgens vertrok hij voor de volgende lengte. Terwijl ik het touw voor hem vasthield staarde ik naar de glooiende granietkoepels en verre donderwolken die zich hoog tegen de hemel van de High Sierra verhieven. Het blauw, groen en grijs van de wanden leek op dat moment extra sterk te stralen.

Het touw rolde zich meter na meter uit toen Yabo verder klom, naar het onbekende terrein boven ons hoofd. Soms wachtte hij even, alsof hij zich verbaasde over het gebrek aan houvast, maar dan haalde hij een paar keer snel adem om zuurstof in zijn bloed te brengen en ging hij verder met deze riskante onderneming. Het leek wel of hij de rots met wilskracht trachtte te onderwerpen. Soms zag ik zijn benen trillen, dan weer leek hij op het punt te vallen voordat hij net op tijd een hogere greep te pakken kreeg. Tegen de tijd dat hij 15 meter bij me vandaan was, besefte ik dat hij bij een val de nut uit de wand zou trekken die ons zekerde, zodat we 60 meter naar beneden zouden storten. Maar ik twijfelde er geen moment aan dat hij naar een nieuw punt zou klimmen om een volgende beveiliging aan te brengen, of een smalle richel zou vinden waar hij kon blijven staan voordat hij aan het einde van het touw was.

De rest van de dag gingen we zo door, en toen we de top van de Fairview Dome bereikten waren we bijna high van de adrenaline. Het was een gevaarlijke maar ook briljante klim geweest. We hadden de rots niet gecompromitteerd met boorhaken of mephaken. En dat alles zou niet mogelijk zijn geweest zonder een volledig vertrouwen in onze eigen en elkaars capaciteiten.

In die euforische toestand beklommen we niet veel later ook de 450 meter lange Chouinard/Herbert Route op Sentinel Rock, boven Yosemite Valley. We waren halverwege de route, een meter of 600 boven het grasland van de vallei, toen ik onze schoudertas met materiaal aan Yabo doorgaf. Laconiek gooide Yabo hem omhoog om zijn arm door de lus te steken. Maar hij miste, en al onze spullen kletterden tientallen meters langs de wand omlaag, naar de grond.

'Heel goed, Yabo. Wat nu?' vroeg ik verbijsterd.

Je materiaal verspelen is misschien wel de ergste fout die een klimmer kan maken, maar we hadden nog geluk. Wat hoger waren twee andere klimmers aan het werk. Zij gaven ons drie karabiners, waarmee we een paar touwlengtes konden abseilen, terug naar de grond. Daar raapten we ons gebutste materiaal weer op en gingen op een rotsblok zitten, in de zon.

Dit leek me het einde van onze klimdag. Het was halfvier in de middag, te laat om nog iets te doen.

'Laten we proberen de top te halen,' zei Yabo opeens. 'Dat moet lukken. Als we gelijktijdig klimmen, kunnen we er nog voor het donker zijn. We moeten opschieten, maar het is te doen.'

De gedachte om deze hele wand te beklimmen in één snelle actie was te verleidelijk om te weerstaan.

'Oké,' zei ik. 'We doen het.'

Yabo nam de leiding en ik volgde. In plaats van touwlengte voor touwlengte, terwijl we elkaar zekerden, klommen we nu tientallen meters samen omhoog, met het touw tussen ons in. Als een van ons zou vallen, werden we alleen gezekerd door de schaarse nuts die Yabo onderweg had aangebracht. Yabo kreeg er een kick van om de ondergaande zon vóór te blijven en gebruikte nauwelijks tussenzekeringen. Ik dúrfde gewoon niet te vallen. Na een paar uur bereikten we de top. Het was nog net licht genoeg om het pad omlaag naar het dal te vinden. Net als op de Fairview Dome waren we ongelooflijk opgefokt door de manier waarop we alle gevaren hadden getrotseerd. Maar hoe spannend het ook was om met Yabo te klimmen, ik begon me wel af te vragen hoelang dit goed zou gaan voordat er ongelukken zouden gebeuren. En met Yabo's regelmatige, theatrale dreigementen dat hij zichzelf van kant wilde maken was het ook niet uitgesloten dat deze riskante beklimmingen een onderbewuste poging van hem waren om mij in een situatie te brengen die voor een van ons fataal zou aflopen. Na die zomer van 1979 nam ik het besluit om voorlopig uit Yabo's buurt te blijven.

De volgende keer dat ik hem zag was ongeveer een jaar later, in het huis van Dean Fidelman, mijn vriend van de beklimming van de Nose. Yabo, die op dat moment geen thuis had, sliep bij Dean op de bank als hij niet aan het klimmen was in Joshua Tree of Yosemite. Zodra ik hem die avond zag, wist ik dat er problemen dreigden. En inderdaad, Dean was nauwelijks naar bed of Yabo trachtte me emotioneel in een hoek te drijven.

'Lynn, weet je dat ik elk moment aan je denk? Ik hou van je. We zijn zielsverwanten. Ik weet dat we perfect bij elkaar zouden passen,' zei hij op een toon die ik maar al te goed kende. Wat ik ook antwoordde, ik wist niet tot hem door te dringen.

'Yabo, we hebben het hier al over gehad. Je weet dat ik van John houd. Jij en ik zijn gewoon goede vrienden. Zo is het nu eenmaal.'

Hoe meer ik hem probeerde te overtuigen, des te somberder hij werd.

'Als wij niet samen kunnen zijn, pleeg ik zelfmoord.'

'Toe nou, Yabo. Niet weer!' zei ik. Opeens beukte Yabo zijn hoofd keihard tegen de muur.

'Yabo, houd daarmee op!' riep ik, geschrokken en ontzet.

'Dacht je dat ik mezelf niet van kant kon maken?' vroeg hij grinnikend. Hij sperde zijn ogen wijdopen, als een bezetene. Toen balde hij zijn vuist en sloeg zich tegen zijn oog. Toen hij opkeek zag ik dat hij zichzelf inderdaad een blauw oog geslagen had. Mijn mond viel open. Dit ging mijn verstand te boven. Aan de ene kant had ik zielsveel medelijden met mijn verwarde vriend, aan de andere kant was ik bang voor wat er kon gebeuren.

'Dean, kom hier! Yabo is gek geworden!' gilde ik.

Het was al na middernacht en Dean lag te slapen. Wrijvend in zijn ogen kwam hij de kamer binnen. Dean wist van Yabo's obsessie voor mij, maar had ook veel begrip voor hem, nog meer dan iemand anders. Misschien deelden ze een moeilijke jeugd of misschien had Dean een groot hart en erg veel inzicht in de problemen van zijn vriend. Hij zette Yabo op de grond. In kleermakerszit zaten ze tegenover elkaar. Yabo zat snel te hijgen en had tranen in zijn ogen uit frustratie dat hij niet kon krijgen wat hij volgens hem het liefste wilde op de hele wereld: mij.

'Rustig aan, Yabo. Even diep ademhalen,' zei Dean streng maar meelevend. Zijn stem had een kalmerende uitwerking. Yabo werd langzaam wat rustiger.

'Ik slaap in Deans kamer. Slaap jij maar op de bank,' zei ik. Yabo knikte en we trokken ons terug. Dean en ik hadden genoeg nachten tegen hoge rotswanden gedeeld om geen probleem te hebben met een noodbivak in deze omstandigheden. Maar om drie uur 's nachts sloop Yabo toch Deans kamer binnen en kwam naast me liggen.

'O Jezus, Yabo,' zuchtte Dean vermoeid toen hij Yabo ineengerold als een puppy naast me zag liggen, rustig in slaap. Naar Deans hippiemaatstaven was dit een heel normale dag in het leven van twee geschifte klimmaatjes.

Het was mijn eerste kennismaking met Yabo's zelfdestructieve kant, maar zeker niet de laatste. Ik twijfelde aan Yabo's bedoelingen en had moeite met de uitwerking die ik blijkbaar op hem had. Ik voelde me veilig in het gezelschap van een grote groep vrienden, maar die gezelligheid leek Yabo nog verder over de rand te duwen. Tegen het einde van het weekend had hij zijn frustraties rondom mij vertaald in een aanval van soloklimmen waar in het klimwereldje rond het kampvuur nog altijd over wordt gepraat. Hij begon de dag met een paar moeilijke 5.10-routes, zoals Right Ski Track en de Bearded Cabbage, zonder touw. Daarna mat hij zijn krachten met Leave it to Beaver, een overhangende route van 15 meter en een zwaarte van 5.12. Die route deed hij twee keer achter elkaar, beide keren zonder touw. Volgens de legende over die beklimming wierp Yabo zich als een maniak tegen de rots en stortte hij op een hoogte van 18 meter bijna naar beneden. Blijkbaar trilden zijn armen zo dat de vingers van zijn ene hand weggleden, precies op het moment dat de vingers van zijn andere hand de kleine greep vonden waar hij aan hing. De hele onderneming was bedoeld om indruk op mij te maken of me angst aan te jagen, en dat lukte. Samen met zijn andere vrienden smeekte ik hem om deze gevaarlijke waanzin te stoppen voordat hij te pletter zou slaan op de rotsen beneden. Toen ik aan het eind van de dag terugliep naar het kamp, liep Yabo langs me heen en verklaarde dat hij nog een vrije soloklim wilde doen, de Hidden Valley Shakedown. Omdat er niemand mee wilde, voelde ik me wel verplicht om bij hem te blijven voor het geval hij zou neerstorten. Het was heel akelig om zijn lichaam te zien trillen van vermoeidheid toen hij zonder touw op 12 meter hoogte boven een verzameling scherpe rotsen klom.

In deze fase gebruikte Yabo het soloklimmen als een wapen. Hij schermde ermee zoals een potentiële zelfmoordenaar met een pistool loopt te zwaaien. Het was een manier voor hem om zijn spanning en ellende kwijt te raken, en tegelijkertijd aandacht te krijgen van zijn vrienden en mij. Het cultiveren van risico's was een deel van de Bushido-achtige code waar Yabo zich aan hield. Iedereen die met hem heeft geklommen heeft wel een verhaal over de manier waarop hij een rustige klimdag in een gevaarlijke test kon veranderen. Greg Child vertelde me eens dat hij samen met Yabo een route van één touwlengte in Yosemite had geklommen. Toen ze een muntje opgooiden om te beslissen wie voorop zou gaan, verloor Yabo. Hij klom na, gezekerd door Greg, tot een richel op 30 meter boven de grond. Toen het tijd werd voor het abseilen, greep Yabo het touw en liet zich hand over hand zakken, in plaats van veilig op zijn abseilapparaat te vertrouwen.

'Waarom deed je dat? Je had wel dood kunnen vallen,' zei Greg toen hij zich weer bij Yabo voegde.

'Als compensatie omdat ik niet voorop was gegaan,' antwoordde Yabo.

Alles ging altijd extreem bij Yabo. Als ik met hem klom, aarzelde ik tussen angst om mezelf en angst om hem.

De zondagavond na zijn dubbele solo tegen Leave it to Beaver smeekte Yabo me hem een lift te geven naar Los Angeles. Onderweg praatten we gezellig over van alles en nog wat, maar toen we bij zijn adres kwamen, weigerde hij uit te stappen. Yabo was onverbeterlijk. Hij bleef koppig naast me zitten met die sombere uitdrukking op zijn gezicht die ik zo vaak bij hem had gezien. Hij deed me denken aan een aanzwellende donderwolk, die steeds zwarter wordt tot hij zich ontlaadt in een tornado.

'Als je niet uitstapt, rijd ik naar het politiebureau. Ik heb vandaag geen zin in dat idiote gedrag.'

Maar het hielp niet, dus draaide ik en reed de hoofdweg op. Ik zei dat ik het niet eerlijk van hem vond om me emotioneel te chanteren, maar ik drong niet tot hem door. Toen we met een snelheid van honderd kilometer over de autoweg reden, opende Yabo plotseling het portier en dreigde uit de auto te springen. Ik schreeuwde tegen hem dat hij zich moest gedragen, nam de afslag en reed naar het politiebureau van Fullerton. Daar parkeerde ik. Net toen ik het bureau binnenging zag ik Yabo haastig de straat uit lopen en wegrennen.

'Kan ik u helpen, mevrouw?' vroeg een agent toen hij me aarzelend op de drempel zag staan.

'Nee, er is niks aan de hand,' antwoordde ik.

'Weet u het zeker?' vroeg de agent, niet overtuigd.

'Ik hoop het. Mijn vriend is nogal van streek en hij rende net weg. Misschien kunt u een oogje in het zeil houden.'

Later hoorde ik dat Yabo zich lopend in het verkeer had gestort om zelfmoord te plegen, totdat hij ten slotte door de politie was opgepakt. Hij werd vierentwintig uur ter observatie opgenomen in een psychiatrische kliniek, voordat ze hem lieten gaan en hij weer bij Dean op de stoep stond.

Dat gedrag werpt natuurlijk de vraag op waarom Yabo zo op mij gefixeerd was.

Hoewel hij een paar vrienden in het klimwereldje had, zag je hem zelden met vriendinnen. Een vreemde figuur als John Yablonsky had er moeite mee om contact te leggen met vrouwen. Toen Yabo en ik een platonische maar heel oprechte relatie kregen, was dat een totaal nieuwe ervaring voor hem. Weinig mensen, zeker vrouwen niet, hadden hem of zijn ideeën ooit serieus genomen. Daarom zag Yabo me als zijn zielsverwant.

Yabo was een paar jaar eerder dan ik met klimmen begonnen. Toen hij omstreeks 1973 in Yosemite arriveerde, zestien jaar oud, was hij zo timide, verfomfaaid en sociaal onhandig dat de klimmers met wie hij contact zocht hem allemaal meden. Yabo stotterde, Yabo waste zich niet en Yabo droeg zijn vette haar zo ver over zijn voorhoofd dat je zijn ogen niet kon zien. Yabo was vreemd. Aanvankelijk, zei Jon Bachar – die later een van zijn beste vrienden zou worden – rende iedereen voor Yabo weg als ze een dagje gingen klimmen, zodat hij in zijn eentje in het bos achterbleef. Maar op de rotsen bleek hij een natuurtalent en geleidelijk werd hij door de klimmersgemeenschap geaccepteerd.

Verlatingsangst is misschien de sleutel tot een beter begrip van de demonen waardoor Yabo gedreven werd. Hij was geboren in Los Gatos, Californië, en zijn moeder was weggelopen toen hij vijf was. Yabo kon zich maar weinig van haar herinneren. Ze moet een labiele vrouw zijn geweest die volgens de rest van de familie een drugs- of drankprobleem had. Blijkbaar had ze Yabo in een soort hippiestijl met zich meegesleept voordat ze hem ten slotte overdroeg aan zijn vader, Sam, en voorgoed verdween. Die oude wond van het verlies van zijn moeder is bij Yabo nooit geheeld. Met zijn hyperactiviteit en zijn lastige karakter als kind (als tiener sloeg hij ooit een gat in de muur van zijn huis) was hij een groot probleem voor zijn leraren en voor Sam. De feiten over Yabo's vader, een man van Russisch-joodse afkomst die de leiding had van de Los Gatos-bioscoop en in 1999 overleed, zijn minder duidelijk. Volgens Yabo was de man in staat tot zulke woede-uitbarstingen dat hij Yabo ooit door de tuin achtervolgde en hem een schep naar zijn hoofd smeet, die tegen het hek sloeg toen Yabo zich net in veiligheid had gebracht. Nog verontrustender was het feit dat zijn vader hem herhaaldelijk inpeperde dat zijn moeder Yabo in de steek had gelaten omdat ze niet van hem hield. Maar volgens Yabo's jongere halfzusje Eva was het Sam die Yabo in 1968 voor een klimcursus opgaf en naar Yosemite reed om Yabo over te halen om terug komen voor zijn eindexamen aan Los Gatos High. Zij schetst haar vader als een streng maar zorgzaam man, die zo goed aangeschreven stond dat hij regelmatig op de kinderen van andere families in het stadje paste.

Yabo had talloze problemen. Wie hem kende, zag zijn pijn. Een diep, depressief gevoel van wanhoop kleurde zijn zelfbeeld. Sommige mensen die hem goed kenden beweerden dat hij werd geplaagd door zijn onvermogen om een normaal leven te leiden of een baan te krijgen waarop zijn vader trots kon zijn. Hij leende vaak geld van Sam. En hoewel zijn stiefmoeder een voorbeeldige moeder voor hem was, kon Yabo het niet verkroppen dat hij nooit had geweten wat er van zijn echte moeder was geworden of waarom ze hem alleen had gelaten.

Hoewel Yabo het huis in Los Gatos als uitvalsbasis gebruikte toen hij op zijn zestiende van school wegliep, was hij meestal onderweg en leidde hij een soort zwerversbestaan. De rest van de tijd besteedde hij aan klimmen. In die jaren had hij nooit veel geld en werkte hij maar zelden. Hij liftte langs de weg, bezocht de klimgebieden, flirtte met drugs en rookte sigaretten als hij die ergens kon bietsen. Alleen het klimmen was iets tastbaars voor hem. Hij klom vooral in zijn eigen omgeving, Castle Rock. Op die zandstenen rotsen ontwikkelde hij een geweldige kracht en uithoudingsvermogen. Over zijn jonge jaren als klimmer daar zei Yabo ooit: 'Ik was echt een heel ongelukkig jongetje... Klimmen was een positieve uitlaatklep voor mijn energie en een manier om de kracht in mezelf te vinden om alle problemen in mijn leven aan te kunnen.'

Het bleef moeilijk om Yabo's avances te weerstaan tegen de achtergrond van mijn relatie met John, maar toen ik Karen ontmoette in de atletiekploeg, wist ik dat ik de ideale vrouw voor Yabo had gevonden. Het klikte meteen toen ik hen aan elkaar voorstelde, en niet veel later trokken ze bij elkaar in. Het was een opluchting om Yabo met een vrouw te zien, en zo gelukkig, hoewel hij vaak bij ons team rondhing om dicht bij Karen te kunnen zijn – zij was nu zijn obsessie. Ik herinner me dat Yabo ooit in een busje stapte met het vrouwenteam, op weg naar een wedstrijd. Het was roerend om hem samen met de meiden te horen meezingen met een popsong op de radio. Ik had hem nog nooit zo gelukkig en zo ontspannen meegemaakt. Daarna verdween Yabo een tijdje uit mijn leven.

De relatie tussen mij en Anna was aan het eind van het seizoen iets meer geworden dan die tussen atlete en coach. Onze harde training tijdens het seizoen wierp vrucht af. Ik had nog nooit zo goed gelopen als op de 1500 en 3000 meter bij de California State Track & Field Meet, en tegen alle verwachtingen in won ons team op miraculeuze wijze het kampioenschap van Californië. In het voorjaar van 1983 had ik al gedeeltelijke beurzen aangeboden gekregen voor drie verschillende universiteiten in de omgeving van Los Angeles. Daaronder was ook de University of Southern California, die een doctoraalprogramma fysiotherapie had. Hoewel ik daar graag mee verder zou gaan, kon ik me dat financieel niet veroorloven, zelfs niet met een gedeeltelijke beurs. De extra tijd die ik nodig had voor trainen en wedstrijden betekende dat er te weinig overbleef voor werk en studie. De afgelopen vier jaar, terwijl John aan zijn carrière als schrijver begon, had ik hard gewerkt voor het gezinsinkomen, terwijl ik ook nog studeerde en aan atletiek deed. Ik had het zo druk dat mijn geliefde klimweekends er steeds vaker bij inschoten. Ik miste de vrijheid om te gaan klimmen, maar vond het ook noodzakelijk om te studeren voor een vak waarmee ik ooit mijn brood hoopte te verdienen.

John ontwikkelde zich als schrijver, maar kon er nog niet van leven. Hij schreef verhalen die een mengeling waren van feiten en fictie, waarin ook zijn aangeboren komische talent goed naar voren kwam. De mensen lazen ze graag omdat ze onderhoudend en extravagant waren, maar die enorme invloed van Hollywood stond soms haaks op mijn nogal nuchtere benadering van het leven. Als jonge vrouw van tweeëntwintig wist ik nog niet zoveel van intieme relaties, maar ik voelde dat we uit elkaar groeiden.

Een reeks gebeurtenissen in de zomer van 1983 betekende het

laatste hoofdstuk in ons leven als stel. Zoals zo vaak in het verleden was het een telefoontje waar alles mee begon, deze keer van de schrijver David Roberts, die vanaf de oostkust belde omdat hij me wilde interviewen voor een nieuw buitensportblad. Hij had een klimfoto van me gezien in een Patagonia-catalogus. Op die foto bungelde ik vrolijk grijnzend aan één arm in Insomnia Crack, een lastige spleet in de Suicide Rocks in Californië.

De foto had Davids aandacht getrokken en hij had het voorstel verkocht om een artikel over me te schrijven – een jonge vrouwelijke klimmer die *Survival of the Fittest* had gewonnen en die de naam had dat ze zware klimroutes kon volbrengen. Het was vleiend dat iemand zo'n stuk over me wilde schrijven, maar ik was vooral geïnteresseerd in het gratis vliegticket naar New York, twee uur rijden van de Shawangunks, een complex van kwartsietrotsen bij New Paltz, een plek waarover ik al veel had gehoord. Deze rotsen waren net zo belangrijk voor de Amerikaanse klimsportgeschiedenis als Yosemite Valley, en de kans om erheen te gaan was een welkome afwisseling van studie, werk en atletiek.

Tegelijkertijd trof John voorbereidingen om naar Borneo te vertrekken voor een reis van drie maanden door de jungle. Ironisch genoeg was de man die me had gefotografeerd tegen Insomnia Crack, Rick Ridgeway, ook het brein achter Johns reis naar Borneo. Rick had het Borneo-avontuur verkocht aan R.J. Reynolds, de fabrikant van Camel-sigaretten. Toen hij John op het weekend van die foto had ontmoet, had Rick hem meteen als de ideale kandidaat voor die reis gezien.

John en ik stonden op een kruispunt in ons leven. Zijn carrière als beroepsavonturier en schrijver kwam in een stroomversnelling, terwijl ik mijn studie wilde afmaken. Er hingen veranderingen in de lucht. Terwijl John zijn koffers pakte voor Borneo, en ik voor New York, vond ik de moed om hem met mijn gevoelens te confronteren.

'Ik voel me niet langer gelukkig in deze relatie. Het lijkt me beter als je ergens anders gaat wonen wanneer je uit Borneo terugkomt.'

Het sneed me door mijn ziel om dat te moeten zeggen, en ik was teleurgesteld in mezelf dat ik John niet beter kon uitleggen wat er was misgegaan tussen ons. Ik dacht aan de scheiding van mijn ouders en hoe moeilijk ik het ook toen had gevonden om mijn gevoelens te uiten. Ik moest nog veel leren over de omgang met moeilijke emoties, maar ik wist dat we allebei alleen konden groeien als onze wegen zich nu scheidden.

Hij keek me aan alsof hij zoiets al een hele tijd had verwacht. In de stilte die volgde, geloof ik dat we allebei een caleidoscoop zagen van de vier jaar die we samen waren geweest.

'Als je me maar belooft dat je altijd mijn vriendin zult blijven,' zei hij.

'Natuurlijk,' zei ik, terwijl de tranen me over de wangen stroomden. We stonden in de gang en hielden elkaar een hele tijd vast.

Die belofte zijn we nagekomen. John en ik zien elkaar nog altijd als ik in Santa Monica ben. Hij is getrouwd met Mariana, een Venezolaanse lerares, en ze hebben twee dochters. John werkt als schrijver en reist heen en weer tussen hun twee huizen in Venice Beach en Venezuela. Van zijn boeken zijn al bijna een miljoen exemplaren verkocht.

10

Naar

het

oosten

Manhattan wemelde van mensen en auto's. Uit het raam van mijn hotel in Midtown staarde ik naar die kunstmatige vallei van staal en steen, terwijl ik aan John dacht, die nu ergens door de jungle van Borneo dwaalde. Hij leek heel ver bij me vandaan, en niet alleen geografisch. Voorlopig kon ik me niet goed voorstellen hoe mijn leven zou zijn zonder hem. Maar de anonimiteit van de drukke straat beneden me leek op een vreemde manier uitnodigend en ik besefte dat deze kans om een heel nieuw klimgebied en een nieuwe cultuur te ontdekken niet op een beter moment had kunnen komen. Een telefoontje van David Roberts, beneden in de lobby, haalde me uit mijn overpeinzingen. Hij kwam me interviewen voor het blad *Ultrasport*. Maar in plaats van tegenover me te gaan zitten met een cassetterecorder en een opschrijfboekje, stelde hij voor om te gaan lunchen en gewoon wat te praten.

'Ik neem je mee naar het Algonquin Hotel. Dat is het restaurant waar James Thurber en andere schrijvers van de *New Yorker* hun beroemde rondetafelgesprekken hielden,' zei David toen we buiten stonden.

'Wie is James Thurber?' vroeg ik.

'Weet je dat niet?' vroeg David met enige verbazing toen we in een taxi stapten. David was bergbeklimmer, had aan Harvard gestudeerd en wist veel van literatuur. Ik herinnerde me dat ik zijn boek *The Mountain of My Fear* in Chucks boekenkast had gezien. Het was het verhaal van de tragische eerst-beklimming van de westwand van Mount Huntington in Alaska, waarbij David, een van de vier klimmers van die expeditie, een goede vriend verloren had. Ik luisterde gefascineerd naar Davids verhaal over het literaire wereldje van New York en constateerde een beetje beschaamd dat ook die algemene culturele kennis me was ontgaan. Het bevestigde nog eens dat ik zoveel tijd aan klimmen en trainen besteedde dat veel andere aspecten van de wereld om me heen me waren ontgaan. Maar nu was ik toch in New York omdat mijn klimprestaties ook andere mensen waren opgevallen, en ik was blij met die kans om nieuwe ervaringen op te doen.

David was een goed interviewer, omdat hij begreep dat een rotsklimmer zich het meest thuisvoelt op een rots en niet bij een literaire lunch. De volgende dag vertrokken we uit New York naar de Shawangunks, waar hij me wilde interviewen terwijl ik een route klom met een paar plaatselijke klimmers. Toen we in de buurt kwamen van New Paltz, het stadje dat het dichtst bij de Gunks (de afkorting die klimmers gebruiken) ligt, zag ik tot mijn verbazing dat er boerderijen en bossen lagen op betrekkelijk korte afstand van de drukke stad. Bij de rots aangekomen stelde David me voor aan Rich Goldstone, die foto's van me zou maken, en aan Russ Raffa, met wie ik zou klimmen.

'Rich is ook turner geweest,' zei Dave. 'In de jaren zeventig heeft hij hier een paar zware routes geopend. Op dit moment is hij een van de beste klimmers in de Gunks.'

Het waren Russ' doordringende bruine ogen die me meteen opvielen. Hij was knap als een fotomodel en had een atletisch postuur. We klommen de ene route na de andere en ik voelde me

Mijn partner
Brooke Sandahl
in Camp Five-
bivak.
(LYNN HILL)

De Glowering Spot-lengte (5.12d) in de Nose. (HEINZ ZAK)

Een beslissend moment van evenwichtskunst en precisie, vlak voor het ingaan van de Changing Corners versnijding in de Nose (5.13c-5.14), 1994.(HEINZ ZAK)

Vlak na mijn Houdini-beweging in de Changing Corners, een van de moeilijkste lengtes van de Nose (5.13c-5.14), 1993. (JOHN MCDONALD)

Alex Lowe op de top van Peak 4810 in Kyrgizistan, 1995. (LYNN HILL)

Het North Face-team in het basiskamp in Kyrgizistan. Van links naar rechts: Greg Child, Conrad Anker, Alex Lowe, Lynn Hill, Jay Smith, Dan Osman, Kitty Calhoun. (CHRIS NOBLE)

Met Nancy Feagin in de sleutellengte van Serpentine (5.13b) in de Taipan Wall in de Grampians, Australië. (SIMON CARTER)

De beklimming van Archimedes' Principle in de Eureka Wall, Australië (5.12c). (SIMON CARTER)

Een nieuwe route in Ha Long Bay, Vietnam. (BETH WALD)

Free Route op
Totem Pole bij
Cape Hauy,
Tasmanië,
Australië (5.12b).
(SIMON CARTER)

Een luchtige blik in de tweede touwlengte van Free Route.

(SIMON CARTER)

De sleutelpassage in Calippo in de Dolomieten, Italië (5.13b). (BETH WALD)

Even pauzeren met Pietro Dal Pra in Erto, Italië. (LYNN HILL)

Vrienden maken in Marokko. (BETH WALD)

Avondlicht op het Tsaranoro
Massif, Madagascar.
(GREG EPPERSON)

De sleutelpassage in Bravo Les Filles in het Tsaranoro Massif, Madagascar (5.13d/AO). (GREG EPPERSON)

Op de top van de Tsaranoro, met Nancy Feagin (links) en Kath Pike (rechts), in 1999. (GREG EPPERSON)

onmiddellijk op mijn gemak bij hem. Zijn zelfverzekerdheid – een soort vertederende stoerheid – en zijn scherpe humor maakten me vrolijk. Hij vertelde me dat hij kortgeleden zijn baan bij een beleggingsmaatschappij in onroerend goed in New Jersey vaarwel had gezegd en naar New Paltz was verhuisd om een betere balans te vinden tussen klimmen en werk. In New Paltz woonde hij op een klein eindje rijden van de Gunks, waar volgens hem enkele van demooiste klimroutes ter wereld te vinden waren.

Toen ik begon aan onze eerste route, de Cascading Crystal Kaleidoscope, moest ik dat wel met hem eens zijn. IJzeroxide en korstmossen schilderden de wand in een bont palet van rood, groen en geel. De rots was bezaaid met scherpe randen, ideaal voor de vingers, en overhangen verhieven zich boven ons hoofd. In het westen van Amerika was ik grootgebracht met een menu van graniet, maar hier, in het kwartsconglomeraat van de Gunks, ontdekte ik een heel andere rotsstructuur die een totaal nieuwe klimbelevenis voor me was.

De eerste vrije beklimming van Tweazle Roof (5.12d) in de Gunks.
(MARK ROBINSON)

Geologisch gesproken waren de Gunks vierhonderd miljoen jaar geleden ontstaan toen oude zandlagen waren begraven, geplet en verhit tot lagen glasachtig kwartsiet. Toen het kwartsiet uit de aarde te voorschijn kwam, ontstonden erosie en verweringvormen vol horizontale spleten en richels die ideaal waren voor een beklimming. En die eerste dag merkte ik al dat de kleine spleten en scheurtjes in de rots heel geschikt waren voor het plaatsen van allerlei nuts, friends en andere soorten verwijderbaar of 'natuurlijk' zekeringsmateriaal. Het was een waar klimmersparadijs.

Voor onze volgende klim stelde Russ nog een route voor van 5.10, Matinee, die plaatselijk bekend was om het feit dat hij lastig was af te zekeren en om zijn technische problemen. Toen ik naar boven klom zag ik dat een kleine groep klimmers zich aan de voet had verzameld om die meid uit Californië te zien. Na Matinee zei Russ: 'Je bent nog niet één keer gevallen. Misschien moet je nog wat moeilijkers proberen.' Ik werd dus op de proef gesteld. Het is een soort ritueel dat bezoekende klimmers van de ene route naar de andere worden gesleept tot ze er eindelijk een tegenkomen waar ze het onderspit delven. Klimmers hebben daar zelfs een woord voor: *sandbagging* – de neiging om anderen bewust naar boven te sturen in routes die bekendstaan als moeilijk, gevaarlijk of allebei.

'Wacht, ik weet een route die je niet mee zal vallen,' zei hij met een ironische ondertoon in zijn stem.

De Foops was in 1967 beklommen door de natuurkundeprofessor John Stannard en had als moeilijkheidsgraad in 5.11c. Het was een dak dat zo horizontaal en glad was als het plafond van een huiskamer. Toen ik bij die overhang arriveerde, hangend aan de smalle rand die langs de onderkant liep, merkte ik dat ik te klein was om een goede greep op de rand zelf te krijgen. Twee uur lang klom ik op en neer om de juiste bewegingen te vinden die me tot aan de rand konden brengen. Toen het eindelijk lukte, was ik afgepeigerd. Klimmen in de Gunks, constateerde ik, was niet alleen leuk maar ook heel lastig. Russ leek tevreden dat ik Foops toch had bedwongen, maar voldaan dat het me zoveel moeite had gekost.

Aan het eind van de dag sloten we ons aan bij een groep plaatselijke klimmers op de Überfall, een open plek naast de rots, omgeven door eiken, esdoorns en kornoeljes. De wijnproeverij op zaterdagavond was een soort traditie geworden. De flessen, die de

Met klimvrienden in de Gunks. Van links naar rechts: ikzelf, Barbara Bein, Kevin Bein, Gary Garrett, Mark Robinson en Russ Raffa. (ARCHIEF MARK ROBINSON)

hele dag koud hadden gelegen in een natuurlijke bron in de buurt, werden leeggeschonken in plastic bekertjes, terwijl de klimmers de toestand van de wereld bespraken en grove grappen maakten. Maurie Jaffe, een docent aan de universiteit in een polyester broek met woeste motieven, vertelde me dat hij de wijn had meegebracht.

'Deze uitstekende wijn voldoet precies aan onze prijslimiet van twee dollar de fles,' pochte hij.

'Helemaal niet gek, Maurie,' vond zijn vriend Peter. Hij hield zijn plastic bekertje tegen het licht, gorgelde even met de goedkope Cabernet en verklaarde: 'De rokerige, subtiele afdronk van een zwavelfabriek.'

Die avond maakte ik ook kennis met andere klimmers, die in de jaren daarna goede vrienden zouden worden. Onder hen waren Russ Clune, een klimmer en wereldreiziger, die bijna alle klimgebieden op aarde bezocht; Laura Chaiten, Russ' ex-vriendin uit

New Jersey, die een geweldig gevoel voor humor bezat; Elliot of 'Elrod' Williams, een van Russ' beste vrienden en degene met wie hij ooit als klimmer was begonnen; en Barbara en Kevin Bein, een onafscheidelijk stel Ivy League-studenten die een leven van klimmen en reizen leidden. Kevin was uitgeroepen tot 'burgemeester van de Gunks' vanwege zijn permanente aanwezigheid en zijn gedetailleerde kennis van de routes. Barbara had een Twiggy-achtig figuur, maar kon bijna net zo goed klimmen als haar gespierde echtgenoot. Ik herinner me dat hun huis in New Paltz vol lag met halters en andere gewichten en sterk naar knoflook rook van de zalf waarmee Kevin zijn pijnlijke en overtrainde elleboogpezen dagelijks insmeerde.

Na die eerste dag in de Gunks, een beetje tipsy van de wijn, slingerden we de rugzakken over onze schouders en liepen het pad af naar de auto. Onderweg wees David nog een paar routes aan die Fritz Weissner in de jaren dertig had geopend, toen hij en zijn kameraden voor het eerst het geweldige klimpotentieel van de Gunks ontdekten.

'Wie is Fritz Weissner?' vroeg ik.

'Weet je niet wie Fritz Weissner is? Een van de beroemdste bergbeklimmers ter wereld! Hij heeft hier routes geklommen met henneptouwen en zachtmetalen haken – routes die nog altijd als loodzwaar worden beschouwd. Hij was de eerste die de Devil's Tower in Wyoming bedwong en al in 1939 had hij bijna de top van de K2 bereikt!' David struikelde over zijn woorden in zijn ijver om mij iets te leren. Al eerder die dag had hij zijn ogen opengesperd als bleek hoe weinig ik over de klimhistorie wist. Toen ik later wat meer hoorde over de legendarische Fritz Weissner besefte ik hoe groot de lacunes in mijn kennis waren, maar die avond kreeg ik een beetje genoeg van mijn leraar. Misschien kwam dat door de wijn.

'Dave, je moet niet zo'n kritiek hebben als ik iets niet weet. Ik heb het klimmen niet uit een boekje geleerd, maar in de praktijk!' zei ik wat ontstemd.

David trok een wenkbrauw op en grijnsde. Waarschijnlijk bedacht hij dat dit het perfecte citaat was voor zijn interview met mij. En Russ zou me jaren later vertellen dat hij wist dat hij verliefd op me begon te worden toen ik die opmerking tegen David maakte.

Daarna ging het leven snel. Binnen een maand had ik al mijn bezittingen in mijn vw-busje geladen en was ik naar New Paltz gereden, dwars door Amerika. Daar schreef ik me in aan de State University of New York, waar ik mijn kandidaatsexamen biologie zou halen. Vanaf die eerste dag deden Russ en ik steeds meer dingen samen – het begin van een relatie die ons op de proef zou stellen als mensen en klimmers.

Russ was opgegroeid in een voorstad van New York, waar alles snel ging: fastfood, snelle deals, snelle gesprekken. Later studeerde hij islamitische beschaving en soefisme aan de Northeastern University in Boston. Omdat daar niet zoveel werk in was, nam hij na zijn afstuderen een baan in het onroerend goed. Hij ontdekte het klimmen pas toen hij twintig was, betrekkelijk laat, maar al snel raakte hij gefascineerd door het mentale en fysieke karakter van het rotsklimmen en verhuisde hij naar de Gunks, zodat hij elk vrij moment tussen de rotsen kon doorbrengen.

Er waren talloze dingen aan Russ die ik bewonderde. Terwijl ik conflicten meestal uit de weg ging, hield hij juist van de strijd. Zijn spontaniteit en zijn lef waren zowel vertederend als irritant. Soms leken we elkaar perfect aan te vullen, dan weer leken de verschillen in onze mentaliteit haast onoverbrugbaar. Als verkoper ging het Russ altijd om het resultaat. Zijn assertiviteit botste soms met mijn meegaande karakter. Natuurlijk zag ik hem al snel als mijn beschermer, omdat hij kon afrekenen met mensen en situaties waarmee ik moeite had. Misschien ook vertrouwde ik op zijn grotere levenservaring, omdat hij meer dan acht jaar ouder was dan ik.

Vanaf omstreeks 1984 waren we onafscheidelijk, hoewel onze relatie in het begin nog erg onzeker was. Ik trok bij hem in, ging weer weg en ging opnieuw bij hem wonen voordat we eindelijk wisten wat we wilden. Als we samen waren, genoten we vooral van de simpele dingen in het leven – joggen over de oude wegen rond de Gunks met onze Akita-hond Apollo, of ontbijten met broodjes, koffie en de *New York Times*. Russ had een humoristische kijk op het leven en kon net zo koppig zijn als ik. Toch voelde ik me door hem beter begrepen dan door enige andere man die ik tot dan toe had ontmoet. Om elkaar beter te kunnen aanvoelen, vroegen we ook vaak naar elkaars verleden en hoe dat van invloed was op ons gedrag. Ik had de indruk dat Russ' assertieve natuur grotendeels voortkwam uit zijn jeugd in een stedelijke omgeving en cultuur, waar tijd altijd kostbaar is. En we conclu-

Russ Raffa op The Pit and
the Pendulum (5.11).
(SANDY STEWART)

deerden dat ook ik gevormd was door mijn familieachtergrond.
Als kind had ik geleerd op mezelf te vertrouwen en kon ik mezelf
goed bezighouden zonder om aandacht te bedelen bij mijn ouders,
met zoveel broers en zusjes om me heen. Na de scheiding van
mijn ouders had ik me in een andere wereld gestort, waarin klimmen uiteindelijk mijn werkelijkheid bepaalde. Russ en ik wisten
dat ik daardoor gedeeltelijk met oogkleppen op liep, maar dat
juist de gave om me volledig op één ding te concentreren zo nuttig was bij het klimmen van de moeilijkste routes.

In die jaren in New Paltz sloeg ik een heel nieuwe richting in
bij het klimmen. Omdat ik gewend was aan de granietrotsen van
het Amerikaanse westen, had ik weinig ervaring met routes
waarbij je zekeringen moest plaatsen in kleine, horizontale spleten of dubbel touw moest gebruiken om overmatige wrijving
langs de randen van de overhangen te vermijden. Van Russ leerde
ik veel over het plaatsen van tussenzekeringen, maar wat me

198

vooral inspireerde was zijn mentaliteit om zijn grenzen te verleggen op lastige, slecht gezekerde routes. Een van zijn meest indrukwekkende prestaties leverde hij bij een route die To Be Or Not To Be werd genoemd. Daar demonstreerde hij de mentale beheersing die noodzakelijk was om moeilijke, mentaal belastende routes voor te klimmen. Ik had al ervaring met de vermetelheid van Yabo, maar klimmen met Yabo was altijd een schizofrene toestand geweest. Russ klom heel koel en berekenend.

To Be Or Not To Be was een soort uitputtingsslag geworden voor Russ Raffa en Russ Clune. Het was een van die slecht gezekerde routes waarop een val rampzalig kon aflopen, dus begonnen ze er alleen aan als ze zich heel goed voelden. Maar in plaats van haken te boren voor meer zekerheid, wilden ze het net zo lang proberen tot ze het lef zouden hebben om de gevaarlijk onbeveiligde wand te beklimmen die hen regelmatig tegenhield. Bovendien gold er in de Gunks een duidelijke regel: geen boorhaken. Als je een route niet kon afzekeren met verwijderbaar materiaal, moest je solo klimmen, dus zonder touw, of de route van bovenaf zekeren. Maar als je een nieuwe route zekerde door vanaf de top een lijn te bevestigen, werd dat als onsportief beschouwd.

Ze hadden al verscheidene pogingen gedaan om deze route te beklimmen, toen ik op een dag met hen meeging en ze mij aanboden om voor te klimmen. Ik klom een meter of zes voordat ik een paar nuts in een spleet kon plaatsen. Vervolgens ging ik voorzichtig verder langs een moeilijk gedeelte van de wand. Op tien meter hoogte kwam ik bij een horizontale spleet waar ik een zogenoemde 'friend' aanbracht, mijn eerste en laatste zekering voor de eerstvolgende zes meter. Daarna werd het steeds moeilijker, omdat het aantal grepen en treden afnam. Ik klom tot een meter boven de friend en bereikte het punt waarop de jongens het bij hun eerdere pogingen hadden opgegeven. Daar bestudeerde ik de volgende bewegingen en keek toen weer omlaag naar mijn laatste zekering beneden me. Mijn armen waren verzuurd. Een val van hogerop zou niet best zijn. *Als het niet goed voelt, moet je het niet doen*, dacht ik, dus klom ik voorzichtig terug naar mijn laatste zekering.

'Laat me maar zakken,' riep ik, omdat het me te gevaarlijk werd om door te gaan.

Clune ging als volgende. Ook hij klom een eindje voorbij de friend en aarzelde toen.

'Laat me maar zakken. Ik doe het niet. Ik kom terug.'

Raffa zou Raffa niet zijn geweest als hij Clune niet had geprikkeld met een nieuw voorstel: 'Laat je een eindje aan die friend vallen om te kijken of het werkt.' Op die manier zou Clune kunnen bepalen hoe veilig de zekering was. Helaas was er een risico. Clune hing zo hoog boven de friend dat hij bijna de grond zou raken als hij zich nu liet vallen. Maar Clune had meer lef dan de meeste klimmers, dus klemde hij zijn kiezen op elkaar en sprong. De friend ving hem op en het touw hield hem tegen, vlak boven de grond. Een val vanaf een meter hoger zou dus betekenen dat hij de grond wél zou raken. Clunes dappere poging was van groot belang voor wat er daarna gebeurde.

'Het materiaal is betrouwbaar. Nu is het jouw beurt,' zei Clune met een sarcastisch lachje tegen Russ.

Russ kende het eerste gedeelte van de route en toen hij het punt bereikte waar Clune omlaag was gesprongen leek hij vastberaden om door te gaan. In de dagen voorafgaande aan deze poging was hij heel goed in vorm geweest. In een beheerst tempo klom hij naar de sleutelpassage en testte daar de treden en grepen door een paar keer op en neer te klimmen.

'Oké, daar gaan we,' riep hij ten slotte.

Rustig en zelfverzekerd beklom hij de maagdelijke wand. Mijn hart bonsde in mijn keel en mijn handen zweetten toen hij steeds verder bij zijn zekering vandaan kwam. De sleutelpassage kostte hem maar twee minuten toen hij er eenmaal aan begon, maar wel op basis van een wekenlange mentale voorbereiding. Boven gekomen slaakte hij een triomfantelijke kreet. Russ heeft deze route altijd als een van zijn beste beschouwd. Misschien was het fysiek niet de zwaarste die hij ooit had geklommen, maar psychologisch was het een sprong in het onbekende. Eén fout en hij had dood of zwaargewond aan mijn voeten kunnen liggen.

Een paar maanden later nam ik zelf een groot risico bij een andere eerste klim, de Yellow Crack Direct. Deze route liep vanaf een bestaande route 5.11, Yellow Crack, die voor het eerst in vrije stijl was bedwongen door Henry Barber. 'Hot Henry' was een van de meest actieve Amerikaanse vrije klimmers uit de jaren zeventig. Overal ter wereld had hij eerst-beklimmingen op zijn naam staan, van het Amerikaanse oosten tot aan Yosemite, Colorado, Oost-Duitsland, Engeland en Australië. Yellow Crack paste bij Henry's stijl: een slecht gezekerde, gevaarlijke route. Onze nieuwe variant (een meer rechtstreekse lijn tegen de wand, vandaar de toevoeging 'Direct') was nog minder beveiligd. Bovendien dreigde hij ook veel moeilijker te zijn. Russ ging als eerste naar boven om het nieuwe terrein te verkennen. Hij klom naar een punt op 12 meter boven de grond en liet zich weer zakken vanaf een paar nuts die hij in een spleet had aangebracht.

'Het is niet makkelijk klimmen daar boven. Wil jij het eens proberen?' vroeg hij me terwijl hij zich van de lijn losmaakte.

'Mij best. Maar wat doe ik als ik voorbij dat overhangende gedeelte kom en er boven mijn hoofd geen spleten meer zijn om tussenzekeringen aan te brengen?'

Dat was een retorische vraag. Ik verwachtte geen antwoord. Als we de route niet konden zekeren, zou een val heel ernstige, misschien zelfs dodelijke gevolgen kunnen hebben.

Toen ik bij Russ' hoogste punt aankwam, controleerde ik zijn nuts nog even en speurde de wand af naar grepen waaraan ik me langs de geelgekleurde bobbel voor me kon klimmen. Nadat ik een paar van de vlakke vingerrandjes in mijn buurt had geprobeerd, zag ik de volgende van de benodigde bewegingen voor mij en ging op weg. Zodra ik voorbij de sleutelpassage was en in een ondiepe hoek in de wand boven me stapte, wist ik dat mijn ergste vrees bewaarheid was. Nergens was een spleet te vinden om een nut in te schuiven. Ik stond nu voor de cruciale beslissing om hoger te klimmen of te proberen terug te keren. De moeilijkheidsgraad was ongeveer 5.12c, een niveau dat vlak bij mijn eigen grenzen lag in die tijd. Vermoeid en zenuwachtig als ik was, zou ik waarschijnlijk uitglijden als ik probeerde af te dalen. De enige weg omlaag was dus omhoog.

Ik keek naar beneden en zag mijn laatste zekering een heel eind beneden mijn voeten. Russ hield het touw goed vast. Naast hem stonden onze vrienden Clune en Jeff Gruenberg, die me scherp in de gaten hielden. Tot dat moment was ik als het ware voortgedreven door de energie van de hele groep, maar nu voelde ik me moederziel alleen, ondanks hun duidelijke bezorgdheid. Ik had al mijn concentratie nodig om de volgende paar minuten te overleven. Dus haalde ik een paar keer diep adem, ontspande de spieren van mijn onderarmen en richtte al mijn aandacht op mijn volgende bewegingen. De tijd leek stil te staan. De anderen, ver beneden me, zwegen. Niemand durfde iets te adviseren. Ze wisten dat het fataal kon zijn om nu mijn aandacht af te leiden.

Om een hoek, tegen de wand boven me, 'lazen' mijn vingers een greep, als in braille. Ik verplaatste mijn gewicht naar een smalle tree en trok me wat verder omhoog. Nieuwe, zeer oppervlakkige greepjes dienden zich aan, en ik wrong me in allerlei bochten om me vast te houden aan de rots. Ten slotte bereikte ik een brede richel die het einde van de klim markeerde. 'Goddank!' verzuchtte ik luid.

Toen een journalist van de zondagsbijlage van de *New York Times* enige tijd later een artikel over me schreef, namen Russ en ik hem mee naar het begin van deze route. 'Het was een van de moedigste beklimmingen die ik ooit heb gezien,' verklaarde Russ trots. 'Ik heb het zelf geprobeerd. Ik wist dat je je volledig op de bewegingen moest concentreren, anders was de kans om het te overleven minimaal. Dat zijn de momenten die je bijblijven – als je ziet hoe een klimmer totaal op zichzelf wordt teruggeworpen.'

Maar een andere vriend van ons, Mark Robinson, die ook bij het interview aanwezig was, schudde het hoofd. 'Ik vind het geen pretje om te zien hoe iemand zijn leven waagt. Vroeger dacht ik dat nog wel.'

'Jawel, dat zijn de mooiste momenten,' hield Russ tegenover de journalist vol.

'Het zijn de héftigste momenten,' vond Robinson, 'maar de mooiste? Nee, dat zie ik toch anders.'

Hoewel het een geweldige kick was om zo'n gevaarlijke beklimming te volbrengen begon ik me zelf ook af te vragen hoe lang ik nog het noodlot durfde te tarten op de riskante routes van de Gunks.

Een nieuwe route, Vandals, betekende een keerpunt in mijn manier van klimmen. Ik stuitte bij toeval op die route toen ik op een dag een pad af liep, op zoek naar een paar vrienden om mee te klimmen. Toen ik door de rode, oranje en gele herfstbladeren naar een rots tuurde, zag ik Russ Clune, Jeff Gruenberg en een talentvolle jonge klimmer, Hugh Herr, aan het werk langs een nieuwe route. Daarvoor hadden ze een vreemd stelsel van touwen aangebracht tegen de rotswand boven hen.

'Wat doen jullie nou?' vroeg ik.

Clune wenkte me. Het creatieve touwwerk was bedoeld als veiligheid voor een bijzonder zware en – volgens de 'puristische' regels van de Gunks – minimaal gezekerde nieuwe route. Mijn vrienden hadden een systeem bedacht van twee verschillende touwen, bevestigd aan een paar sky-hooks die in wankel evenwicht aan een paar rotsranden hingen. Ingebonden in beide touwen en met gelijke spanning gezekerd, had een klimmer tenminste wat bescherming als hij de lastige bewegingen probeerde. Toch zou Clune nog eens zijn enkel verstuiken bij een van zijn vele pogingen in Vandals, toen hij van grote hoogte viel, een kleine nut uit een wrakke spleet rukte en met een klap tegen de grond sloeg.

Clune, Gruenberg en Hugh Herr waren alle drie uitstekende klimmers, maar de meest opvallende was Hugh, die twee kunstbenen had, vervaardigd uit metalen stangen. Jaren eerder waren hij en zijn vriend verdwaald bij de afdaling van een winterklim op Mount Washington in New Hampshire. Een noordoostenwind had de berg getroffen met een sneeuwstorm van Siberische proporties. Tegen de tijd dat de redders de verdwaalde klimmers bereikten, balanceerden ze op het randje van de dood. Een van de redders was zelf omgekomen door een lawine, en Hughs benen waren afgevroren tot aan zijn knieën. Nadat ze waren geampu-

De beruchte Vandals-route in de Gunks (5.13a).
(SANDY STEWART)

203

teerd en Hugh jarenlang aan zijn revalidatie had gewerkt was hij nu terug op de rotsen en klom hij beter dan ooit. Hij wist zijn instelbare kunstbenen zelfs tot een voordeel te maken door ze te verlengen, zodat hij grepen kon bereiken waar hij vóór die tijd niet bij kon – of om zo lang te lijken als een basketballer als hij een avondje uitging.

Vandals, die we als 5.13a classificeerden, was de zwaarste route die ik tot dan toe had geklommen, maar voor mij was het meer dan alleen een lastige route. Op een van de dagen dat we ermee bezig waren en ik langs een groot dak probeerde te komen, had ik opeens genoeg van de eentonige herhaling van steeds diezelfde pijnlijke schouderdraai. Nadat ik al talloze keren was gevallen bij deze manoeuvre en mijn spieren en pezen had verrekt, kwam ik op een idee dat naar ketterij riekte. In plaats van de strenge regel van de traditie te volgen en me omlaag te laten zakken om het opnieuw te proberen besloot ik mijn gewicht aan het touw te laten rusten en onder het dak te blijven hangen, speurend naar verborgen grepen waarmee ik dit obstakel zou kunnen overwinnen. De minachtende benaming in de klimmerswereld voor de tactiek om te blijven hangen om een beweging te oefenen was *hang-dogging*. Maar hoe verwerpelijk ook, het leek me plotseling een heel logische benadering voor de vrije beklimming van deze route. Binnen één seconde gooide ik als het ware jaren van klimfilosofie overboord. Tegelijkertijd had ik het gevoel dat het klimmen juist vooruitgang had geboekt tot het punt waarop deze tactiek alleszins verantwoord was. Het subtiele voordeel om aan het touw te blijven hangen om de bewegingen voor de sleutelpassage uit te dokteren leverde nuttige informatie op, waarmee ik uiteindelijk de route tot een goed einde bracht. De oude stijl van klimmen kwam me opeens rigide, beperkt en gekunsteld voor. Hangdogging had me de ogen geopend voor nieuwe mogelijkheden.

De overgang van het traditionele klimmen naar het meer gymnastische 'sportklimmen' was een trend die snel het land veroverde. Tony Yaniro, een Amerikaan, had al in 1979 geëxperimenteerd met hang-dogging bij het volbrengen van de eerste 5.13c-route ter wereld, de Grand Illusion, een ongelooflijk lastige daksppleet in de Sierra's. Halverwege de jaren tachtig combineerde een andere Amerikaan, Alan Watts, abseilen en hang-dogging bij zijn nieuwe routes op Smith Rocks in Oregon. Ook andere klimmers op andere rotsen beproefden de nieuwe stijl.

Hoe doodgewoon en onschuldig deze nieuw aanpak ook leek

204

(een niet-klimmer zou weinig verschil hebben gezien tussen hang-dogging en traditioneel klimmen), toch leidde die tot een bittere controverse. Klimmers die soms jaren als partners hadden samengewerkt kregen de grootste ruzie over dit onderwerp. De nieuwe sportklimroutes waren zo zwaar en konden door de voorklimmer maar zo moeizaam met boorhaken worden gezekerd dat veel klimmers de boorhaken pas aanbrachten als ze aan een touw van boven hingen. Ze werden *rappel-bolters* genoemd. De voorstanders van de traditionele klimtechniek gingen net zo hevig tegen de hang-dogging en rappel-bolters tekeer als de aanhangers van McCarthy tegen de communisten in de jaren vijftig. De hang-doggers op hun beurt betitelden hun critici als de 'rotspolitie'. Er is een geval bekend van twee beroemde Yosemite-klimmers, bijna bloedsbroeders, die zo wat slaags raakten toen de een de boorhaken weghaalde die de ander, abseilend langs een touw, voor een nieuwe route had bevestigd. Wie van beiden had gelijk? En wie schoot er iets op met dit soort ruzies?

In 1986 bereikte het conflict een climax. Ik nam deel aan een discussie over ethiek tijdens de jaarvergadering van de American Alpine's Club in Denver, Colorado. De hang-doggers werden vertegenwoordigd door Christian Griffith, Todd Skinner en Alan Watts. Veel mensen waren geschokt toen ze Christian hoorden voorspellen dat de zwaarste routes in de toekomst kunstmatig zouden worden gecreëerd met beitels en lijm. Dat gebeurde al in Frankrijk, waar een paar beroemde sportroutes waren uitgehakt. Aan de ene kant waren die routes prachtige voorbeelden van onze sport, aan de andere kant waren ze een aanfluiting. Zelf zag ik trouwens een groot verschil tussen hang-dogging en het uithakken van treden en grepen; dat was iets heel anders. Een route met beitels bewerken druist in tegen de principes van het vrije klimmen: proberen in een zuivere stijl omhoog te komen, zonder de rotswand te veranderen of jezelf met hulpmiddelen naar boven te hijsen. Maar het gebruik van haken en de toepassing van hang-dogging-technieken voor een vrije klim tegen een overigens onbeschermde wand leek me heel legitiem. Hoe het ook zij, posters van deze nieuwe, met boorhaken gezekerde sportroutes en de mensen die ze ontwierpen hingen al overal in winkels, busjes en de slaapkamers van toekomstige klimmers.

De vertegenwoordigers van de traditionele stijl in het 'Grote Debat', zoals het door de American Alpine Club werd genoemd, waren John Bachar, Ron Kauk en Rob Robinson. Ik werd tot de traditionalisten gerekend, omdat ik zoveel traditionele routes had geklommen. Maar aangezien ik zelf bij de sleutelpassage van de Vandals mijn toevlucht had genomen tot hang-dogging, nam ik in feite een middenpositie in. Daarom voelde ik me ook wat verlegen toen Yvon Chouinard, de directeur van Patagonia, me een T-shirt gaf om aan te trekken als lid van het forum, tegenover het publiek. Op het shirt stond een cartoon van Satan die aan een touw hing dat aan een boorhaak was bevestigd. THE DEVIL IS A HANG DOG, luidde het onderschrift. Andere T-shirts in het publiek hadden teksten als: SPORT CLIMBING IS NEITHER (Sport-klimmen is geen van beide). Toen het mijn beurt was, ondervroeg Jim McCarthy, de discussieleider, mij uitvoerig over mijn toepassing van hang-dog-technieken bij de eerste beklimming van Vandals. Jim, advocaat van beroep, onderwierp me aan een kruisverhoor alsof ik in het beklaagdenbankje zat. De jury bevond me schuldig aan hang-dogging, maar ik vond niet dat ik iets verkeerds had gedaan. Ik had een logische manier gevonden om de grenzen te verleggen en dat was een leerproces waar ik bijzonder van genoot. Daar ging het me juist om bij het klimmen. En na verloop van tijd vonden deze sportklimtechnieken steeds meer ingang en verleenden ze de klimsport een heel nieuwe dimensie.

Hoewel de discussie tussen de *trads* en de *doggers* in de jaren tachtig hoog oplaaide, organiseerde de American Alpine Club, onder leiding van Jim McCarthy, een uitwisseling tussen Franse en Amerikaanse klimmers. De Franse Alpenclub trad als gastheer op en Russ en ik behoorden tot de vier Amerikanen die in juni 1986 voor een veertiendaagse reis naar Frankrijk vertrokken.

Onze tournee begon op de zandsteenrotsen van Fontainebleau bij Parijs. Daarna klommen we in de kalksteenrotsen van Le Saussois, de Gorges du Verdon en de beroemde kalksteengatenkaas van Buoux. De Fransen demonstreerden ons graag hun belangrijkste routes op deze rotsen. Chouca (5.13c of 8a+ volgens het Europese systeem), Le Minimum (5.14a/8b+) en La Rage de Vivre (5.14a/8b+), voor het eerst geklommen door de gebroeders Marc en Antoine Le Menestrel, behoorden tot de lastigste sportklimroutes ter wereld.

Die reis werd ik halsoverkop verliefd op Frankrijk. Allerlei aspecten van het Franse leven en de Franse cultuur spraken me geweldig aan. Ik hield van de traditie om twee uur uit te trekken voor een zelfklaargemaakte lunch met familie of vrienden, tegenover de Amerikaanse McFast-hap, van oude stenen huizen tegenover betonnen flats, van zes weken zomervakantie tegenover twee weekjes weg, en van de ontspannen mentaliteit in Zuid-Frankrijk tegenover het moordende tempo van Amerika.

Ik had nooit eerder kalksteen geklommen en verbaasde me over de vloeiende balletstijl die mogelijk was op deze gedetailleerde rotsen. Randen en gaten vormden een ideaal houvast tegen zelfs de steilst overhangende wanden, wat tot acrobatische beklimmingen leidde. Bovendien waren alle routes zodanig met boorhaken gezekerd dat er weinig kans bestond op zware verwondingen bij een val. In plaats van zich zorgen te maken over de risico's kon een klimmer zich volledig concentreren op de problemen van de route zelf. De kennismaking met deze nieuwe sportklimstijl betekende niet dat ik de traditionele waarden afschafte die ik in Amerika had geleerd, maar het intrigeerde me wel. Ik begreep dat de Europeanen over een ideaal terrein beschikten om de grenzen in deze gymnastische vorm van vrijklimmen te verleggen.

Maar hoeveel ik ook van Frankrijk hield, soms vond ik de Fransen veel seksistischer dan de Amerikanen om me heen. Jibé Tribout, een vermaarde Franse klimmer die later een goede vriend werd, verbaasde me een keer met een nonchalante opmerking. Terwijl hij bij een kop koffie de normen voor het vrije klimmen in verschillende delen van de wereld besprak, mompelde de verlegen Jibé opeens: 'Een vrouw zal nooit een 7c kunnen flashen.'

Wat hij bedoelde was dat vrouwen niet in staat waren een route met een moeilijkheidsgraad van 5.12d (het Amerikaanse equivalent van 7c) te volbrengen bij een eerste poging zonder te vallen ('flashen'). Ik was met stomheid geslagen over zo'n absurde seksistische bewering. Op het moment dat Jibé het zei, was geen enkele vrouw daar nog in geslaagd, maar binnen drie jaar zou ik Jibés ongelijk bewijzen. Zijn opmerking en vergelijkbare meningen die hij in de loop der jaren ten beste gaf, zouden me juist inspireren tot enkele van mijn grootste prestaties. Ik denk dat Jibé diep in zijn hart wel wist dat hij me op die manier de handschoen toewierp – alsof hij me uitdaagde tot een duel. Immers, een klimmer als Jibé, die in Amerika de eerste vrije klim met een moeilijkheidsgraad van 5.14a op zijn naam had geschreven, wist drommels goed dat niets een klimmer zo motiveert als een echte uitdaging.

Tegen het einde van mijn Franse reis, toen ik in de Gorges du

Verdon klom, ontmoette ik een Italiaanse klimmer, Marco Scolaris, de organisator van de eerste internationale sportklimwedstrijd, die een jaar tevoren in Italië was gehouden. Ik was net klaar met de beklimming van Take It Or Leave It (5.12d), een route met een serie kleine vingergaten tegen een steile wand. Zodra ik boven was, kwam Marco naar me toe en stelde zich voor.

'Ik heb nog nooit een vrouw zo'n lastige klim zien maken,' zei hij.

Ik voelde me gevleid, hoewel ik vond dat de route ruim binnen mijn mogelijkheden lag. Maar ik was er inmiddels aan gewend dat ik niet alleen als klimmer, maar ook als vrouw werd beoordeeld.

Marco vertelde me over de nieuwe rage binnen het Europese klimmen: wedstrijden. Hij beschreef de allereerste internationale klimwedstrijd die op een natuurlijke kalksteenrots was gehouden. Klimmers uit heel Europa hadden aan deze lastige wedstrijd deelgenomen. Wie het hoogst kwam, had gewonnen. Het tweede jaarlijkse Sport Roccia-evenement zou later die zomer plaatsvinden in het schilderachtige stadje Arco, op enige afstand van Milaan. Alle topklimmers zouden erbij zijn.

'Lynn, je moet echt meedoen volgende maand. Er is maar één andere vrouw die net zo sterk klimt als jij, dus je hebt kans om te winnen.'

'Wie is dat dan?' vroeg ik Marco.

'Haar naam is Catherine Destivelle, een Française. Zij heeft vorig jaar de Sport Roccia gewonnen.'

En zo begon een nieuwe fase in mijn leven: die van professioneel wedstrijdklimmer.

 11

In de arena

Een paar minuten nadat Russ
en ik uit het vliegtuig waren
gestapt in Milaan zaten we al in
een rode Maserati die naar het
stadje Arco zoefde, tweeënhalf uur
rijden naar het noordoosten. Marco Scolaris had mijn reis vanuit
Amerika geregeld naar de tweede
Sport Rocciawedstrijd, maar ik me
af vroeg of ik wel levend zou aankomen toen onze chauffeur een
soort dodenrit maakte langs de bochtige oever van het Garda-
meer. Russ en ik grepen ons aan de leuningen van de achterbank
vast en zagen met grote ogen hoe we een rij auto's inhaalden in de
onoverzichtelijke bocht van een donkere, smalle tunnel. De
bejaarde moeder van de bestuurder, die naast hem zat, reageerde

nauwelijks op de halsbrekende toeren van haar zoon. Ze was meer geïnteresseerd in de luxe villa's langs de weg.

In Arco namen we onze intrek in een kamer van de Albergo Cattoi, een merkwaardig familiepension, waar we een heerlijke maaltijd kregen van Marisa en *la mamma*, die met ons communiceerden in onbekende woorden en vriendelijke gebaren, omdat we geen gemeenschappelijke taal konden vinden. Na de lunch liepen we naar het toeristenbureau om ons in te schrijven voor de wedstrijd. Marco verwelkomde me en gaf me een inschrijvingsformulier met de reglementen.

'Wat is het prijzengeld?' vroeg ik, terwijl ik de papieren doorlas.

'Dat weet ik niet, maar de winnaar bij de mannen krijgt een nieuwe auto.'

'De winnares bij de vrouwen niet?'

Marco haalde zijn schouders op over mijn vinnige opmerking. 'Vraag het hém maar,' zei hij, met een knikje naar de hoofdorganisator van het evenement.

'Ik spreek geen Italiaans. Kun jij het niet vragen?'

Marco gaf de vraag aan de organisator door, die snel iets antwoordde waarom ze allebei moesten lachen.

'Wat zei hij?'

'Dat de vrouwen dezelfde prijs krijgen als ze topless willen klimmen.'

De twee mannen grijnsden nog even. Ik was met stomheid geslagen en vroeg me af wat voor *casino* – Italiaans voor 'chaotisch fiasco' – de wedstrijd in Arco eigenlijk was.

Een blauwe hemel en een brandende zon begroetten ons op de eerste dag van de wedstrijd. Toen ik naar de voet van de 270 meter hoge kalksteenrots liep waar er geklommen zou worden, hoorde ik flarden van verschillende talen onder de honderden toeschouwers op de heuvel. Om ons heen zag ik aanwijzingen dat er een klein bos was omgehakt om het publiek meer zicht te geven. Ook de rotsen waren bewerkt voor het spektakel. Om routes van de juiste moeilijkheidsgraad uit te zetten waren er grepen in de wand uitgehakt of erop gelijmd. Op enige afstand hadden ze platforms tegen de rots gemonteerd waar de jury en de cameraploeg de klimmers konden volgen. De verticale route was aangegeven met grenslijnen van rood-en-witte tape, en aan de rots wapperden de vlaggen van verscheidene sponsors. Zo'n tweeëntwintig eeuwen geleden hadden de Romeinen gladiatoren, leeuwen en onfortuinlijke gevangenen en slaven in het Colosseum laten optreden. Ik kreeg de indruk dat deze menigte zich hier had verzameld voor een verticaal *circus maximus* en dat de deelnemers, die zenuwachtig en slecht op hun gemak leken, zich opmaakten voor een gevecht. Het was een totaal andere sfeer dan de 'zuivere' klim-ethiek van de grotendeels solitaire sport waaraan ik in Amerika gewend was.

Marco Bernardi, een van de gevierde Italiaanse vrije klimmers en de technische man achter de competitie, legde me in gebroken Engels de regels uit. De wedstrijd strekte zich uit over twee opeenvolgende weekends, vertelde hij, eerst hier in Arco en de week daarop in Bardonecchia. Deze eerste dag in Arco moesten we drie routes klimmen met slechts tien minuten pauze ertussen. We hadden negen minuten voor het voltooien van iedere route, en de rest van de dag konden we elkaars prestaties volgen. Later zouden er veel strengere regels komen en werden klimmers in afzondering gehouden, bij de wand vandaan, zodat ze er nog niets van wisten als ze eraan begonnen. Zo werd het een zuivere on-sight-klim. Wat hij me vertelde beviel me wel. Dit was het begin van een nieuw tijdperk in het klimmen, en hoewel veel goede Europese klimmers, zoals Catherine Destivelle en Patrick Edlinger, er aanvankelijk niets voor voelden om van klimmen een wedstrijdsport te maken, kwam een groot aantal dissidente klimmers toch naar de Sport Roccia van 1986. Ik was zelf ook wel nieuwsgierig naar de wedstrijd en al die klimmers uit heel Europa. Ondanks onze verschillen in cultuur waren we toch verbonden door onze gezamenlijke liefde voor het klimmen.

Ik zat een paar uur op een rotsachtige helling en zag de deelnemers de wand beklimmen. Het viel me op dat sommige klimmers met een enorme ervaring bloednerveus waren voor publiek en heel snel vielen. Ten slotte werd mijn naam afgeroepen door een megafoon. Een golf van zenuwen en spanning sloeg door me heen. Nu zou ik ontdekken hoe het was om strijd te leveren op de rotsen.

Ik liep naar de wand, bond me in het touw in, haalde diep adem en begon aan de beklimming van de eerste route. Drie meter hoger stuitte ik op een steile bult, waar een paar verborgen grepen in de rots waren uitgehakt. Ik deed een agressieve sprong naar een stevige greep op de overhangende bochel en klom toen snel verder naar de top. De tien minuten rust tot aan de tweede route was net

De laatste sprong naar de ketting in Arco, Italië. (MARCO SCOLARIS)

voldoende om me los te maken van het touw, naar de andere route te lopen en me weer aan te binden. De route kwam vrij eenvoudig op me over en ik had de problemen snel opgelost. Maar de
derde klim vereiste subtiele, technische bewegingen, zodat ik niet
erg opschoot. Een meter of wat onder de top kreeg ik een teken
van de jury om te stoppen. Ik had de tijdslimiet overschreden.

De klimmer die na me kwam was de Française voor wie ik was
gewaarschuwd, Catherine Destivelle. Catherine begon snel aan
haar route, tot ze bij de eerste overhangende rand kwam, waar ze
een verkeerde beweging maakte en viel. Volgens de regels mocht
je het opnieuw proberen als je maar binnen de tijdslimiet van
negen minuten bleef. Catherine daalde af, haalde het touw in en
deed een nieuwe poging. Nu bereikte ze de top. De volgende twee
routes leverden geen probleem op.

Catherine, ikzelf en nog een paar klimmers kwamen in de
finale, die de volgende dag zou worden afgewerkt. De route had
een moeilijkheidsgraad van 7a+ of 5.12a volgens het Amerikaanse systeem. Nu kregen we maar één kans om de route on-sight te
klimmen (zonder de andere deelneemsters te mogen zien). We
wachtten in afzondering. Toen ik aan de beurt was, klom ik foutloos naar boven. Catherine was de laatste van de vrouwen. Ook
zij haalde de top. We waren dus gelijk geëindigd. Ik veronderstel-

212

de dat er nog een tweekamp tussen ons beiden zou volgen en ik verheugde me al op die superfinale tegen de vorige winnares van de Sport Roccia. Maar de jury besliste anders. Er kwam geen tweekamp. Ik vond het niet erg logisch, maar blijkbaar had ik meer punten verspeeld door tijdverlies dan Catherine door haar val. De jury sloeg snelheid hoger aan dan stijl en riep Catherine Destivelle tot winnares uit van het eerste deel van de competitie in Arco.

Die uitspraak druiste in tegen mijn Amerikaanse klimtraditie, waarin zorgvuldigheid en techniek vooropstonden. Niet vallen, dat was het belangrijkste. Maar dit soort wedstrijden was heel anders dan het traditionele rotsklimmen, begreep ik nu, en om te winnen zou ik me dus aan de regels moeten aanpassen. Door langzaam en veilig naar boven te klimmen verspeelde ik kostbare tijd. Catherine was als een speer omhooggegaan, met een overvloed aan energie, en had bewust het risico van een val genomen. Zij en ik hadden een heel andere stijl van klimmen, maar beide methoden hadden hun verdiensten. Als bergbeklimster probeerde zij zo snel mogelijk de top te bereiken. Mijn stijl als vrijklimmer was om elke beweging zorgvuldig te overwegen en soms wat op en neer te klimmen om de juiste opeenvolging van bewegingen te vinden en vooral niet te vallen.

De week daarop verzamelden we ons in Bardonecchia voor het tweede deel van de wedstrijd. Deze keer maakte ik een val tijdens de halve finale, terwijl Catherine alle drie de routes aflegde zonder te vallen. Daardoor raakte ik zoveel punten op haar achter dat ik geen kans meer had op de eindoverwinning. Toch was ik vastbesloten mijn uiterste best te doen in de finale.

Toen ik aan de klim begon, bleek het de zwaarste route van de hele competitie te zijn. Hoewel ik zeker wist dat ik niet meer kon winnen, ging ik toch stug door. Nadat ik twee lastige sleutelpassages had overwonnen en aan een smalle rotsrichel hing, greep ik mijn laatste houvast en bereikte de top, nog net binnen de tijdslimiet. Ik had een route van 5.12b on-sight beklommen.

Nu was het Catherines beurt. Tot mijn verrassing viel ze twee keer. Bij haar derde poging overschreed ze de tijdslimiet. Toen alle punten waren opgeteld bleek ik haar met mijn on-sight-klim toch nog te hebben ingehaald. We waren gelijk geëindigd, en dus zouden Lynn en Catherine in een tweekamp moeten bepalen wie gewonnen had. Daarvoor kregen we dezelfde route toegewezen als voor de mannen voor hun superfimale.

Catherine en ik stapten allebei de ruimte binnen waar we in afzondering moesten wachten op onze beurt. We wisten weinig over elkaar en ik sprak maar een paar woorden Frans. Onzeker keken we elkaar even aan. Steeds als ik de afgelopen dagen een klimtijdschrift oppakte, was ik Catherine tegengekomen: op foto's, in interviews, artikelen of advertenties – de beste vrouwelijke klimmer ter wereld. In Amerika waren er in 1986 nog geen beroepsklimmers en waren de media ook nauwelijks in onze sport geïnteresseerd. Ik kon met moeite van mijn sport leven door als gids te werken in de Gunks. Maar hier, naast me, zat een vrouw die door de Europese sportklimmers werd aanbeden en door kleding- en materiaalsponsors werd betaald om te doen wat ze het liefste deed.

Catherines vriend Lothar kwam erbij zitten en ze namen me allebei scherp op toen ik me uitstrekte op het gras en een paar oefeningen deed. Lothar, een man met peper-en-zoutkleurig haar, een paar jaar ouder dan Catherine, was een intimiderende persoonlijkheid. Hij was rijk geworden met een geslaagd kledingbedrijf en had nu alle tijd om te klimmen, te skiën en als Catherines manager op te treden. Terwijl hij daar zat, praatte hij voortdurend in een walkie-talkie, als een generaal die zijn troepen commandeerde. Russ, mijn enige steun in deze wedstrijd, was een paar dagen eerder al naar huis gevlogen voor zijn werk als vertegenwoordiger. Onder de priemende blikken van Lothar en Catherine voelde ik me dubbel eenzaam.

Een paar minuten voordat Catherine en ik moesten klimmen, klonk er opeens een aankondiging door de luidsprekers. Er zou geen superfinale komen. Catherine werd als winnares aangewezen. Mijn mond viel open bij deze onverwachte aanpassing van de regels. Zelfs Catherine leek verbaasd.

Voordat we ons hadden afgezonderd hadden we een van de routes moeten klimmen onder het oog van de jury. Daarbij hadden ze onze stijl en snelheid beoordeeld en punten gegeven voor beide onderdelen. Blijkbaar – en in mijn ogen nogal arbitrair – had de organisatie besloten op basis daarvan een winnaar uit te roepen, zonder in aanmerking te nemen dat ik de enige was die daadwerkelijk de route van de finale had volbracht. (Volgens de huidige regels is de winnaar degene die het in de finale het beste doet.) Weer hadden ze snelheid hoger gewaardeerd dan stijl. Ik had meer stijlpunten, maar Catherine was sneller en daarom had ze gewonnen.

Aan deze Sport Roccia hield ik sterk het gevoel over dat de regels waren veranderd in het voordeel van de grote ster en haar sponsors. Een superfinale zou veel eerlijker zijn geweest tegenover mij, tegenover Catherine en tegenover het publiek. Maar ik nam het Catherine niet kwalijk. Zij leek me vrij sportief en koesterde een grote liefde voor het klimmen.

Catherine Destivelle was in 1960 in Algerije geboren als kind van Parijse ouders die zelf ook klimmers waren. Als kind van vijf namen ze haar al mee voor beklimmingen van de rotsen rond Fontainebleau, een beroemd klimgebied bij Parijs, en op haar veertiende klom ze in de Alpen. Zoals ik de sport had geleerd tegen de hoge wanden van Yosemite – een typisch Amerikaanse traditie – leerde Catherine klimmen op de klassieke Franse wijze: gewapend met een pickel. Ze klom ijs- en sneeuwroutes in de koude noordwanden van bergen als de Ailefroide en de Olan. Op haar zeventiende klom ze binnen zeven uur de steile en technische American Direct op de Petit Dru, een granietrots die zich boven Chamonix verheft. Een paar jaar later stopte ze met klimmen om zich te wijden aan haar werk als fysiotherapeut. Ze deed zelfs een tijdje mee aan pokertoernooien, om heel veel geld. Maar een uitnodiging om deel te nemen aan de Franse versie van 'Survival of the Fittest' betekende een keerpunt in haar leven. Haar optreden voor televisie trok de aandacht van een filmmaker, Robert Nicole, die een documentaire met haar opnam, *It's Dangerous to Lean Out*. De film, die in 1985 werd uitgezonden, volgde Catherines beklimming van de Pichenibule, een spectaculaire sportklim in de Gorges du Verdon. Op dat moment was het met een waardering van 7b+ (5.12c) de zwaarste klim die ooit door een vrouw in Frankrijk was volbracht. De film maakte Catherine tot een bekend atlete in Frankrijk en trok zoveel sponsors aan dat ze van klimmen haar beroep kon maken. Haar overwinning in de eerste Sport Roccia maakte haar naam nog bekender, maar een week na de wedstrijd, bij de oversteek van een gletsjer bij Chamonix, viel ze veertig meter in een spleet en brak haar rug en haar bekken. Tegen de tijd van de tweede Sport Roccia, waar zij en ik tegen elkaar uitkwamen, was ze voldoende hersteld.

Hoewel Catherine de bekendste vrouwelijke klimmer in het wedstrijdcircuit van halverwege de jaren tachtig was, vroeg ik me weleens af of haar ware liefde niet elders lag. Na Arco troffen we elkaar een hele tijd niet meer in wedstrijden. In plaats van de volgende twee jaar haar titel als 'beste vrouwelijke rotsklimmer' te verdedigen reisde ze naar landen als Mali in West-Afrika, waar ze hielp bij de opnamen van een film over het rotsvolk van de Dogon. Ook haar opmerkingen over de wedstrijden deden vermoeden dat ze er niet zoveel in zag. 'Ik houd niet van competitie, zelfs niet als ik win,' zei ze tegen een journalist in 1993. En mij vertrouwde ze ooit toe: 'Lothar vindt die wedstrijden leuker dan ik.' In een interview in het boek *Beyond Risk* zei ze hierover: 'Wedstrijden zijn niet hetzelfde als klimmen. Ik word er nerveus van. Ik vind het niet prettig om voor publiek te klimmen.'

Toen ik anderhalf jaar later Grenoble binnenreed, zag ik overal posters van Catherine. Het was eind 1987 en ik had me aangemeld voor de eerste Internationale Indoor Klimwedstrijd van de stad. De posters prezen het evenement aan alsof het een rockconcert was. Catherine zou deze keer weer meedoen en de media berichtten dat ze in de stad was aangekomen en probeerden de rivaliteit tussen ons flink aan te wakkeren. Maar de wedstrijd begon al slecht.

Op de eerste dag werden enkele klimmers gediskwalificeerd vanwege een blunder die in feite een fout van de routebouwers was. Op een bepaald punt waren de grepen zo dicht bij de buitengrens geplaatst dat bijna iedere klimster daar een beweging moest maken waarbij ze een been over de met rood tape gemarkeerde grens zwaaide. Ze zetten hun handen of voeten er niet buiten, en hun been kwam ook niet ver voorbij de grens, maar ze werden onmiddellijk gediskwalificeerd en moesten weer omlaagkomen. Dat gold niet voor Catherine, die met haar voet drie keer in het verboden gebied kwam. Zelf zag ik daar niets van, omdat ik in afzondering moest wachten, maar na mijn klim trof ik Russ tussen het publiek.

'Wat is er allemaal aan de hand?' vroeg ik.

'Er zijn veel mensen gediskwalificeerd omdat ze de grens hebben overschreden, maar Catherine niet.'

Die voorkeursbehandeling bleef niet onopgemerkt. Veel deelneemsters dienden een protest in na hun diskwalificatie, en Catherine zelf bood aan zich terug te trekken. Maar onder druk van de media en de sponsors, die het troetelkind van de posters niet wilden kwijtraken, had de jury een oogje dichtgeknepen bij Catherines overtredingen. De protesten werden afgewezen en Catherine bereikte de finale.

Een route uitzetten voor een klimcompetitie is een kunst. De route moet steeds moeilijker worden naarmate je hoger komt, zodat deelnemers op verschillende niveaus afhaken. Ideaal gesproken zal alleen de beste en sterkste klimmer in staat zijn de finale te volbrengen. Maar de avond van de finale bereikten Andrea Eisenhut, Catherine en ik alle drie de top. Volgens de regels kwam er alleen een beslissende ronde als de finalisten een gelijk aantal punten hadden. Hoewel Catherine ondanks haar overtreding was toegelaten tot de finale, had haar score daar toch onder geleden en had ze wat minder punten dan Andrea en ik. Maar in plaats van haar uit te sluiten van de superfinale werden de regels weer aangepast en mocht Catherine toch aan de beslissende ronde meedoen. Dat leidde weer tot heel wat protesten. Deelneemsters en juryleden verzamelden zich aan de voet van de wand.

'Wat vind jij?' vroeg een jurylid aan Andrea. 'Mag Catherine meedoen aan de superfinale?'

'Nee,' verklaarde ze beslist.

'Het zou onsportief zijn om de regels te veranderen in Catherines voordeel,' zei ze tegen mij. 'Zeker na wat ik gisteravond heb gezien. Ik zwierf over het terrein, op zoek naar het kantoor om me in te schrijven. Ik wist niet dat je daar niet mocht komen. Toen ik het stadion binnenkwam, zag ik een paar mensen bij de klimwand rondhangen. Catherine was er ook bij en ze oefende wat onder aan de wand. Zodra ze me zagen, riep een van de organisatoren: "Hé! Je mag hier niet komen." Ik vind het niet eerlijk dat zij een speciale behandeling krijgt. Wat vind jij?'

'Het is jammer dat Catherine niet aan de beslissende ronde meedoet, maar we moeten ons aan de regels houden,' beaamde ik.

Een paar minuten later volgde de aankondiging. Catherine werd uitgesloten van de superfinale. Omdat ik in de tweekamp met Andrea als enige de top bereikte, werd ik tot winnares uitgeroepen, maar die overwinning had een bitterzoete smaak. Ik was niet gelukkig met de slecht afgegrensde route, de voortdurende wijzigingen in het reglement en de omstandigheden waardoor Catherine en ik geen gelegenheid hadden gekregen voor een sportieve krachtmeting in een zware route.

Pas in januari 1988 deed zich weer een kans voor op een onderling treffen, in Catherines woonplaats Parijs, waar een wedstrijd werd gehouden in het Palais d'Omnisport in Bercy. Dit multifunctionele sportpaleis was een groot, hightech stadion dat met een windmachine en water zelfs in een groot meer kon worden veranderd voor windsurfwedstrijden. De wand was een hoog, abstract fort, ontworpen door de klimmer-beeldhouwer Jean Marc Blanche, en de wedstrijd trok duizenden toeschouwers. Boven het podium hing een reusachtig televisiescherm waarop het publiek close-ups kon zien van de gezichten van de deelnemers, die met camera's werden gevolgd. Dit was de glorietijd van de sportklimcompetities. Zo'n bewerkelijk en kostbaar evenement zou niet gauw meer worden geëvenaard.

Terwijl we in afzondering zaten te wachten probeerde ik wat met Catherine te praten en haar hakkelende Engels te verstaan, maar ze leek verlegen en in zichzelf gekeerd. Misschien had ze last van haar populariteit en de druk die die met zich meebrengt. Sportklimmen was een vorm van amusement geworden en Catherine was de fotogenieke rockster van onze sport, of ze wilde of niet. Ik nam haar de gebeurtenissen uit de vorige wedstrijden absoluut niet kwalijk. Integendeel, ik had bewondering voor haar talent en haar geluk. Als ze niet deelnam aan wedstrijden tegen kunststofwanden, klom ze op de prachtige kalksteenrotsen van Zuid-Frankrijk. Ze was de eerste vrouw die een beroemde 5.13c-route, Chouca in Buoux, had geklommen – een uitpuilende kalksteenwand die Le Bout du Monde of 'het einde van de wereld' werd genoemd.

Voor de finale in Bercy stapten de deelneemsters een voor een het podium op. Catherine klom snel langs de wand omhoog, ver voorbij het hoogste punt dat de andere vrouwen hadden bereikt, maar toen gleed ze uit en viel. Daarna was het mijn beurt. De lichten, de juichende menigte, de flitslampen van de camera's en de rondlopende juryleden waren niet alleen bizar, maar leidden ook mijn aandacht af. Ik probeerde ze buiten te sluiten en me volledig op de klim te concentreren. Toen het geroezemoes van het publiek aanzwol, wist ik dat ik het hoogste punt van Catherine gepasseerd moest zijn. Dicht onder de top gleed mijn voet weg vlak voordat ik mijn vingers om een stevige greep kon klemmen, en ik viel. Hoewel ik hoger was gekomen dan enige andere vrouw die ooit deze competitie had gewonnen, zou het nog een jaar duren, tot aan de tweede wedstrijd in Bercy, voor ik echt tevreden was over mijn prestatie. Die avond klommen de mannen en de vrouwen dezelfde route in de finale en bereikte ik als enige deelnemer – man of vrouw – de top.

Hoewel ik in die tijd vaak in Europa was, gebeurde er ook van alles aan het thuisfront. Het belangrijkste was mijn huwelijk met Russ. Op 22 oktober 1988 trouwden we in New Paltz. De bruiloft en de receptie werden bijgewoond door tweehonderd vrienden en familieleden. Als een soort grap na de officiële plechtigheid organiseerde Russ een foto van ons in onze trouwkleren en klimgordels en gaven we elkaar het jawoord terwijl we over de rand van een rots in de Gunks bungelden. Boven ons stonden onze vrienden Jim McCarthy, Mark en Susan Robinson, Jim Nolan en Bob D'Antonio op de top van de rots, terwijl ze ons uit de klimgids de huwelijkstekst voorlazen. Die foto werd geplaatst in het blad *Bride*, met als bijschrift: 'Huwelijk op de klippen.' Ik moest wel lachen om de woordspeling, maar maakte me ook zorgen. Ik wist dat een huwelijk voor ons een zware opgave zou zijn. Russ en ik hadden een heel verschillende kijk op de wereld, maar aan de andere kant waren we zo met elkaar verbonden dat ik me geen leven zonder hem kon voorstellen.

Samen besloten we dat ik zou doorgaan met mijn carrière als wedstrijdklimmer, terwijl Russ bleef werken als vertegenwoordiger in buitensportartikelen. De volgende twee jaar stortte ik me in het wedstrijdcircuit en reisde heen en weer tussen Amerika en Europa. Ik klom zoveel als ik kon en werkte voor Chouinard Equipment, een materiaalfabrikant waarvoor ik diashows over klimmen presenteerde. Met mijn prijzengelden van de wedstrijden financierde ik mijn reizende bestaan, maar soms verdween het geld al uit de zakken van de organisatoren voordat de winnaars er nog iets van gezien hadden. In 1988 moest ik in Marseille – dat wel als de hoofdstad van de Franse georganiseerde criminaliteit wordt beschouwd – constateren dat de cheques voor de winnaars twee keer achtereen ongedekt bleken te zijn.

De eerste Amerikaanse internationale sportklimwedstrijd vond in de zomer van 1988 plaats in Snowbird, Utah, een wintersportplaats in Little Cottonwood Canyon in de Wasatch Mountains boven Salt Lake City. De alpinist en ondernemer Jeff Lowe had de wedstrijd naar de Verenigde Staten gehaald en de eigenaar van het ski-oord, Dick Bass (een Texaanse oliemiljonair en de eerste man die de Seven Summits, de hoogste toppen van alle continenten, had beklommen) overgehaald om hem een paar wedstrijdroutes te laten bouwen tegen de betonnen muur van het hoge toeristenhotel in Snowbird. Een tv-ploeg van ABC Sports versloeg het evenement. Hun belangrijkste invalshoek was de zoge-

'Huwelijk op de klippen.'
Onze trouwfoto in de
Gunks, met onze vrienden
Jim Nolan, Susan en Mark
Robinson, Jim McCarthy
en Bob D'Antonio. (CHRIS
BONINGTON)

naamde rivaliteit tussen Catherine en mij, en de onzekerheid wie
het kampioenschap bij de mannen zou veroveren. De Fransen
hadden een paar sterke favorieten, zoals Patrick Edlinger, Jibé
Tribout, Didier Raboutou en Marc Le Menestrel. Hoewel het
Amerikaanse deelnemersveld zich nog niet bewezen had, zetten
veel mensen hun geld op Ron Kauk, de stoere, knappe klimmer
uit Yosemite, die met grote rust en finesse tegen de zwaarste routes was opgewassen. Zijn citaat 'John Wayne heeft nooit lycra
gedragen' – een opmerking die hij maakte bij een wedstrijd die hij
in een Levi's had gewonnen – was bedoeld als een sneer naar
klimmers die felgekleurde lycra maillots droegen die toen populair waren maar sindsdien goddank uit de mode zijn geraakt. Hij
was een outsider in Snowbird, maar hij werd toch hoog inge-
schat.

De grote confrontatie tussen Catherine en mij werd een bijna
even grote teleurstelling toen Catherine in de halve finale een
flinke val maakte, waardoor ze niet eens de finale bereikte.

Omdat zij en ik altijd de wedstrijd hadden gedomineerd als we samen meededen, had iedereen zich verheugd op onze krachtmeting. Dit was de eerste officiële klimwedstrijd van dit kaliber in Amerika, maar helaas liep niet alles op rolletjes. Tot mijn teleurstelling werden ook hier steeds de regels veranderd en ontstonden er ruzies, zelfs in mijn eigen land.

Ik zat in het hotel in Snowbird met Russ en Jim McCarthy toen Jeff naar ons toe kwam en zei dat videobanden van Catherines klim en de route van mijn oude vriendin Mari Gingery iets merkwaardigs hadden opgeleverd. Volgens die opnamen waren Catherine en Mari in feite gelijk geëindigd. Op de band van Mari's klim was duidelijk te zien dat Mari haar hand had uitgestoken naar een verboden greep, op exact hetzelfde punt waar Catherine was gevallen. De jury had Mari's fout wel opgemerkt, maar haar toch laten doorgaan, zodat ze in de finale kwam. Als ze Mari hadden gediskwalificeerd op het punt waar ze die fout maakte, zouden zij en Catherine op een gedeelde zesde plaats zijn geëindigd. Misschien onder druk van het tv-programma, dat graag een spannende wedstrijd wilde, besloot Jeff om beide vrouwen tot de finale toe te laten, die daardoor werd uitgebreid tot zeven deelneemsters. Nu Catherine terug was in de strijd, nam de spanning inderdaad weer toe.

Op de dag van de finale voelde ik me fysiek en mentaal heel sterk. De 36 meter hoge klimwand was een test van het uithoudingsvermogen, het soort klimmen dat mij het meeste aansprak. Maar al snel na het begin merkte ik dat de bouwers van de route het extra moeilijk hadden gemaakt door de grepen zo ver mogelijk uit elkaar te plaatsen. Het ging niet meer om het oplossen van problemen tegen deze wand van beton en plastic, maar om lichaamslengte. Je moest zo ver mogelijk kunnen reiken of springen. Dat was niet gunstig voor mijn geringe postuur en dus moest ik de vreemdste capriolen uithalen om de plastic grepen te kunnen bereiken. Twaalf meter boven de grond kwam ik in een impasse terecht waar de volgende greep buiten mijn bereik lag. Dus kroop ik in elkaar tegen het beton en nam een sprong naar boven. In plaats van de greep te pakken te krijgen misten mijn vingers hun doelwit en stortte ik achterwaarts omlaag met het touw om mijn been gewikkeld. Tijdens mijn val hoorde ik een zucht van teleurstelling door de menigte gaan. Even later hing ik ondersteboven. Het had maar een haar gescheeld of ik was met mijn hoofd tegen de betonnen muur geknald. Ik was net zo verbaasd als het publiek over mijn val en voelde me verraden door mijn lichaam omdat mijn coördinatie bij die sprong niet goed verlopen was.

Daarna kwam Mari uit de wachtruimte. Zij viel op dezelfde plaats als ik. Vervolgens was het de beurt aan Catherine, die nerveus het eerste gedeelte klom en pauzeerde op de plek die Mari en mij noodlottig was geworden. De spanning was te snijden toen Catherine op dit beslissende punt was aangeland. Ze probeerde het een paar keer, strekte haar arm uit naar de greep en klemde haar kaken op elkaar. Haar rug en armen trilden van de spierspanning. Ze stak haar arm omhoog, haar vingers kropen over de greep, ze bracht haar gewicht erop over en hees zich omhoog. Het publiek applaudisseerde. Even later viel ze toch, maar door één beweging hoger te klimmen dan Mari en ik had ze de eerste Amerikaanse International Sport Climbing Competition gewonnen.

Daarna kwamen de mannen. Het publiek wachtte in spanning. Het leek ongelooflijk dat iemand helemaal naar de top van deze betonnen kolos kon klimmen, over het uitpuilende, golfvormige obstakel dat voor deze gelegenheid over het dak van het Cliff Lodge Hotel in Snowbird was gehangen. Achter elkaar vielen de beste mannelijke klimmers neer. Ze reageerden verschil-

Klaar voor de sprong in de finale in Snowbird, vlak voordat ik viel. (BETH WALD)

lend op die teleurstelling. Sommigen schreeuwden en sloegen met hun armen en trappelden met hun benen, als kleine kinderen in een driftbui. Toen Ron Kauk onverwachts uitgleed, nog geen drie meter boven de grond, en weer omlaagzakte, maakte hij het touw van zijn gordel los en liet het op de grond vallen met een gebaar van afkeer, alsof het een stinkende sigarettenpeuk was. Marc Le Menestrel leek met volle teugen te genieten toen hij snel en met grote sprongen de wand beklom. 'Leuk!' riep hij, en: 'Geweldige beweging.' Om me heen hoorde ik het vernietigende commentaar van de Franse klimmers op iedereen die aan de beurt kwam. Er bestond een voelbare rivaliteit tussen Patrick Edlinger, die uit Zuid-Frankrijk kwam, en de Parijse klimmers. Zoals Catherines naam grotendeels was gemaakt door tijdschriften en films, zo hadden de media ook een cultus gecreëerd rond Patrick, en ik had het gevoel dat zijn landgenoten jaloers op hem waren. Een deel van die cultus was ontstaan door zijn stijlvolle overwinningen, een ander deel door de film *Life by the Fingertips*, waarin hij heel rustig en op blote voeten solo een lastige route in de Verdon klom. Zijn opvallende kleren, zijn prachtige lichaam en zijn golvende schouderlange blonde haar gaven hem in die film de uitstraling van een klassieke krijger, en de Fransen om me heen zochten zoveel mogelijk argumenten om Patrick een aansteller te kunnen noemen. Maar niemand kon ontkennen dat hij een begaafd klimmer was.

'Stil!' fluisterde Jibé Tribout luid in het Frans tegen zijn vrienden toen Patrick aan zijn klim begon. 'De koning is van start gegaan!'

Hun luide lach verstomde en sloeg om in bewondering toen Patrick sierlijk en moeiteloos het hoogste punt passeerde dat de andere klimmers tot dan toe hadden bereikt. Ik kreeg kippenvel toen ik zijn uitstekende prestatie volgde en voelde hoe het hele publiek in ademloze bewondering omhoogstaarde. Patrick was de laatste klimmer van die dag, en ook de beste. Toen hij het laatste obstakel voor de top overwon, brak de zon net door de samengepakte donderwolken en deed hem baden in een gouden schijnsel. Mensen die het hebben gezien spreken nog altijd over de middag waarop Patrick de Snowbird won. Dit soort prestaties vergeet je niet snel.

Omstreeks 1989 voerde ik de lijst van vrouwelijke sportklimmers aan omdat ik bijna alle wedstrijden had gewonnen waaraan

Een wedstrijd in Lyon, Frankrijk, in 1989. (PHILIPPE FRAGNOL)

ik sinds 1986 had meegedaan. Inmiddels had de jonge, talentvolle Isabelle Patissier de plaats ingenomen van Catherine Destivelle als mijn voornaamste concurrente. Bij de wedstrijd in Nîmes, in een oud Romeins colosseum, won Isabelle Patissier haar eerste International Climbing Competition. In de zomer van 1989 zou in het Engelse Leeds de eerste wereldbekerwedstrijd in de geschiedenis van het sportklimmen worden gehouden en ik schatte mijn eigen kansen redelijk in. Maar het ongeluk in Buoux haalde een streep door de rekening.

Als ik de kans zou krijgen om terug te gaan in de tijd en die knoop aan mijn gordel vast te maken die ik vergat in de Styxwand bij Buoux, zodat ik die bijna dodelijke val had kunnen voorkomen, zou ik antwoorden: 'Nee, laat het maar zo.' Het leven heeft me herhaaldelijk bewezen dat de moeilijkste ervaringen je de belangrijkste lessen leren.

In de maanden waarin ik revalideerde in New Paltz dacht ik lang na over hoe het nu verder met mijn leven moest. Diep in mijn hart geloofde ik dat er een reden was waarom ik de val had overleefd, en dat die reden iets te maken had met het pad dat de klimsport voor mij had uitgestippeld. Ik kreeg het gevoel dat ik iets zinvollers met mijn leven zou moeten doen dan zo'n egocentrische activiteit als klimmen. Ik wist niet welke vorm dat moest krijgen of wanneer het zich zou aandienen, maar ik twijfelde er niet aan dat het moment zou komen. Voorlopig lag mijn talent nog in deze wedstrijden en dus wilde ik daarmee doorgaan.

Ik had heel veel geluk gehad dat ik niets anders aan mijn val had overgehouden dan een ontwrichte elleboog. Maar mijn klimpartner, dr. Mark Robinson, waarschuwde me die blessure niet te licht op te vatten. Toen de zwelling afnam, begon ik aan de revalidatie met eenvoudige coördinatie-oefeningen en massages, waarbij ik goed op mogelijke pijn of stijfheid lette. De gave om 'naar mijn lichaam te luisteren' maakte een enorm verschil voor mijn herstel. Toen ik begon kon ik mijn elleboog nog nauwelijks bewegen. Zes weken later hing ik alweer in een rotswand.

Maar het was niet mijn lichaam dat ik moest trainen toen ik weer met klimmen begon. Het was mijn geest. Zolang ik klom, was er niets aan de hand, maar als ik naar achteren leunde om me te laten zakken, greep de angst me bij de keel. Alleen geduld en aanvaarding konden me over die schokkende ervaring heen helpen. Na een maand werd mijn angst wat minder en ten slotte bleef er van mijn ongeluk in Buoux niets anders over dan een klein scheurtje in mijn borstspier en een cirkeltje littekenweefsel op mijn bil, ter grootte van een erwt. Tegenwoordig lijkt mijn herinnering aan die val nog slechts een verre droom.

Drie maanden na het incident was ik weer terug in het wedstrijdcircuit, te beginnen met het tweede treffen in Snowbird. Hoewel ik in Europa de ene overwinning na de andere behaalde, had ik nog geen enkele wedstrijd in mijn eigen land gewonnen. Toen ik van de wand gleed en als tweede eindigde achter de Franse klimster Nanette Raybaud, besefte ik dat ik had verloren omdat ik meer bezig was met winnen dan met het klimmen zelf. Lang geleden, bij het zwemmen en het turnen, had ik kennisgemaakt met het verschijnsel van 'verkrampen', en opnieuw werd ik eraan herinnerd hoe belangrijk de juiste houding en mentaliteit kunnen zijn.

Een maand later had ik mijn vorm weer te pakken en won ik de wedstrijden in Arco en Lyon. De superfinale bij de vrouwen in Lyon ging tussen de legendarische Italiaanse Luisa Iovane en mijzelf. We moesten dezelfde finaleroute klimmen als de mannen. Toen ik bijna tot de top kwam, hoorde ik later dat Jibé Tribout zijn hoofd liet hangen en '*Merde!*' mompelde. Nu ik hoger had geklommen dan hij op een 5.12d-route zou ik bij de mannen als

Samen met het ervaren klimmerspaar Luisa Iovane en Heinz Mariacher na een wedstrijd. (BETH WALD)

derde zijn geëindigd. Drie jaar eerder had hij tegen me gezegd dat zoiets onmogelijk was voor een vrouw.

Nadat ik in januari 1990 de derde jaarlijkse wedstrijd in het Palais d'OmniSport in Parijs had gewonnen vertrok ik naar een klimgebied in Zuid-Frankrijk, Cimaï. Al een paar maanden dacht ik erover een 5.14a-route te proberen, maar die was in Amerika toen niet te vinden. Bovendien was geen enkele vrouw dat ooit gelukt, hoewel Isabelle een 5.13d-route – Sortilege, ook in Cimaï – had geklommen en ik zelf de eerste vrije beklimming van de Running Man in de Gunks op mijn naam had staan, ook een 5.13d. Dat was maar één stapje lager dan een 5.14a, maar een groot verschil in moeilijkheidsgraad. Ik voelde me ertoe in staat, maar ik was er niet zeker van of het zou lukken. De 5.14a waar ik voor koos was Masse Critique. Deze route loopt door een prominente, enigszins overhangende kalksteenwand. Niemand anders dan Jibé Tribout had Masse Critique voor het eerst beklommen. Na afloop zou hij, voorspelbaar als altijd, hebben uitgeroepen: 'Zo, dat doet geen vrouw me na.'

Mijn eerste pogingen in Mass Critique waren nogal vernederend. Ik kon lang niet alle bewegingen uitvoeren en moest het

touw en de boorhaken gebruiken om omhoog te komen. Maar
het oefenen van de bewegingen stimuleerde mijn concentratie en
de visualisatietechnieken die ik als turnster had geleerd. Om het
nut van elke greep en tree te vergroten stelde ik me een loodlijn
voor vanaf het houvast, om de juiste richting aan te geven waarin ik moest trekken of duwen voor een maximale weerstand
tegen de zwaartekracht. Als een drummer die haar handen en
voeten moet coördineren in het juiste ritme van de muziek, probeerde ik de trek- en duwbewegingen van mijn handen en voeten
te combineren tot vloeiende bewegingen in de rots.

Toen ik stug volhield, bleken bewegingen die de ene dag nog
onmogelijk hadden geleken de volgende dag heel goed uitvoer-
baar. Lichaam en geest werkten samen om alle elementen van de
route in elkaar te laten overvloeien. De vierde dag had ik alle
opeenvolgende bewegingen goed in mijn hoofd en was ik in staat
de route in gedeelten vrij te klimmen, maar wel met lange adem-
pauzes terwijl ik aan de boorhaken hing. Zo kon ik een paar keer

Bewegingen perfec-
tioneren in Masse
Critique.
(PHILIPPE FRAGNOL)

per dag de hele route in gedachten repeteren. Steeds als ik me de opeenvolgende bewegingen voorstelde, zorgde ik ervoor dat ik in mijn hoofd ook bij de top uitkwam. Het meest effectieve moment om alles nog eens op een rij te zetten was meteen na het klimmen, in de rustige avonduren, als ik in bad zat of al in bed lag. Na een paar dagen had ik op die manier de hele route in mijn hoofd geprogrammeerd.

Na een week van inspanningen en herhaalde pogingen liet ik me op een middag naar de grond terugzakken met een pijnlijk kloppende pees in de vinger waaraan ik normaal mijn trouwring droeg. Toen ik later probeerde de ring er weer aan te schuiven, bleek de vinger te sterk gezwollen. Opeens dacht ik met een schok aan mijn huwelijk en drong het tot me door dat Russ en ik in hoog tempo uit elkaar groeiden. De laatste paar jaar had ik me zo op klimmen, trainen, reizen en wedstrijden geconcentreerd dat ik niet had gezien welke richting het met ons huwelijk op ging. Nu bleef ik op een steen zitten, vlak bij de route, en masseerde mijn vinger terwijl ik me afvroeg wat ik moest doen. De komende paar dagen zou ik mijn inspanningen op de Masse Critique moeten afsluiten om naar huis terug te gaan.

De volgende morgen – de negende dag sinds ik aan de Masse Critique begonnen was – werd ik wakker met het sterke gevoel dat het nu zou lukken. Ik reed naar de rotsen met een paar goede vrienden, bond me aan en zette mijn voeten tegen de wand. Als in trance overwon ik alle moeilijke passages. Steeds wachtte ik op het juiste, positieve gevoel, en eenmaal in actie gekomen was ik me bewust van mijn vloeiende bewegingen. Aan het einde van de 25 meter lange route stonden mijn longen op springen en voelde ik mijn onderarmen verzuren, maar ik was vastbesloten het visioen te volgen dat ik zo vaak in gedachten had gerepeteerd. Eén laatste beweging en ik was op de top. Ik had de barrière van 5.14 doorbroken. Een droom was werkelijkheid geworden. Maar niet veel later kwam ik uit mijn trance en was het tijd om naar huis te vliegen.

Een paar dagen na mijn terugkeer in New Paltz besloten Russ en ik om samen een weekje naar Florida te gaan, lekker aan het strand te liggen, wat te zwemmen en zijn ouders te bezoeken, die voor een maand een appartement hadden gehuurd. Ik had zes weken in Frankrijk geklommen en deze vakantie was een kans om uit te rusten en bij te praten. Op een avond, tijdens het eten, maakte ik een grap over de berg wasgoed die naast de wasmachine had gelegen toen ik thuiskwam. Het bleek dat Russ niet één keer de was had gedaan in mijn afwezigheid. Ik kon er wel om lachen, maar Russ' moeder zag mijn opmerking als kritiek op haar zoon.

'Voor jou een ander, weet je,' zei ze met haar sterke accent uit New Jersey, terwijl ze me strak aankeek.

Ik voelde me gekwetst en er viel een stilte. Toen de Raffa's waren vertrokken dacht ik dat Russ me zou troosten of de opmerking van zijn moeder zou afzwakken. Maar hij zei niets en ik vroeg me af of zijn moeder misschien gelijk had. Achteraf bewees dat commentaar van zijn moeder het feit dat we elkaar nauwelijks meer steunden in onze relatie.

Ik wist dat we elkaar te weinig zagen – we gingen zelfs nog zelden samen klimmen – maar we hadden allebei onze eigen bezigheden. Al die jaren hadden Russ en ik goed samengewerkt. Ik reisde vaak met hem mee om hem te helpen in het verkoopseizoen en Russ was mijn bondgenoot bij de klimwedstrijden. Maar de afgelopen jaren hadden we steeds minder tijd samen doorge-

Robyn Erbesfield, trainend in Orgon, Frankrijk.
(PHILIPPE POULET)

229

bracht en begonnen onze wegen steeds verder uiteen te lopen.

Na een paar maanden thuis vertrok ik weer naar Frankrijk voor het vervolg van het wereldbekerseizoen van 1990. Ik klom nu samen met Robyn Erbesfield, een zevenentwintigjarige Amerikaanse uit Atlanta, Georgia. Als enige vertegenwoordigsters van het 'Amerikaanse team' huurden we samen een huis in de boomgaarden van de Provence, in Zuid-Frankrijk. Samen trainden we voor de wedstrijden, klommen allerlei routes en speelden op rustdagen Hacky Sack in de mediterrane zon. Ons leven op het platteland leek eenvoudig en overzichtelijk. Ik slenterde graag over de markt in het dorp, waar ik mijn rieten mand vulde met vers fruit, groenten en kazen (een groot aantal had ik nog nooit gezien, laat staan geproefd!). Ik nam alle tijd om te koken en te eten, een dagelijks ritueel in Frankrijk. Toen ik de taal begon te leren vond ik het vernederend om weer als een kind te moeten praten, maar als een kind was ik me ook meer bewust van mijn intuïtie wanneer ik luisterde en communiceerde in deze onbekende cultuur. Om meer van de taal te begrijpen las ik ook kinderboeken zoals *Le Petit Prince*, de strips van Asterix en de krant *La Libération*, en luisterde ik in de auto intensief naar de radio en naar Franse muziek.

Ik hield van het leven en het klimmen in Frankrijk, maar toch stond ik op het punt afscheid te nemen van het wedstrijdcircuit en een heel nieuwe richting in te slaan in mijn carrière en mijn persoonlijke leven. Op een avond in de herfst van 1990, toen ik al een paar weken in Frankrijk was, belde ik Russ vanuit het huis in de Provence dat Robyn en ik hadden gehuurd.

'Ik heb genoeg van die klimwedstrijden,' zei ik. 'Ik geniet van het reizen en het klimmen, maar die wedstrijden interesseren me niet meer.'

Het bleef even stil aan de andere kant van de lijn. 'Toch is het wel leuk, zo'n internationaal bestaan,' zei Russ.

Maar de waarheid was dat we dat 'internationale bestaan' niet samen deelden. We hadden heel verschillende ideeën over een leven samen. Of ik zou stoppen met de wedstrijden of niet, op dat moment beseften we dat we te ver uit elkaar waren gegroeid om ons oude leven weer te kunnen oppakken.

Bij de voorbereidingen van de laatste drie wedstrijden voor de wereldbeker had ik er grote moeite mee me op het klimmen te concentreren. Geen wonder dat het fout ging. Bij de volgende wereldbekerwedstrijd in het Duitse Neurenberg gleed mijn voet van de eerste tree en werd ik gediskwalificeerd. Hoewel ik nog geen meter had geklommen, hadden mijn beide voeten de grond verlaten en gold mijn slippertje dus als een val. Ironisch genoeg was Lothar het jurylid dat me op de hoogte bracht. 'Regels zijn regels, Lynn,' zei hij. Na de manier waarop hij in het verleden een loopje met de regels had genomen in het voordeel van Catherine, moest ik daar wel om lachen.

Na mijn diskwalificatie ging ik terug naar mijn hotelkamer en belde Russ om hem te vertellen wat er was gebeurd. In dat gesprek vond ik ook de moed om de punten aan de orde te stellen die we steeds hadden ontweken. We wisten allebei dat ons huwelijk slagzij maakte en waarschijnlijk niet meer te redden was. Het werd een deprimerend gesprek, waar ik een fatalistisch gevoel aan overhield over onze gezamenlijke toekomst. Later die avond, tijdens een tv-interview in München, vroeg de presentator: 'Waarom ben je uitgegleden in de wedstrijd?'

Een beetje overvallen door die vraag antwoordde ik naar waarheid: 'Omdat ik problemen in mijn huwelijk heb.'

Er waren nog maar twee wedstrijden over voor het seizoen, in Lyon en Barcelona. Als ik ze allebei won en Isabelle als tweede eindigde, zouden we gelijk eindigen. Toen ik de voorzitter van de organisatie vroeg wat er dan zou gebeuren, zei hij: 'Dan hakken we de beker in tweeën.'

Een paar weken later in Lyon werd de superfinale tussen mij en Isabelle een van de meest gedenkwaardige wedstrijden ooit. Na de finale werd ik naar de wachtkamer teruggebracht, waar ik zag dat Isabelle met een van de mannelijke klimmers praatte die net de finaleroute had geklommen. Toen ze een paar minuten hadden overlegd en de juiste bewegingen hadden besproken, verklaarde een van de organisatoren dat de mannen van de vrouwen gescheiden moesten worden omdat Isabelle en ik dezelfde route zouden klimmen als de mannen. Los van het feit of Isabelle werkelijk over de finaleroute had gesproken versterkte dit feit mijn voornemen om de top te halen. Ik had weinig kans meer, maar dat was juist de ideale gelegenheid om de kracht van positief denken aan te tonen. Van de zeventien mannen die aan de finale hadden deelgenomen hadden alleen François Legrand en Didier Raboutou de top gehaald.

Isabelle was als eerste aan de beurt, en omdat ze uit Lyon kwam werd ze door het publiek enthousiast aangemoedigd. Vanuit de wachtkamer hoorde ik een donderend applaus toen Isabelle begon te klimmen. Een paar minuten later ging het gejuich van het publiek over in een collectieve zucht: 'Aahhh.' Ik nam aan dat Isabelle gevallen was. Zelf moest ik als laatste klimmen. Voordat ik begon, kwam Lothar – een van de juryleden – naar me toe en zei: 'Bij dat eerste dak mag je wel naar rechts gaan.' Hij wees naar het eerste grote obstakel tegen de wand.

Ik vroeg me af waarom hij dat zei. Ik zou mijn eigen beslissing wel nemen welke kant ik op moest. Uiteindelijk koos ik ervoor om recht omhoog over het dak te klimmen in plaats van een omweg naar rechts te maken, zoals alle andere deelnemers hadden gedaan. Toen ik de eerste bewegingen over de rand van het dak maakte, hoorde ik een luid geroezemoes vanuit het publiek. Maar zodra ik mezelf omhoogtrok en even uitrustte in een positie die niemand anders nog had ontdekt, steeg er weer een luid gejuich op en stampten de mensen met hun voeten. Aan het einde van de route maakte ik een spectaculaire sprong naar de laatste greep, voordat ik onder luide toejuichingen weer naar de grond werd neergelaten. Robyn stond beneden te wachten om me te omhelzen en zelfs mijn vader en zijn vrouw waren erbij om in dit succes te delen.

De laatste wedstrijd voor de wereldbeker van 1990 volgde een maand later, in het Spaanse Barcelona. Afgeleid door mijn problemen thuis klom ik niet erg goed, maar toch kwam ik hoger dan Isabelle, die als tweede eindigde. Zoals ik al had voorspeld betekende dat een gelijke eindstand in het algemeen klassement voor de wereldbeker. Op het laatste moment vroegen de Fransen zich in paniek af of ze nog iets aan het reglement konden veranderen om Isabelle toch de eerste plaats toe te wijzen. De juryleden vroegen me om een urinemonster, dat ze onmiddellijk testten op drugs- of steroïdengebruik. Die test was negatief. Vervolgens werden Isabelle en ik tot gedeelde winnaars van de wereldbeker voor 1990 uitgeroepen, maar tijdens de ceremonie wilde Isabelle niet naast me staan op het podium. Ze bleef pruilend tussen het publiek en klaagde dat zij eigenlijk had moeten winnen. Isabelle, een bijzonder knappe vrouw, gedroeg zich nogal eens verongelijkt en lastig tijdens wedstrijden. In Nîmes had ze het publiek verbaasd door tijdens de halve finale opeens halt te houden en zich om te draaien naar een gezinnetje met een huilende baby. 'Haal dat kind hier weg!' had ze gegild.

Na Barcelona hield de UUIA-vertegenwoordiger uit Frankrijk

(de UUIA is de internationale klimsportfederatie die alles regelt, van bemiddeling in conflicten tot het vaststellen van normen voor de sterkte van de touwen) de druk op de ketel en bleef protesteren tegen het gedeelde kampioenschap. Hij vond dat Isabelle tot enige winnares van de wereldbeker moest worden uitgeroepen. Na al dat kleinzielige nationalistische gedoe had ik zwaar genoeg van de emotionele tol die deze competitie eiste, net als van de onsportiviteit, de voortdurend veranderende regels en de monumentale ego's die je in dit circuit tegenkwam. Na afloop van dit fiasco zwierf ik door de klinkerstraten van Barcelona en maakte plannen voor de thuisreis.

Het werden stormachtige weken in New Paltz. Russ en ik leken vreemden voor elkaar, en hoewel we ons best deden om tot een beter begrip te komen wisten we allebei dat ons huwelijk voorbij was. De aantekeningen van de psycholoog die we in deze moeilijke periode raadpleegden waren heel onthullend: 'Jullie leken een leven met elkaar te leiden zonder enige intimiteit,' concludeerde hij in zijn verslag. Mij beschreef hij als 'afstandelijk en emotioneel beheerst', terwijl hij opmerkte dat Russ 'weinig eisen' aan me stelde op het gebied van intimiteit en betrokkenheid. Over mijn bezwaren merkte hij op dat ik 'niet bereid was tot de veranderingen die van jouw kant van de relatie verwacht mochten worden, deels als gevolg van jouw waarneming dat deze relatie je niet kon geven wat je nodig had'. Mij was duidelijk dat onze waarden en de manier waarop we met mensen omgingen in feite onverenigbaar waren.

In het voorjaar van 1991 was het afgelopen met ons huwelijk. Ik voelde me niet langer thuis in New Paltz. Toch hield ik contact met vrienden daar, ook met Russ, en soms gaan we nog weleens klimmen in de Gunks.

Op 2 maart, precies een jaar na mijn beklimming van de Mass Critique, stond ik met tien kisten met mijn bezittingen op het vliegveld van New York en vertrok naar Nice. De hele reis dacht ik aan Russ, met pijn in mijn hart. Ik wist dat ik hem zou missen, maar voortaan zouden we onze eigen weg gaan. Ik ging een nieuw leven beginnen door te verhuizen naar het land waar ik een paar jaar eerder bijna was verongelukt maar waar ik toch verliefd op was geworden. Ik had geen idee waarheen die weg zou leiden, maar ik durfde de sprong wel aan. Ik weet nog dat ik bij aankomst op het vliegveld van Nice een moment bleef staan om naar de radio te luisteren, die het einde van de Golfoorlog bekendmaakte. Zelf had ik ook het gevoel dat er een oorlog voorbij was, een oorlog in mezelf die eindelijk een vreedzame afloop kende.

Ik vestigde me in de Lubéron in de Provence, vanwege de nabijheid van ideale klimgebieden als Buoux, de Gorges du Verdon en tientallen andere plaatsen. Bovendien had ik in de omringende dorpjes inmiddels een Franse vriendenkring opgebouwd. Het landschap in dit deel van Frankrijk sprak iets heel wezenlijks in mezelf aan. Op herfstdagen, als de frisse mistral de lucht zuiverde en het gouden zonlicht werd opgezogen door de rotsen, de wijngaarden en de eeuwenoude stenen huizen, leek de wereld wel een olieverfschilderij van een oude meester.

In de zomer van 1991 stak ik het prijzengeld van mijn wedstrijden in een 150 jaar oude stenen boerderij in het dorpje Grambois in de Provence. De charme van mijn nieuwe huis, met gewelfde plafonds en stenen muren van een meter dik, bracht ook problemen met zich mee. Zo'n beetje alles moest worden hersteld, van de scheefhangende deuren en luiken tot de verouderde bedrading en het lekkende dak. Ik hing handgemaakte houten kastjes in de keuken, renoveerde de badkamer, verving het tapijt door eikenhouten vloeren, schilderde en stuukte het hele huis en bouwde een artificiële klimwand in een kamer met een gewelfd stenen plafond. Maar niet overal viel iets aan te doen. Het vocht sloeg nog altijd door de stenen muren en de primitieve septictank in mijn voortuin raakte steeds verstopt. Maar de verbouwing was toch een soort therapie voor me, en hoewel ik me soms een slaaf voelde van dat stenen huis in de Lubéron, vormde het toch een stevige basis tussen al mijn reizen. In de loop van de tijd ging ik me steeds meer thuis voelen bij mijn vrienden en buren daar. De buren leerden me van alles, zoals de tuin onderhouden, kleine reparaties uitvoeren, brood bakken en jam maken van de oogst van mijn kersenboom. De 'Auberge de Lynnie' werd algauw een rustplaats voor een constante stroom van klimmers uit het internationale klimcircuit. Er waren soms avonden dat iedereen aan de eettafel uit een ander land kwam.

Hier, op het Franse platteland, had ik een gevoel van vrijheid. Meestal was ik alleen, in een groot, leeg stenen huis, maar dat voelde goed. Ik was nu verantwoordelijk voor mijn eigen keuzes. Elke ochtend, als ik werd gewekt door de geluiden van de vogels in de fruitbomen, was ik me bewust van een proces van vernieuwing op alle niveaus van mijn leven. Hoewel mijn huwelijk traumatisch was geëindigd en ik mijn familie en vrienden in Amerika miste, wist ik dat mijn innigste contacten altijd bij me zouden zijn, waar ik ook woonde. Ik leefde op een kruispunt van talloze culturen en in plaats van een Amerikaanse immigrant in Frankrijk voelde ik me een wereldburger.

Toch zat ik soms ook diep in de put. Een van de moeilijkste momenten deed zich voor in dat eerste jaar, 1991. Op een ochtend zat ik in mijn half-verbouwde huis met een pijnlijke enkel die ik had verstuikt bij een bouldering-wedstrijd, starend door het raam naar het verkoolde bos, waar een felle brand tot binnen een paar kilometer van mijn huis was gekomen. Toen ik mijn post doornam, zat er ook een nummer van het blad *Climbing* bij, dat per luchtpost uit Amerika was opgestuurd. Daarin trof ik een schokkend bericht: Yabo was dood.

Ik had Yabo al twee jaar niet gezien, maar wel een paar brieven van hem gekregen, en ik had verhalen gehoord dat hij weer met klimmen was begonnen, nadat hij een tijdje was gestopt. In zijn brieven vertelde hij optimistisch dat hij aan wedstrijden wilde meedoen om beroepsklimmer te worden, hoewel ik betwijfelde of hij de rust en de persoonlijkheid had om die sprong te maken. In Snowbird in 1988 had hij wel meegedaan, maar hij had houterig geklommen, zonder veel succes. Na een leven van rotsklimmen had Yabo het gevoel dat zijn sport hem had ingehaald en dat maakte hem ongelukkig. Sommige vrienden vertelden me dat hij jaloers was op het klimmersbestaan dat ik leidde. Yabo begreep weinig van het wedstrijdklimmen en zijn hoop op succes stond haaks op zijn mentaliteit als traditioneel rotsklimmer.

In 1990 had hij Jean Milgram ontmoet, een klimster uit de San Francisco Bay Area. Net als bij andere vrouwen in zijn leven had Yabo zich volledig op haar gefixeerd, totdat de pijn van zijn moeilijke jeugd en zijn wanhoopsgevoel aan de oppervlakte kwamen op een manier die Jean verontrustte. Ze hielp Yabo werk te vinden, leende hem geld zodat hij kon blijven klimmen en regelde zelfs een afspraak met een psycholoog. Maar hoewel ze van hem hield, was ze niet bestand tegen Yabo's innerlijke strijd. Ten slotte zei ze hem dat ze hem niet meer wilde zien.

Toen hij dat hoorde, raakte Yabo in een donkere, irrationele en destructieve stemming, die een paar dagen duurde. Op voorstel van Jean reed hij naar Yosemite om daar te gaan klimmen, maar hij was zo van streek dat hij zich niet kon concentreren. In plaats daarvan kerfde hij met een glasscherf Jeans naam in zijn buik en reed meteen weer terug naar de Bay Area. Toen hij bij Jeans huis aankwam, overreedde hij haar om met hem mee te rijden in zijn busje. Hij reed naar de oostkant van de Sierras, een oud klimgebied dat Dead Man's Summit werd genoemd, waar hij met zelfmoord dreigde en onheilspellende dingen riep als: 'Als ík je niet kan krijgen, dan niemand!' Later kwam hij met de gedachte dat hij zou reïncarneren in het kind dat hij Jean wilde geven. Nadat Jean hem had overgehaald haar terug naar huis te rijden, belde ze de politie.

'Ik heb zo'n situatie wel vaker meegemaakt. Een van jullie beiden zal dit niet overleven,' zei de ervaren agent die naar Jeans huis kwam om Yabo te kalmeren.

Op de laatste avond van Yabo's leven, 4 september 1991, keerde hij geheel ontreddard terug naar Jeans huis en hij werd gewelddadig toen ze herhaalde dat ze geen relatie met hem wilde. Jaren later vertelde Jean me over die avond. Yabo had zijn handen om haar hals geklemd en was begonnen haar te wurgen, tot hij abrupt stopte. Het leek alsof hij schrok van het besef dat hij in een moment van verdwazing in staat zou zijn degene te doden van wie hij het meeste hield. Op dat moment koos hij ervoor zijn eigen leven te nemen. Yabo ging op Jeans bed liggen, met een pistool in zijn trillende hand, en richtte het op zijn hoofd. Jean, die de straat op was gerend toen hij haar losliet, vertelde dat ze nog één moment in Yabo's ogen had kunnen kijken toen ze even later de slaapkamer weer binnenkwam. Voordat ze iets kon doen of zeggen om hem tegen te houden haalde hij de trekker over.

Yabo's dood, op vijfendertigjarige leeftijd, was een geweldige schok voor mij en vele andere klimmers in Amerika. Hij was een goede vriend geweest en ik was verdrietig dat ik niet meer had kunnen doen om hem te helpen. Na zijn dood groeide de legende. Klimmers die hem nooit hadden ontmoet vertelden bij het kampvuur of in kroegen over zijn wilde solo's. Volgens die mythe was hij half-maniak, half-mysticus geweest. Zijn in memoriam in *Climbing*, geschreven door John Long, was wat realistischer. John vermoedde dat Yabo's verdriet 'gewoon voortkwam uit een onvermogen om de dingen in hun juiste proporties te zien. Zijn gevoel voor evenwicht en schaal was totaal verstoord door problemen buiten zijn macht.' Op een betonnen viaduct boven de snelweg bij Boulder, Colorado, heeft nog een tijdje een tekst gestaan, geschreven met een spuitbus: YABO LIVES!

Deze periode viel ook samen met het verlies van een andere goede vriend, een legende in de wereld van het vrije klimmen: Wolfgang Gullich. Wolfgang was een van de weinige beroepsklimmers die ik kende die het klimmen en zijn beroepsleven ook buiten de wedstrijden op een harmonieuze manier wisten te integreren. Hij was een rotsklimmer en avonturier die naar de mooiste plekken op aarde reisde.

De ochtend voorafgaande aan zijn dodelijke auto-ongeluk had Wolfgang een radio-interview gegeven in München. Tijdens dat interview vroeg de presentator hem of Wolfgang het klimmen als bijzonder gevaarlijk of levensbedreigend zag. Bij het klimmen, antwoordde Wolfgang, was hij zich meestal scherp bewust van alles wat hij deed. Ironisch genoeg voegde hij eraan toe dat je op de Autobahn soms meer gevaar liep dan bij het klimmen, vanwege eentonigheid en gebrek aan oplettendheid. Kort na dit radio-interview kwam Wolfgang om het leven toen hij achter het stuur in slaap viel en verongelukte op de terugweg naar zijn huis in Neurenberg.

Wolfgang was een geweldige klimmer en een fijn mens. Een van de dingen die ik het meest in hem waardeerde was zijn oprechte en meelevende karakter. Hij was een toegankelijke man, die zelden een verzoek om een interview of een optreden weigerde. Met zijn zoektocht naar de moeilijkste routes heeft hij een belangrijke bijdrage geleverd aan de vooruitgang van het sportklimmen over de hele wereld. Hij was de eerste die in 1984 een 5.13d-route klom. Het jaar daarop slaagde hij in de eerste vrije beklimming van de Punks in de Gym, Australië, een van de eerste routes ter wereld met een classificatie van 5.14a. Hij ging verder met het doorbreken van nieuwe barrières toen hij als eerste een 5.14b en een 5.14d klom met zijn eerst-beklimmingen van de Wall Street in 1987 en Action Direct in 1991.

Ik hoorde over Wolfgangs ongeluk toen ik zelf aan het klimmen was in de Duitse Frankenjura. De volgende dag, toen ze de beademing uitschakelden, was ik niet in de stemming om te gaan klimmen. Maar toen ik er een tijdje over nadacht, besloot ik dat ik zijn nagedachtenis het beste kon eren door de positiviteit voort te zetten die hij altijd had uitgestraald. Omstreeks die tijd begon ik ook na te denken over de diepere betekenis van de ingrijpende ervaring van mijn eigen val van 25 meter in Buoux. Dit besef, dat als een kiem van bewustzijn was begonnen, groeide steeds verder en kreeg langzaam vorm. Een van mijn doelstellingen in de rots was een on-sight-klim van een 5.13b, en ik besloot dat die dag te doen, als een persoonlijk eerbetoon aan Wolfgang.

Die middag kozen we met een kleine groep voor een massiefje dat de Student werd genoemd, een van Wolfgangs plaatselijke gebieden in de West-Duitse Frankenjura. Vanaf het moment dat we daar aankwamen voelde ik een geweldige inspiratie en een groot vertrouwen. Als warming-up deed ik een paar klassieke routes, tot ik uiteindelijk aan de voet van een route stond die de Simon heet en een moeilijkheidsgraad heeft van 5.13b. Voordat ik begon, probeerde ik een rustige, ontvankelijke toestand te bereiken. Ontspannen en zelfverzekerd ging ik op weg. Tijdens het klimmen leek elke beweging bijna vanzelf te gaan en voelde ik nauwelijks vermoeidheid in mijn armen. Toen ik zonder te vallen de top bereikte, onderging ik een bijzonder emotionele en vredige ervaring, die me deed beseffen dat mijn prestatie sterk was geïnspireerd door Wolfgangs geest als klimmer en als mens.

Ik liet me weer terugzakken naar de grond, waar mijn vrienden Jibé Tribout en zijn vrouw Corrine opvallend stil waren. Ze

Wolfgang tegen Action Direct, de eerste 9a (5.14d) ter wereld.
(THOMAS BALLENBERGER)

leken nog verbaasder dan ik. Pas toen we weer het pad afliepen vroeg Jibé eindelijk: 'Was dat je eerste 5.13b on-sight?'

'Ja,' antwoordde ik eenvoudig, zonder hem in te peperen dat hij ooit had beweerd dat een vrouw nooit een 5.12d zou 'flashen'.

Nadat ik zes jaar lang bijna constant wedstrijden had geklommen besloot ik dat 1992 mijn laatste jaar zou worden in het wereldbekercircuit. Het wedstrijdbestaan was goed voor me geweest. Aan het einde van mijn carrière had ik aan achtendertig wedstrijden deelgenomen en er zesentwintig gewonnen. Dankzij de geldprijzen en sponsoring die ik daaraan had overgehouden, had ik het leven kunnen leiden dat ik wilde. Maar toen de competitie zich verder ontwikkelde en dit leven steeds meer tijd en inspanning van me eiste, verloor ik het gevoel van vrijheid bij deze manier van klimmen. Zelfs tijdens de wedstrijden zaten de deelnemers het grootste deel van de tijd 'afgezonderd' in wachtkamertjes totdat ze aan de beurt waren, soms wel twaalf uur lang, voordat we eindelijk aan één enkele route konden beginnen. Zoals bij de meeste andere wedstrijdsporten moest je je aan een nogal klein wereldje aanpassen. Dat was de prijs voor de overwinning. Hoewel ik plezier had gehad en heel wat had geleerd in mijn jaren als wedstrijdklimmer, kreeg ik toch het gevoel dat ik te veel energie stak in het klimmen, trainen, dieet houden en reizen naar de wedstrijden.

Sinds die eerste chaotische competitie in Arco in 1986 had zich een nieuwe generatie aangediend. De meesten waren nog pubers, net als de turnsters uit mijn jeugd. En nu de deelnemers steeds jonger werden, veranderde ook de cultuur van de training. Veel deelnemers oefenden voornamelijk op kunstmatige wanden in hun kelder en klommen maar zelden in echte rotsen. Het was een grap onder de sporters dat de lastigste routes ooit ergens in een kelder waren volbracht. Zelf trainde ik maar weinig op dat soort wanden omdat het contact met de rotsen mij altijd het meest heeft geïnspireerd.

In de wetenschap dat het mijn laatste wedstrijd in Arco zou zijn, was ik gemotiveerd om mijn uiterste best te doen. Voor mij was Arco het Wimbledon van het rotsklimmen. Elk jaar verzamelen duizenden enthousiaste toeschouwers zich om de beste sportklimmers ter wereld in actie te zien. Toen ik in de finale de top van mijn route bereikte en mijn vijfde en laatste zege boekte in dit 'Rock Master'-toernooi, gaf dat een gevoel van kalme voldoening.

Hoewel ik me sterk en goed gemotiveerd voelde aan het einde van het wedstrijdseizoen, won ik de volgende wereldbekerwedstrijd in Neurenberg niet won. Het leek ironisch dat ik opnieuw werd gediskwalificeerd op grond van een onbenullig regeltje. Volgens de voorschriften moesten we de laatste karabiner inhaken terwijl we de laatste greep van de route vasthielden. Maar toen ik boven kwam, was ik zo opgelucht en enthousiast dat ik spontaan de top van de wand greep om me vast te houden voordat ik de laatste karabiner inhaakte. Dat foutje betekende diskwalificatie, waardoor ik de superfinale tegen Robyn Erbesfield misliep.

Dit incident en mijn ervaringen in de laatste paar wereldbekerwedstrijden van dat jaar sterkten me in mijn overtuiging dat ik niet langer op mijn plaats was in deze competities. Zelfs de stijl van klimmen in kunstmatige wanden leek zich steeds verder te verwijderen van mijn eigen natuurlijke stijl. In de rotsen had ik geleerd mijn eigen persoonlijke maten aan te passen aan de subtiele kenmerken van de wand. Omdat kunstmatige wanden per definitie beperkt zijn qua vorm en detail, bieden ze veel minder vrijheid van expressie. De stijl die ik qua jaren van rotsklimmen had ontwikkeld paste niet langer in die wereld en ik had geen zin om me aan te passen. Als jeugdig turnster had ik me ooit verzet tegen de structuur en kunstmatige reglementen van het wedstrijdregime. Nu verzette ik mij weer. Het hoorde bij mijn spontane, intuïtieve aard om de juiste tactiek te bepalen terwijl ik aan het klimmen was, in plaats van de wand van tevoren door een verrekijker te inspecteren, zoals veel wedstrijdklimmers deden. Ik probeerde de tijdslimieten te negeren en mijn natuurlijke klimstijl vol te houden, maar dat was niet altijd een garantie voor de overwinning. Bij een van de laatste wedstrijden van het jaar, in het Oostenrijkse St. Polten, werd ik vlak voor de top van de route door de jury 'uitgeteld'. Op dat moment wist ik dat mijn 'tijd' in het wedstrijdcircuit erop zat.

Tegen het einde van de op één na laatste wedstrijd van 1992, in het Franse Laval, stond al vast dat ik de wereldbeker niet zou winnen. Mijn vriendin Robyn Erbesfield had genoeg punten verzameld voor de eindoverwinning. Sinds Robyn en ik voor het eerst samen hadden geklommen wist ik dat zij het talent en de motivatie bezat om mij op te volgen in het wereldbekercircuit. We hadden zelfs gesproken over de dag dat zij op de hoogste plaats van het erepodium zou staan met de prijs. Ze had hard gewerkt om zover te komen en ik was blij dat we op die dag een gevoel van wederzijdse voldoening konden delen.

Hoewel ik niet won in Laval, kreeg ik toch een onderscheiding die een grote gevoelswaarde voor me had. Catherine Destivelle reikte me een prijs uit ter ere van de bekende schrijver Alfred Jarry, die in de stad Laval was opgegroeid. Hij had een figuur bedacht die Ubu heette. De prijs zelf was een klein beeldje van dat grappige wezen, met een kegelvormig hoofd dat een positieve visie op de toekomst moest symboliseren en concentrische cirkels op zijn buik die voor creativiteit en inspiratie stonden. Deze prijs was een passende bevestiging van mijn gevoelens op dat moment, en een kameraadschappelijk gebaar van Catherine.

Nadat Catherine zich in 1990 uit de wedstrijdsport had teruggetrokken had ze zich met verve op het alpinisme gestort. Ze volbracht een vrije beklimming van de Trango Tower in het Karakoram-gebergte in Pakistan – waar ze 512-touwlengtes klom, op een hoogte van bijna 6000 meter – en schreef een paar andere nieuwe 'eerste beklimmingen' op haar naam in de Himalaya, samen met haar man, Erik Decamp. Maar haar meest aansprekende prestatie was misschien wel haar wintertrilogie van drie solo's tegen de drie grootste noordwanden van de Alpen: de Eiger, de Bonatti-route op de Matterhorn en een twaalfdaagse soloklim op de Grandes Jorasses. Ik had bewondering voor de manier waarop ze was teruggekeerd naar de vorm van klimmen die haar het meest inspireerde. Hoewel ik niet naar het hooggebergte wilde vertrekken, zoals zij, voelde ik wel de behoefte om terug te treden uit de schijnwerpers van het wedstrijdklimmen en terug te keren naar mijn eigen wortels: het rotsklimmen.

De laatste wereldbekerwedstrijd van 1992, en de laatste grote krachtmeting uit mijn carrière, vond plaats in het Engelse Birmingham. Als afscheidscadeau na zeven jaar competitie wilde ik alles uit de kast halen en naar de hoogste top van de wand klimmen. In die tijd maakten de ontwerpers de laatste bewegingen van de klim al ongelooflijk lastig, vaak met een moeilijkheidsgraad van 5.13. Je moest echt vechten om bij die laatste greep te komen. In de wachtruimte voelde ik de nervositeit van de andere deelneemsters toen ze hun vaste rituelen uitvoerden: strekken, de randen van je schoenen schoonwrijven om de frictie te vergroten, en luisteren naar inspirerende muziek op je Sony-walkman. Maar ik voelde me heel ontspannen in de wetenschap dat dit voor mij het einde van een tijdperk werd.

De wanden tussen de wachtruimte en het podium met de

klimwand waren nogal dun en de reacties van het publiek op onze prestaties drongen duidelijk door. Als een klimmer de top van de route haalde, steeg er een luid gejuich op. Een paar minuten nadat Robyn was vertrokken hoorden we een teleurgesteld 'Aaahhh!' van het publiek, dus namen we aan dat ze al vrij laag tegen de wand was gevallen. Daarna was het de beurt aan Isabelle Patissier. Ze stond op en verliet de ruimte met sokken over haar klimschoenen om het kleverige rubber te beschermen als ze naar de wand liep. Lange minuten verstreken. Ze moest dus al redelijk hoog zijn. Maar opeens hoorde ik een 'Aaahh!' uit het publiek. Isabelle had niet de top van de route gehaald.

Mijn beurt kwam. Ik liep het podium op, bestudeerde een moment de klimwand en ging op weg. De bewegingen voor deze route waren technisch, inspannend en druisten tegen het evenwichtsgevoel in. Het leek wel of de Engelse ontwerpers me wilden confronteren met de routes waarmee ze zelf waren opgegroeid. Voortdurend moest ik me in de vreemdste bochten wringen en dreigde ik te vallen, zodat ik me soms alleen nog kon redden met een snelle sprong naar de volgende greep. Ik schudde de vermoeidheid uit mijn armen terwijl ik me vastklampte aan de kleine randen van het laatste overhangende obstakel. Toen zocht ik diep in mezelf naar mijn laatste krachten en concentratie, ik wierp me naar de hoogste greep en haakte de karabiner vast. Opeens werd mijn trance gebroken door een luid gejuich vanuit het publiek en voelde ik een geweldige vreugde.

De overwinning in deze laatste wedstrijd betekende veel voor me, ook al had Robyn die avond de wereldbeker gewonnen. Ik was blij dat ik nog een keer alles had gegeven, om het einde van een tijdperk en het begin van een nieuwe richting in mijn leven te vieren. Toen ik weer op de grond stond en me losmaakte van mijn touw, rende Robyn op me af. Haar prachtige, brede lach en haar uitgestoken armen die ze om me heen sloeg waren mij meer waard dan welke trofee ook.

'Lynn, je bent geweldig!' zei ze, terwijl ze me omhelsde.

Haar sportieve gebaar en haar vriendschap waren de meest positieve bekroning van mijn wedstrijdloopbaan. Robyn zou drie jaar achtereen de wereldbeker winnen. Ze trouwde met de Franse sportklimkampioen Didier Raboutou en ze hebben inmiddels twee kinderen. Maar toen we die avond het podium in Birmingham verlieten, arm in arm, en ik nog één keer omkeek naar die hoge, kunstmatige klimwand tussen een batterij van schijnwerpers, had ik een voldaan gevoel. Mijn ervaringen in de arena waren goed geweest, maar ik had geen spijt toen ik me omdraaide en afscheid nam.

12

De bevrijding

van de

Nose

Na mijn carrière in het wedstrijdklimmen keerde ik terug naar
mijn wortels als rotsklimmer – en
naar de rotsen van Moeder Natuur.
Nu ik Mass Critique had bedwongen wist ik dat ik misschien een
nog zwaardere route zou kunnen
klimmen als ik mijn visie wat ver-
breedde. Maar in plaats van mijn
inspanningen te richten op een route met een nog hogere technische moeilijkheidsgraad wilde ik me concentreren op beklimmingen met de hemel boven mijn hoofd en ruimte onder mijn
voeten. Het idee om een technisch bijzonder lastige route en een
route in een echte hoge wand te combineren begon vorm te krijgen in mijn hoofd.

De Nose op El Capitan

- Overhangende top
- Changing Corners
- Camp VI
- Glowering Spot
- Camp V
- Great Roof
- Camp IV
- Boot Flake
- Texas Flake
- Jardine Traverse
- Dolt Tower
- Stove Legs-spleten
- Stickie Ledge
- Derdeklas klim naar het begin van de eerste touwlengte

Toen ik in het begin van de jaren negentig weer in Californië terug was, ontmoette ik mijn vriend John Long. Terwijl we klimverhalen uitwisselden en over mijn toekomstplannen spraken, zei John: 'Lynnie, jij zou de eerste vrije beklimming van de Nose op El Cap op je naam moeten zetten. Dat is een van de laatste grote uitdagingen van het vrije klimmen in Amerika.'

Natuurlijk! John had gelijk. Dat was precies de uitdaging waar ik naar op zoek was. De Nose volgt een heel duidelijke lijn recht omhoog langs het midden van de grootste granietrots in Yosemite Valley en is misschien wel de beroemdste hogewandroute ter wereld. Klimmers probeerden al jaren om in vrije stijl naar boven te komen, maar enkele delen van de wand leverden grote problemen op die niemand nog had overwonnen. Hoewel het jaren geleden was dat John of ik die route had geklommen, herinnerden we ons allebei dat de grootste problemen bestonden uit smalle spleten en subtiele bewegingen. John wees naar mijn vingers en zei: 'Die dunne vingertjes van jou zijn het geheime wapen in de Nose.'

Met mijn achtergrond als traditioneel klimmer, plus mijn jarenlange ervaring met allerlei soorten rots, zou dit inderdaad de perfecte uitdaging zijn.

Een jaar verstreek, waarin ik heen en weer reisde tussen Amerika en mijn huis in Frankrijk. Toen, in 1992, kruiste mijn pad toevallig dat van Hans Florine, die me nonchalant vroeg of ik met hem een snelle eendagbeklimming van de Nose wilde proberen. Hans was een van de beste *speed-climbers* van dat moment. Bij wedstrijden won hij vaak de bij het publiek zo populaire snelheidsonderdelen waarbij twee klimmers tegen elkaar en tegen de klok streden op een wand met een gemiddelde moeilijkheidsgraad. Bovenaan moesten ze een bel luiden zodra ze de hoogste greep hadden bereikt. Hans had die snelheid ook vertaald naar het rotsklimmen en het zuivere kristallijne graniet van de Nose was zijn speelterrein. In augustus 1992 had Hans de Nose al zeven keer beklommen en ik vertrouwde erop dat hij de beste strategie had ontwikkeld voor het oplossen van tijdrovende manoeuvres als de pendel van de King Swing. Een snelle beklimming van de Nose is iets anders dan een vrije klim: een mengeling van vrije en artificiële technieken. Alles is in feite toegestaan. Om de bijna 900 meter hoge granietwand van El Capitan te bedwingen zal een klimmer in het algemeen hulpmiddelen gebruiken om langs de moeilijkste stukken te komen. Hoewel we een tijd van acht uur en veertig minuten noteerden, was snelheid niet mijn eerste zorg. Toen we in hoog tempo naar boven gingen probeerde ik me voor te stellen hoe het zou zijn om in vrije stijl langs het beruchte Great Roof en andere gedeelten te klimmen. Boven gekomen wist ik dat ik een geweldige uitdaging had gevonden. Misschien zou ik nooit slagen in een vrije beklimming van de Nose, maar terug te zijn in Yosemite, op een van de fraaist gebeeldhouwde rotswanden op aarde, was al de moeite waard en net zo prachtig als de route zelf.

De eerste die een serieuze poging deed tot een vrije beklimming van de Nose was een zekere Ray Jardine. Jardine, een ruimtevaartsysteemanalist uit Californië, had tussen 1970 en 1981 al zijn vrije tijd in Yosemite doorgebracht. Hij had een dichte baard en een hoornen bril, en leek daardoor een excentrieke professor. Maar met zijn sterke lichaam en zijn mentaliteit om grenzen te verleggen door nieuwe tactieken te ontwikkelen was hij een controversiële figuur onder de klimmers van Yosemite, die het lang niet allemaal eens waren met zijn stijl. Het is aan Jardine te danken dat het spleetklimmen een moeilijkheidsgraad van 5.12 bereikte en later verlegde hij de grenzen zelfs nog verder, met zijn eerste beklimming van de Phoenix, een rotsspleet van 5.13. Daarbij negeerde hij de voorgeschreven stijl uit die tijd, en het was ook Jardine die voor het eerst de kwestie van hang-dogging onder de aandacht van het publiek bracht. Jardines creativiteit bij het bedenken van manieren om steeds zwaardere beklimmingen mogelijk te maken bracht hem ook tot andere vernieuwingen, zoals de uitvinding van een hulpmiddel dat hij de friend noemde: een handig, geveerd klemapparaat dat zich uitzette als het in een spleet werd aangebracht. Uiteindelijk verkocht hij het ontwerp aan een Brits bedrijf, waarna de friends zo'n succes werden dat bijna alle klimmers ze tegenwoordig wel in een of andere vorm gebruiken.

In 1981 besloot Jardine dat een vrije beklimming van de Nose zijn meesterstuk moest worden. Vier maanden lang was hij ermee bezig. Maar in plaats van een meesterstuk werd het een grote controverse, volgens sommigen zelfs een schandaal – de reden waarom Jardine ten slotte uit Yosemite vertrok en met klimmen stopte.

De vrije route die Jardine in gedachten had noemde hij niet de Nose. Hij sprak over dit deel van de rotswand van El Cap als de 'Southwest Buttress' en hij had een route op het oog die hij de

Numero Uno noemde en die delen van de Nose moest combineren met nieuwe lijnen of secties van een aangrenzende artificiële route, Grape Race. Het resultaat, hoopte hij, zou een aansluitende vrije route tegen de grote wand zijn. Al eerder hadden klimmers als Jim Bridwell, John Bachar en Ron Kauk de meest voor de hand liggende spleten van de Nose in vrije stijl beklommen. Wat overbleef waren een paar artificiële gedeelten en pendel (waar een klimmer aan een touw langs een gladde rotswand zwaait), Great Roof en nog enkele andere steile stukken vlak bij de top. Jardine stuitte op een glad rotsgedeelte vlak voor de beroemde pendel van de King Swing, die het onderste met het bovenste deel van de wand verbindt. Toen hij vanuit het veldje beneden door een telescoop omhoogkeek, zag hij een rij grepen op weg naar een andere serie spleten, in Grape Race. Als hij die afstand van ongeveer tien meter kon overbruggen zou hij de eerste grote obstakels voor een vrije beklimming van de Nose hebben overwonnen.

'Nadat ik een paar dagen aan die oversteek had gewerkt, concludeerde ik dat het heel wat lastiger was [dan 5.11, een moeilijkheidsgraad die in die tijd ongeveer de bovengrens vormde]. Dus kocht ik een koudbeitel,' zei Jardine tegen de schrijver Eric Perlman in een interview in 1995 voor het blad *Rock and Ice*.

Volgens een logica die veel klimmers tegen de borst stuitte hakte Jardine een paar grepen in de wand door met de beitel kleine randjes in de rots te slaan voor zijn vingers en tenen. De oversteek die zo ontstond stelde hem in staat om zijwaarts over de wand naar Grape Race te klimmen. Die oplossing had een moeilijkheidsgraad van 5.12a. Volgens veel klimmers, onder wie ook ik, zou de oversteek ook wel mogelijk zijn geweest zonder die uitgehakte treden, maar dan was de moeilijkheidsgraad nog hoger geworden. Jardine heeft later toegegeven dat hij schrok van zijn eigen oplossing omdat de treden die hij maakte zo duidelijk kunstmatig waren.

'Was dit moreel verwerpelijk of schreef ik juist geschiedenis?' vroeg hij retorisch in een interview in 1995, en hij voegde eraan toe: 'Ik had een visioen van een niet al te moeilijke route op de Southwest Buttress van El Cap. Het ging me niet om de hoogste standaard maar om de diepere betekenis. Toen ik besefte dat het uithakken van treden niet de beste methode was, stopte ik met het project. Ik wist dat de tijd er nog niet rijp voor was. De ontwikkelingen eisten een vrije beklimming, maar ik beschikte niet

Simon Nadin wordt wakker in het bivak van Camp Five, in de Nose.
(ARCHIEF LYNN HILL)

over de technologie om de noodzakelijke grepen aan te brengen.'

Hoewel Jardine misschien zijn tijd vooruit was, zag hij niet in dat je bij een vrije klim je persoonlijke mogelijkheden en dimensies juist moet aanpassen aan de natuurlijke kenmerken van de rots, niet andersom. In 1981 vertrok Jardine uit Yosemite en liet hij de oplossing voor een vrije beklimming van de Nose aan anderen over.

Pas in 1991 namen twee talentvolle klimmers, Brooke Sandahl en Scott Franklin, de handschoen weer op. Via Jardines oversteek klommen ze een heel eind de wand in, maar Great Roof hield hen tegen. Onder Great Roof gekomen ontdekten ze dat de rots daar kletsnat was en dus moeilijk te beklimmen zonder hulpmiddelen. Het jaar daarop keerde Brooke naar Yosemite terug om een nieuwe poging te doen met Dave Schultz. Hoewel ze er niet in slaagden twee sleutelpassages van de route te overbruggen, baande hun visie wel de weg voor latere klimmers die het wilden proberen. Hun belangrijkste doorbraak was de nieuwe vrije variant op de laatste lengte, langs de spectaculair overhangende rand waar Harding die laatste dag van zijn historische eerst-beklimming in 1958 veertien uur bezig was geweest met het aanbrengen van vijftien mephaken en achtentwintig boorhaken.

Mijn terugkeer naar El Capitan was een soort thuiskomst, besefte ik toen ik in 1993 de wand beklom voor mijn eerste poging tot een vrije beklimming van de Nose. Zo'n twintig jaar waren verstreken sinds ik voor het eerst een glimp had opgevangen van deze geweldige rots, tijdens een kampeerweekend met mijn familie in Yosemite. Later, in 1979, zou El Cap mijn leven een nieuwe richting geven toen ik met Mari en Dean in drie dagen tijd de route artificieel volbracht. Dertien jaar daarna volgde een speed climb met Hans Florine, in iets minder dan acht uur. Nu, op mijn drieëndertigste, had ik me tot doel gesteld deze legendarische 900 meter hoge wand in vrije stijl te beklimmen.

Mijn partner was een Britse klimmer, Simon Nadin, een lange man met een zachte stem en een vrolijk gezicht, die ik in 1989 bij een wereldbekerwedstrijd had ontmoet. Dat jaar nam Simon voor het eerst aan wedstrijden deel. Tegen het einde van het jaar won hij de eerste wereldbeker uit de geschiedenis van de sport. Ik

Royal Robbins onder het Great Roof, in 1960. (TOM FROST)

voelde me op mijn gemak bij Simon en had respect voor zijn gereserveerde persoonlijkheid. Als klimmer was hij een natuurtalent. Niet alleen was hij een goede sportklimmer, maar hij had ook ervaring met gedurfde, op natuurlijke wijze gezekerde routes in Engeland. Net als ik had Simon leren klimmen in een traditionele stijl en was hij meer dan een sportklimmer. Toen Simon en ik elkaar toevallig tegenkwamen bij Cave Rock, aan de oever van Lake Tahoe, ontdekten we dat we allebei het plan hadden voor een vrije beklimming van de Nose. Hoewel Simon nog nooit een hoge wand had beklommen, vertrouwde ik hem wel als partner in deze reusachtige rots met zijn zwaluwen en slechtvalken. Binnen een uur na onze ontmoeting had Simon zijn terugreis naar Engeland uitgesteld. Vijf dagen later waren we al op tweederde van de wand en sliepen we op een richel onder de Great Roof.

Die ochtend werden we wakker in ons bivak, 600 meter boven de grond, in de eerste stralen van de opkomende zon. Toen we omlaagkeken leken de naaldbomen in de vallei niet groter dan kleine kropjes broccoli. Ondanks onze hoge positie en de felle zon had ik geen licht gevoel. Het had ons twee dagen gekost om dit punt te bereiken en nu, aan het begin van de derde dag, kregen we steeds meer problemen met de zwaartekracht. We hadden eenentwintig touwlengtes geklommen en de vorige dag waren we achttien uur onafgebroken in actie geweest, tot middernacht. Het vrije klimmen en de grote inspanning om twee touwen, een zware voorraad materiaal en een logge haulbag naar boven te hijsen maakten ons moe en suf. Toen ik opkeek naar het Great Roof boven mijn hoofd voelde ik mijn gezwollen handen kloppen met elke hartslag.

De lengte naar het Great Roof begint met een hoek in de vorm van een opengeslagen boek met een spleet in het midden. De rots aan weerszijden is glad en de spleet versmalt zich soms tot maar een halve centimeter. De hoek gaat ongeveer 30 meter steil omhoog, helt dan naar rechts en verandert in een groot 'dak' met de vorm van een granieten golf. Om er voorbij te komen moet een klimmer als het ware zijwaarts over die gladde wand 'surfen', met zijn of haar vingers in de rotsspleet erboven. Dit was een van de langste lengtes van de hele route en de indrukwekkende architectuur was even adembenemend als meedogenloos. Tot overmaat van ramp weerkaatste de rots ook de zomerhitte, zodat we baadden in het zweet.

'Ik geloof dat jij voorop mag naar het Great Roof,' zei ik, terwijl ik de spullen aan Simon overdroeg. We hadden beurtelings de leiding genomen.

'Ik zal mijn best doen,' zei hij zacht, met zijn aanbiddelijke Britse accent.

Simon maakte een sierlijke indruk toen hij driekwart van de lengte omhoogklom, spreidend met zijn voeten aan weerszijde van de spleet, zijn vingers erin verklemmend. Maar vlak voordat hij de onderkant van het Great Roof bereikte, stopte hij abrupt. Hij liet zijn gewicht in het touw hangen. 'De spleet is hier te smal,' riep hij omlaag. 'Ik kan nergens houvast vinden.'

Het was een geweldige teleurstelling om zo'n goede klimmer het onderspit te zien delven. Ik deelde zijn frustratie.

'Misschien heb jij een betere kans op dit stuk dan ik,' riep hij voordat hij zich naar het zekeringspunt liet zakken en de leiding aan mij overdroeg.

Dit was het gedeelte waar John aan had gedacht toen hij naar mijn kleine vingers had gewezen en had gezegd dat ze mijn geheime wapen vormden. Ironisch genoeg is mijn lengte van een meter vijfenvijftig vaak een nadeel bij een lastige route met veel lange strekbewegingen tussen de grepen, maar onder het Great Roof lag dat heel anders. Misschien zou mijn geringe lengte nu in mijn voordeel werken.

Toen ik bij het eerste moeilijke gedeelte onder het dak kwam, begreep ik meteen waarom Simon daar niet kon blijven hangen. Zelf kreeg ik mijn vingertoppen nog wel in een paar kleine openingen van de spleet, maar de wand aan weerszijden bood geen enkel houvast. Op een bepaald punt bevond de enige tree zich op schouderhoogte en moest ik mijn been met kracht omhooggooien om alleen maar mijn voet erop te krijgen. Onder het dak zelf moest ik met mijn hoofd diep onder de krul van deze granieten golf duiken, terwijl ik twee vingers van elke hand recht in de spleet boven mijn hoofd wrong. Om niet met mijn voeten van de gladde rots te glijden, moest ik loodrecht blijven ten opzicht van de wand, met mijn voeten plat tegen de verticale wand gedrukt. Er waren subtiele, tai-chi-achtige danspassen voor nodig om vanuit deze surfhouding opzij te schuifelen en mijn vinger- en teenbewegingen te coördineren. Nadat ik talloze combinaties met handen en voeten had uitgeprobeerd, had ik bijna geen kracht en coördinatie meer over. Ik wist dat een vrije beklimming van dit gedeelte mogelijk moest zijn, maar ik betwijfelde of ik sterk genoeg was om dat nog deze dag te volbrengen. We konden ons niet de luxe permitteren om de volgende dag terug te komen en het ontbrak me aan de energie om mijn tactiek nog verder te verfijnen. Mijn enige hoop om deze touwlengte vrij te klimmen bij mijn volgende poging was elke beweging zo subtiel en vloeiend mogelijk uit te voeren. Eerst daalde ik af naar het zekeringspunt om uit te rusten voor mijn laatste kans.

Na twintig minuten rust ging ik weer op weg. Ik voelde me verrassend sterk en lenig. Maar toen ik aan de moeilijkste bewegingen begon, klopte mijn timing niet en hield ik mijn lichaam verkeerd. Ik ramde mijn vingertoppen in een smalle opening van de spleet net toen mijn rechtervoet wegleed. Het volgende moment zeilde ik door de lucht, voordat het touw me opving en ik zijwaarts de hoek in zwaaide. Hijgend bleef ik hangen, 600 meter boven de grond, en liet me weer naar Simon zakken.

'Nog een keer. Dan gaat het wel beter,' zei ik – een mantra van hoop en wilskracht.

Terwijl ik uitrustte werden we gepasseerd door een groep Kroatische klimmers. Ze bewogen zich snel en klommen in traditionele, artificiële stijl. Beneden op het veld wierpen de naaldbomen al lange schaduwen over het gras. We hadden niet veel energie en daglicht meer over. Bij de volgende poging zou ik moeten slagen in de eerste vrije beklimming van deze touwlengte, anders moesten we ons hele plan maar opgeven en teruggaan.

Rustend aan het touw staarde ik door de vallei naar de wand van Middle Cathedral. Tegen de vlekkerige rots ontdekte ik een schaduwspel in de vorm van een hart. Ik ben altijd gevoelig geweest voor symbolen om me heen en dit hart op de rots herinnerde me aan mijn belangrijkste waarden in het leven en het klimmen. Mijn eigen ontwikkeling als klimmer borduurt voort op de ervaringen, passie en visie van anderen. Een vrije beklimming van het Great Roof was voor mij een kans om de macht van de vrije geest aan te tonen. Hoewel ik besefte dat ik in mijn vermoeidheid gemakkelijk zou kunnen vallen, voelde ik me tegelijkertijd vrij en sterk genoeg om nog een poging te wagen, met heel mijn hart en ziel. Het was de moeite waard. Deze beklimming was een deel van mijn noodlot en op de een of andere manier moest ik die geheimzinnige bron van energie aanboren waarmee een mens boven zichzelf kan uitstijgen. Ik zei niets over die gedachten tegen Simon, maar toen ik me weer omdraaide naar het dak wist ik dat het moment van de waarheid was aangebroken.

Zodra ik aan de moeilijkste bewegingen begon voelde ik mijn energie afnemen, maar mijn wilskracht sleepte me voorbij het punt waar ik de vorige keer gevallen was. Een paar centimeter voor het einde van de traverse gleed mijn voet weer weg en dreigde ik te vallen. Omdat ik in elkaar gedoken zat in een vreemde houding onder de overhang, sloeg ik met mijn hoofd tegen het dak, waardoor ik vreemd genoeg mijn evenwicht hervond. Ik ging weer door, strekte mijn rechterarm zo ver mogelijk uit en stak mijn vingers in een smalle spleet. Heel even wachtte ik om mijn ademhaling onder controle te krijgen en concentreerde me toen op de laatste bewegingen naar de zekeringsrand, waar een van de Kroatische klimmers met grote ogen toekeek. Hij was zojuist getuige geweest van de eerste vrije beklimming van de Great Roof en was net zo verbaasd als ik. Simon schreeuwde zijn gelukwensen naar boven en klom toen artificieel achter me aan.

Zonder dat hij iets hoefde te zeggen begreep ik hoe teleurgesteld hij was dat het hem niet was gelukt. Jaren later las ik een interview waarin Simon zijn gevoelens beschreef toen hij die dag mijn vrije beklimming van het Great Roof gadesloeg: 'We hadden nog maar één kans in de invallende duisternis. Ik deed mijn best om opgewekt te blijven en Lynns concentratie niet te verstoren. Teleurgesteld dat ik zelf al door het eerste obstakel was verslagen liet ik me niet troosten door een gewone beklimming van de Nose. Lynns geslaagde vrije beklimming was een geweldige inspiratie. Haar voeten gleden een paar keer weg, maar op de een of andere manier had ze genoeg reserves om het voor elkaar te krijgen.'

Dat betekende overigens niet het einde van alle problemen. Er was ook nog een lengte boven Camp Six, de Changing Corners, die nooit in vrije stijl beklommen was. De paar mensen die het hadden geprobeerd vertelden dat de belangrijkste grepen erg ver uit elkaar lagen. De kans was groot dat ik geen alternatieve route zou kunnen vinden om dit greparme stuk te beklimmen.

Om Simon een beetje op te beuren zei ik: 'Volgens mij heb jij meer kans om de lengte boven Camp Six vrij te klimmen. Ik heb van Brooke gehoord dat de afstanden nogal groot zijn, met bijna geen mogelijkheden ertussenin. Jou lukt het misschien, maar mij niet. Als dat zo is, kunnen we gezamenlijk de eerste vrije beklimming van de Nose op onze naam schrijven.'

Achteraf weet ik niet of Simon zich daardoor bemoedigd of juist geïntimideerd voelde. Hij knikte slechts, met gemengde gevoelens, en begon aan de volgende touwlengte. Die avond kwamen we nog wat hoger en bivakkeerden op de richel van Camp Five.

De volgende morgen sorteerden we ons materiaal en deelden ons laatste eten: ieder een halve energiereep en een dadel. We gingen van start voor de Kroatische klimmers uit. Het was Simons beurt om de leiding te nemen in een lastige lengte die de Glowering Spot wordt genoemd. Het bleek een slecht begin van de dag. Deze touwlengte volgt een beginnende spleet aan de linkerzijde van een met gras begroeide hoek – een waanzinnig stuk van technisch moeilijk spreiden, terwijl je vingers nauwelijks te verklemmen zijn. Dit gedeelte heeft een moeilijkheidsgraad van 5.12d en kan alleen worden gezekerd met kleine kabelstoppers, die je heel lastig in de spleet krijgt. Tegen het einde hoorde ik Simon steunen van vermoeidheid. Toen ik achter hem aan klom en probeerde niet uit te glijden tegen de rots, dook een van de Kroaten achter me op en klom artificieel achter me aan, dicht op mijn hielen.

Na achtentwintig lengtes arriveerden we om halftwaalf 's ochtends bij Camp Six, doodmoe maar met goede hoop dat we onze vrije beklimming zouden kunnen voortzetten. Brooke Sandahl had al een jaar eerder een vrije beklimming geprobeerd van de lengte boven ons hoofd door naar links af te wijken van de oorspronkelijke lijn, een steile wand in, en dan terug naar rechts over een glad gedeelte van de rots. Ik ging als eerste om de belangrijkste bewegingen te verkennen, maar dat viel niet mee. Om de sleutelpassage te beklimmen moest ik een kleine greep bereiken, een heel eind opzij, met geen treden voor mijn voeten. Langere klimmers konden op een klein rotskristal gaan staan, maar ik was te klein om vanaf dat punt de greep te bereiken, zelfs met gespreide armen in de houding van een kruis. Na een paar pogingen wist ik dat ik hier geen kans had. Simon ging als volgende. Hoewel hij die eerste lastige beweging wel kon maken, strandde hij op het tweede problcem, dat een acrobatische sprong naar rechts vereiste. Hij probeerde het wel, maar concludeerde ten slotte dat het te moeilijk was in zijn vermoeide toestand.

Als laatste mogelijkheid probeerde ik omhoog te klimmen langs de oorspronkelijke lijn die bijna alle klimmers de afgelopen vijfendertig jaar hadden gekozen, een ondiepe, naar rechts gerichte versnijding. De wanden aan weerskanten waren glad en ook de hoek zelf vertoonde nauwelijks enige vorm van een spleet. Het was ongelooflijk zwaar en we waren al gedemoraliseerd door honger en vermoeidheid. We hadden nog maar een paar uur dag-licht over voor het laatste gedeelte naar de top, dus moesten we de hoop op een volledige vrije beklimming maar opgeven. We hadden een dappere poging gedaan om de Nose vrij te klimmen, maar een stukje gladde rots van hooguit drie meter had ons de das omgedaan.

In de dagen daarna, tijdens een familiereünie in Idaho, dacht ik na over de bewegingen die ons hadden weerhouden. Die paar meter hadden op dat moment onoverbrugbaar geleken, maar bij nadere beschouwing, vanuit een fris perspectief, was ik ervan overtuigd dat het nog een poging waard was.

De week daarna keerde ik naar Yosemite terug met mijn vriend Brooke Sandahl, een talentvol en hartstochtelijk klimmer met een gereserveerd karakter. Hij bleek de ideale partner voor deze belangrijke beklimming. Toen hij als jongen leerde klim-men met zijn vader, vertelde Brooke me, had hij foto's gezien van de Nose en gedacht: *Ooit zal ik die route vrij klimmen.* En dat wilde hij nog steeds. We liepen vijftien kilometer naar de top van El Capitan, daalden langs een touw naar de lengte boven Camp Six af en bonden de strijd aan met dit raadselachtige traject. Brooke had een eigen variant bedacht, ik concentreerde me op de oorspronkelijke lijn. De klim door deze versnijding vereiste een mate van inventiviteit in de bewegingen die ik nog zelden was tegengekomen. Drie dagen lang waren we aan het werk en ten slotte had ik een cyclus bedacht die deed denken aan de chore-ografie van een bizar ballet – een wilde tango met mijn voeten, inspannende spreidpassen, ingewikkelde stappen naar achteren en gekruist, gecombineerd met lastige handposities. Ironisch genoeg werd ik hier niet belemmerd door mijn geringe lengte. De oorspronkelijke route bleek veel beter geschikt voor iemand van mijn postuur.

De hitte van september werkte niet mee, maar toch lukte het me de touwlengte te klimmen met maar één val. Brookes variant was geen succes, maar toen hij zag dat ik goede vorderingen maakte, sloot hij zich graag bij me aan om samen alsnog een poging te wagen de hele route vrij te klimmen vanaf de voet van de Nose tot aan de top. Een paar dagen later kwamen we terug, met voldoende eten en drinken. We waren ons allebei bewust van de harmonie van deze magische plek. Toen we bij het Great Roof aankwamen klom ik omhoog om me vertrouwd te maken met de

Brooke test zijn oplossing
voor de lengte van de
Changing Corners.
(LYNN HILL)

bewegingen en slaagde al bij mijn eerste poging. Daarna was het de beurt aan Brooke, voor het eerst sinds zijn beklimming uit 1991, toen de spleet kletsnat was geweest. Hoewel hij ervan overtuigd was dat een vrije beklimming mogelijk moest zijn, zou het hem die dag niet lukken, dus klommen we naar ons bivak op de richel van Camp Five. Aan het eind van dezelfde dag, nog soepel van een dagklimming klom ik de touwlengte van het Glowering Spot voor.

De ochtend van onze laatste dag werd ik wakker op de richel van Camp Five en staarde meteen omhoog naar de reusachtige versnijding de laatste tientallen meters naar de top. Daar, boven mijn hoofd, zag ik de lengte van de Changing Corners, die een beslissende rol zou spelen in het succes van onze poging. Ik had net gedroomd over een vrije beklimming van die touwlengte en verheugde me op wat er ging gebeuren. Het weer was koel en ik voelde me totaal ontspannen.

Zodra Brooke me had gezekerd begon ik aan de beklimming, in de wetenschap dat ik mijn bewegingen zou moeten uitvoeren volgens het exacte patroon dat ik al dagenlang in mijn hoofd had. Om de Changing Corners te overwinnen had ik een beweging bedacht met een bizarre kronkel, als de verdwijningstruc van een illusionist. Met een zorgvuldig gecoördineerde opeenvolging van voet-, hand-, elleboog- en heupbewegingen, spreidend in de ondiepe rotswanden van de versnijding liet ik mijn lichaam een draai maken van 180 graden.

'Je lijkt Houdini wel,' riep Brooke naar boven toen ik om mijn as draaide en me met mijn armen in evenwicht hield. Op het moment dat ik de standplaats bereikte, kon ik het nauwelijks geloven. We waren er nog niet, maar de volgende touwlengtes waren lang niet zo zwaar als deze lengte. Het is bijna onmogelijk om de moeilijkheidsgraad van zo'n lengte te bepalen. Zelfs nadat ik de lengte had gewaardeerd, zou ik nog zeggen dat de beste waardering zou zijn: 'Een, misschien twee keer in je leven.' Ik schatte de classificatie op 5.13b/c, maar het had ook 5.14b kunnen zijn. Scott Burke, die in drie jaar tijd 261 dagen had gewerkt aan zijn poging tot een vrije beklimming in 1998, zei in *Climbing*: '"Er zijn geen grepen." Hij beoordeelt de moeilijkheidsgraad rond de 5.14b. Op basis daarvan heeft de Nose een van de moeilijkste vrij geklommen lengtes niet alleen van Yosemite, maar ook van Amerika en is ook de moeilijkste vrij geklommen route van een dergelijke lengte van de wereld.'

Brooke schreeuwde me zijn gelukwensen toe, maar waarschuwde me ook: 'Er dreigt noodweer. We kunnen beter proberen om vandaag al naar de top te komen.'

Inderdaad pakten zich donkere wolken samen en de eerste regendruppels vielen al. Niets is zo ellendig als een slagregen op El Cap. Binnen een paar minuten verandert de hele rots in een gordijn van water en loop je als klimmer kans op onderkoeling.

De laatste touwlengte tot aan de top was een van de opwindende lengtes die ik ooit had geklommen. Bijna 900 meter boven de grond beklom ik een overhangende rand tegen een wand met een moeilijkheidsgraad van 5.12c – een spectaculaire manier om zo'n monumentale klim af te sluiten.

Boven op El Cap sloegen Brooke en ik ons bivak op en kropen bij het kampvuur naast Mr. Captain: een eerbiedwaardige oude jeneverbes, knoestig en verweerd door eeuwen van blikseminslagen en sneeuwstormen. Het noodweer dreef over en de nachthe-

In feeststemming met
Brooke Sandahl op de top
van de Nose, na onze vrije
beklimming in 1993.
(ARCHIEF BROOKE SANDAHL)

mel lichtte op met sterren en een stralende maan. We genoten
van de warmte van het vuur en praatten lachend over de mooiste
momenten van de klim. Het greep me geweldig aan dat de combinatie van onze dromen en inspanningen uiteindelijk tot dit historische moment had geleid. Hoewel Brooke alle lengtes, op twee
na, in vrije stijl had geklommen, was hij toch blij dat hij niet de
hele route vrij had geklommen. Als hij elke lengte vrij had
geklommen, was er niets meer overgebleven van het mysterie
van deze geweldige beklimming en zou hij niet hebben geweten
wat hij nu nog moest doen. Maar die avond, toen we in slaap vielen bij het licht van de sterren, hadden we allebei een gevoel van
voldoening, alsof alles wat we ooit hadden gedaan uiteindelijk
naar deze top had geleid.

Al sinds de beklimming door Warren Harding in 1958 wordt de
Nose door klimmers als een ijkpunt voor hun sport gebruikt. De
eerste eendaagse beklimming in 1975 vormde een maatstaf voor

snelheid. In de loop van de jaren werd dat record verscherpt van vijftien uur tot vier uur en tweeëntwintig minuten, een record van Peter Croft en Hans Florine in 1992. Dat bleef staan tot 2001, toen Dean Potter en Timmy O'Neill een nieuwe, ongelooflijke prestatie leverden van drie uur en vierentwintig minuten. De volgende uitdaging was een snellere of betere beklimming in vrije stijl. 'Perfect' betekende een vrije beklimming zonder te vallen, en bovendien on-sight, dus zonder voorafgaande informatie. Ongetwijfeld zal iemand daar ooit in slagen. Maar de gedachte om de Nose binnen één dag in vrije stijl te klimmen was een uitdaging van een heel andere orde.

Het idee om dat zelf te proberen speelde al lang in mijn achterhoofd. Ik had er vaak over gedacht om een film te maken over de geschiedenis en de mentaliteit van het klimmen, en toen ik dat voorstel besprak met een Franse filmproducent die ik op een festival bij Grenoble ontmoette, waren we het erover eens dat de Nose het ideale onderwerp zou zijn. In plaats van een gewone documentaire over een vrije beklimming van de Nose wilde ik een extra dimensie: een vrije beklimming binnen één dag. Met Brooke had ik er vier dagen over gedaan. Dit zou een totaal nieuwe uitdaging vormen, veel zwaarder dan wat ik ooit in mijn leven was aangegaan. Het werd een soort marathon, die alles zou vergen van de fysieke, mentale en emotionele ervaring die ik in ruim twintig jaar had opgebouwd. De extra prikkel om een film te maken van die gebeurtenis maakte de druk nog groter, maar zelfs als het me niet lukte, zou dat toch een interessant verhaal opleveren.

Omdat ik in de zomer wilde klimmen, begon ik al vroeg in de lente met mijn training. Ik rende en klom bijna elke dag en werd met de week sterker. Een klim van drieëndertig touwlengtes vergt een groot uithoudingsvermogen en veel kracht. Het lastigste deel van de Nose begint na ongeveer 600 meter klimmen. Terwijl ik oefende om met zo min mogelijk energie zoveel mogelijk te presteren ontdekte ik een nieuw bewustzijn bij het klimmen. Ik merkte hoe subtiele veranderingen in mijn houding van grote invloed waren op mijn bewegingen. Door me te concentreren op een 'zachte greep' en een 'ontspannen gezicht' kon ik ook beter de spieren ontspannen die ik bij mijn bewegingen nodig had. Door goed op mijn ademhaling te letten ontdekte ik dat ik bij het strekken moest inademen om meer kracht te zetten, en bij dynamische bewegingen was het juist nuttig om snel uit te ademen of te kreunen als een karateka. Ik probeerde mijn snelheid te benutten om in hoog tempo een reeks lastige lichaamshoudingen af te werken of van de ene naar de andere greep te springen om geen onnodige kracht te verspelen. Ook trachtte ik alle overbodige bewegingen tot een minimum te beperken om tot een 'rustpunt' te komen voordat ik een lastige manoeuvre begon. Al die maanden van training oefende ik me om geduldig en ontspannen te blijven in alle situaties die zich voordeden. Ik probeerde voldoende aandacht te schenken aan mijn intuïtie en te luisteren naar de natuurlijke intelligentie van mijn lichaam. Door die nieuwe invalshoek veranderde mijn hele benadering.

Wat het klimmen betrof wilde ik fit genoeg zijn om nog een 5.13b on-sight te kunnen klimmen als ik al een hele dag geklommen hád. Tijdens mijn training in de Provence, in Zuid-Frankrijk, klom ik ook een tijdje in de Gorges du Verdon. Dit diepe kalksteenravijn in het bergachtige zuiden was een ideale plek voor het oefenen van technische routes van veel touwlengtes. De plaatselijke klimmers in de Verdon wezen me een geschikte route om mezelf te testen. Mingus was een artificiële route van twaalf lengtes die nog nooit vrij was geklommen. De geschatte moeilijkheidsgraad lag rond de 5.13. Ik wilde de eerste vrije beklimming op mijn naam schrijven, binnen een dag. Het was een goed plan om de hele route on-sight te klimmen, maar ik dacht niet dat het zou lukken. Toen ik er toch in slaagde, zonder te vallen, wist ik dat mijn training vrucht had afgeworpen en dat ik klaar was voor de eendaagse vrije beklimming van de Nose.

Ik wist dat een vrije beklimming van de Nose binnen één dag een geweldige inspanning zou vergen, maar ik had nog onderschat hoe ingewikkeld het was om daar een film van te maken. Tot overmaat van ramp ontdekte ik op de dag van mijn vertrek naar Yosemite dat de Amerikaanse coproducent, die de Franse filmploeg bij de organisatie moest helpen, zich had teruggetrokken. Op dat moment nam ik niet alleen de verantwoordelijkheid op me voor de beklimming, maar ook voor de coproductie van deze documentaire – een grote logistieke opgave. Toen ik toevallig op een beurs in Salt Lake City de man tegen het lijf liep die oorspronkelijk voor de coproductie had getekend, vroeg hij me: 'Denk je echt dat je dit kunt?'

Een verontrustende vraag. Op dat moment had ik nog geen idee wat er allemaal kwam kijken bij de technische, intermenselijke en logistieke organisatie van het klimmen en filmen. Vanaf het begin leek al duidelijk dat alles wat mis kon gaan ook misgíng. De eerste dag van de opnamen weigerden de cameraman en de geluidsman zich langs een touw vanaf de top te laten zakken, omdat ze schrokken van die afgrond van duizend meter onder hun voeten. Een paar andere mensen op wie ik had gerekend gaven ook op het laatste moment niet thuis. Dan waren er nog de technische problemen met de camera, lege batterijen en andere kleine dilemma's die om een oplossing vroegen. Steeds als er weer een ander onverwacht probleem opdook, dacht ik bij mezelf: *Het hoort allemaal bij de klim. Ik moet geduldig blijven en gewoon doorgaan.*

De enige op wie ik altijd kon rekenen was mijn klimpartner Steve Sutton. Ik kende Steve al sinds mijn schooltijd, en zijn goede humeur en behulpzame houding waren een belangrijke troost en steun voor me. Hij had een grote ervaring als klimmer en kon elke lengte met halsbrekende snelheid afleggen terwijl hij ook nog al onze voorraden, ons eten en drinken in een kleine rugzak met zich meezeulde. Ondanks mijn vaste voornemen om positief te blijven onder de druk was ik al doodmoe voordat ik aan de klim begonnen was.

Achteraf gezien is het niet verwonderlijk dat mijn eerste poging om de Nose binnen één dag in vrije stijl te beklimmen mislukte. Ik ging van start op een bloedhete augustusdag en toen ik om halfeen 's middags onder het Great Roof aankwam, was het pijnlijk duidelijk dat ik een paar cruciale fouten had gemaakt. Na twintig touwlengtes was ik door mijn magnesium heen, hadden we bijna geen water meer en had de verzengende middagzon al mijn energie opgeslorpt. Mijn hoop om de Nose nog binnen één dag te bedwingen vervloog al snel toen ik vijfenhalf uur nodig had om langs het Great Roof te komen. Om zes uur 's avonds moest ik mijn vrije stijl opgeven en artificieel naar de top klimmen. Ik was zo uitgeput en mijn huid was zo geschaafd door al die scherpe spleten dat het me zelfs moeite kostte om met hulpmiddelen boven te komen. Tegen de tijd dat we de top bereikten, om negen uur 's avonds, was ik zo afgepeigerd dat ik eraan twijfelde of ik mijn plan ooit zou kunnen verwezenlijken. Maar ondanks alle tegenslagen gaf ik niet op.

Op 19 september, tien uur 's avonds, ging ik opnieuw op weg, nu zonder een filmploeg in de buurt. Bij het licht van de volle maan klommen Steve en ik lengte na lengte in de rustige nacht. Toen

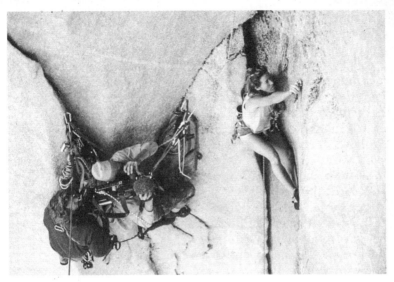

Jim Bridwell en Jean Afanassieff filmen me in de Nose, vlak voor de lengte naar de Changing Corners. (HEINZ ZAK)

we omstreeks halfnegen in de ochtend bij Camp Four aankwamen, sukkelde ik in slaap. Een minuut of tien, dacht ik. Opeens werd ik wakker en zag de zon net om de hoek komen. We moesten snel verder, nu het nog koel was onder het Great Roof. Ik voelde me sterk en zelfverzekerd aan het begin van de touwlengte, maar liep al snel tegen mijn eigen grenzen op toen ik aan de sleutelpassage begon. Ik kon nauwelijks mijn vingertoppen in de kleine openingen van de spleet krijgen en mijn voeten dreigden van de spiegelgladde wand onder het dak te glijden. Ik wist dat ik elk moment kon vallen en moest dus in beweging blijven; dat was mijn enige kans. In plaats van halverwege het dak te stoppen om een belangrijke zekering aan te brengen waagde ik het erop en klom gewoon door.

Om vijf voor halfelf in de ochtend stond ik verheugd op de standplaats. Al bij mijn eerste poging was ik in een perfecte stijl langs het Great Roof gekomen. Maar er kwamen nog meer lastige opgaven. Om twaalf uur, het heetste moment van de dag, begon ik aan de beruchte touwlengte van de Glowering Spot. Het werd een van de angstigste ervaringen van mijn beklimming. Dicht onder de sleutelpassage plaatste ik een kleine kabelstopper in de spleet, maar vlak voordat ik aan de moeilijkste serie bewegingen begon viel die belangrijke zekering eruit. Met de horizontale richel van de standplaats onder me was verder klimmen zonder enige beveiliging dus heel riskant, mocht ik vallen. Om de stopper terug te halen zou ik een lastige afdaling moeten maken naar mijn vorige zekering, wat me meer energie zou kosten dan ik me kon veroorloven. Gelukkig ontdekte ik een perfect spleetje om een van mijn twee overgebleven klemblokjes aan te brengen en dus klom ik verder langs de crux. Met nog maar één stopper over voor het bovenste gedeelte moest ik wel een groot stuk afleggen naar de standplaats. Het werden zenuwslopende momenten, maar tot mijn grote opluchting wist ik zonder te vallen de standplaats te bereiken.

Een uurtje later bevonden Steve en ik ons onder de sleutelpassage van de Changing Corners. Inmiddels was de rots te heet om nog vrij te kunnen klimmen. We besloten een paar uur op de richel van Camp Six uit te rusten totdat El Cap weer in de schaduw lag. We waren allebei doodmoe en strekten ons op de smalle rotsrand uit om onze kostbare energie te sparen. Steve keek om zich heen naar de warme lucht die van de rotsen opsteeg.

'Weet je, Lynnie, vanaf dit punt zouden we kunnen springen,' zei hij, doelend op een van zijn nieuwe passies: parachutespringen vanaf een hoge rots of toren, in plaats van uit een vliegtuig. 'Heel verleidelijk om gewoon te springen en door de lucht te zweven, vind je niet?'

'Op dit moment maak ik liever een vrije beklimming dan een vrije val,' antwoordde ik.

'Ik heb het gevoel dat deze beklimming je wel gaat lukken, Lynnie,' zei Steve bemoedigend, zoals altijd vol vertrouwen in mij.

Terwijl ik half-slapend op de richel lag, dacht ik aan al die mensen die me in mijn leven hadden geïnspireerd. Zo kon ik het geloof en de energie bewaren die ik nodig had om door te gaan. Voor mij was deze klim een soort 'performance art', een bewijs voor de waarden waar ik in geloofde. Juist door mijn vertrouwen in deze poging kon ik een bron van energie aanboren die veel groter was dan de mijne. Ik dacht aan wat ik had geleerd van een zeventigjarige Chinese chi-gong-meester die ik eerder dat jaar in Frankrijk had ontmoet tijdens een cursus vechtsporten. Aan het eind van het weekend had deze Chinese meester me gevraagd of ik met hem wilde armpje-drukken. Hoe ik ook mijn best deed, onze armen bleven onbeweeglijk overeind. Hij vroeg me waar ik aan dacht. Ik zei dat ik me erop concentreerde om zijn hand tegen de tafel te drukken. Toen ik hem vroeg waar híj dan aan dacht, antwoordde hij dat hij zich richtte op een oneindige bron van energie, ver voorbij deze tafel. Ik zag ook dat hij in de ruimte staarde, alsof hij in trance was. En zijn arm vormde een onwrikbare muur van kracht. Na afloop spraken we over mijn plannen voor een vrije beklimming van de Nose binnen een dag. 'Als je aan het klimmen bent,' zei hij, 'probeer je dan een energiebron voor te stellen die begint in het middelpunt van de aarde en zich boven de top van de berg tot in de oneindigheid uitstrekt.'

Rustend bij Camp Six, meer dan 750 meter boven de grond, had ik het gevoel dat de zwaartekracht was toegenomen naarmate ik hoger klom. Maar door me een machtige energiebron voor te stellen die tot hoog boven de top reikte, leek het of ik me kon laten meezuigen op die stroom.

Om halfzes lag het grootste deel van het traject in de schaduw en wilde ik weer verder. Toen ik aan de eerste serie lastige bewegingen begon, met mijn armen gestrekt als een kruis en mijn voeten ver uit elkaar op onbetrouwbare frictiepunten, voelde ik dat de rots nog steeds bloedheet was. Mijn handen gleden al weg. Ik paste ze samen in de binnenhoek van de gladde versnijding, wurmde mijn vingertoppen in de smalle spleet en draaide mijn lichaam de hoek in. Toen ik mijn vingers hoger in de spleet werkte, gleed ik plotseling weg en bleef aan het touw hangen. Het was mijn eerste val van de dag en ik was diep teleurgesteld dat ik mijn kans had verspeeld op een vlekkeloze klim. Ik bleef twintig minuten aan de zekering rusten, maar bij mijn tweede poging viel ik opnieuw. Toen ik het nog eens probeerde, gleed bij de tweede beweging mijn voet al weg. Bang dat mijn vrije klim opnieuw zou stranden besloot ik eerst even uit te rusten en mijn houding te veranderen voordat ik het nog eens waagde.

Terwijl ik aan de zekering hing, keek ik over de vallei naar Middle Cathedral en zag weer die hartvormige schaduw die me een jaar eerder had geïnspireerd bij mijn geslaagde beklimming van de Great Roof. De schaduwlijn lag nu wat hoger tegen de wand en onderstreepte de punt. Dit was het ideale moment voor een laatste, fanatieke poging. Toen ik de eerste inspannende beweging tot een goed einde had gebracht en me in de onzekere hoek klemde, bracht ik mijn voet omhoog naar de gladde rand van de hoek, terwijl ik me met de palm van mijn hand tegen de zijkant duwde. Omdat ik al een hoge prijs had betaald voor mijn ongeduld over de langzaam afkoelende rots, wist ik dat ik het nu rustig aan moest doen, om de volgende belangrijke 'Houdini-beweging' niet te overhaasten. Deze keer volgden de bewegingen elkaar vloeiend op en hoewel mijn beklimming was ontsierd door drie valpartijen, was ik toch erg blij dat het bij de laatste poging lukte. Vrij klimmen in deze touwlengte, in zo'n vermoeide toestand, bleek een grotere inspanning dan enige andere beklimming die ik ooit had gedaan.

Toen de avond viel had ik nog twee touwlengtes te gaan. Hoewel mijn spieren traag en log aanvoelden, was ik ervan overtuigd dat ik de energie zou kunnen vinden voor die laatste zware 5.12c-lengte. Bij het licht van een hoofdlamp reikte ik naar de rand van een overhangende rotspunt boven me. Toen ik die te pakken kreeg en mijn voeten los van de wand kwamen, sloeg er opeens een verontrustende vermoeidheid door mijn armen. Onmiddellijk concentreerde ik me op een kleine richel in de wand boven me. Het volgende moment wierp ik me omhoog en greep de richel met twee vingertoppen. En de nacht had nog meer lastige bewegingen voor me in petto. Bij de laatste overhang voelde ik me zo krachteloos dat ik op goed geluk naar een greep sprong. De leeglopende batterij van mijn hoofdlamp leek een weerspiegeling van de afnemende energie in mijn armen. Eindelijk, na drieëntwintig uur klimmen, bereikte ik de top.

Jim Bridwell en Hugh Burton wachtten ons op. Hun hoofdlampen wierpen een baan van licht door de nacht. Ik was in gedachten nog in een andere wereld, maar toch voelde ik me vredig en sereen. In mijn droomtoestand wist ik dat het onmogelijk was om alles te doorgronden wat ik tijdens deze klim had meegemaakt. Het zou me nog jaren kosten om de gebeurtenissen van die dag volledig te verwerken.

In de jaren sinds mijn vrije beklimming van de Nose heb ik tot mijn grote voldoening gezien dat ook andere klimmers de mogelijkheden van het vrije klimmen in de hoge rotsen van Yosemite en elders in de wereld steeds verder hebben uitgebreid. Er zijn nog andere routes op El Cap in vrije stijl beklommen, door de gebroeders Huber, Heinz Zak, Tommy Caldwell en Beth Rodden, maar de indrukwekkendste prestaties werden toch geleverd door Yuji Hirayama en Leo Houlding, die bijna volmaakte on-sight-beklimmingen uitvoerden van respectievelijk de Salathè Wall en El Niño.

Toen ik in het jaar 2000 terugkeerde voor een nieuwe beklimming van de Nose (deze keer niet volledig in vrije stijl), staarde ik met verbazing naar die sleutelpassages. Het vergt al genoeg energie en vastberadenheid om met hulpmiddelen tegen die reusachtige wand omhoog te komen. Nu ik de route weer terugzag en me herinnerde hoe moeilijk die vrije beklimming was geweest, besefte ik waartoe een mens met de juiste houding en motivatie in staat is. Zoals Ralph Waldo Emerson lang geleden al zei: 'Wat achter ons ligt en wat voor ons ligt zijn nietige zaken vergeleken bij wat ín ons schuilt.'

13

De cirkel is rond

Een paar maanden na mijn eendaagse vrije beklimming van de Nose raakte ik in een soort zwart gat en voelde ik me leeg en doelloos. Zoals Brooke al had voorspeld had mijn visioen me zoveel inspanning gekost dat ik na het succes een even grote terugslag kreeg. Hoewel ik wist dat ik nooit een zwaardere route dan de Nose zou willen klimmen, besefte ik ook dat de hoogtepunten van mijn sport verslavend werken en dat mijn behoefte om te groeien en nieuwe uitdagingen te vinden nog was toegenomen. De vraag was alleen: wat nu?

De Nose had mijn verlangen gewekt naar vrije beklimmingen op een grotere schaal. De volgende logische stap leek een lange vrije beklimming in het hooggebergte. Na Chucks dood op de Aconcagua in 1980 wist ik dat ik geen alpiniste was. Maar de gedachte om de prachtige flanken te beklimmen die je in sommige berggebieden tegenkomt sprak me erg aan. Omdat ik in Frankrijk woonde, waar de klimsport is verankerd in de lange en rijke historie van bergbeklimmen, kende ik veel klimmers met dezelfde ambitie. Een van hen was de Fransman Hugues Beauzile.

Ik ontmoette Hugues in 1993, toen hij me uitnodigde voor een feestje dat elk jaar wordt gehouden op een populaire rots in het zuiden van Frankrijk, de Claret. Dit feest, compleet met schijnwerpers voor nachtelijke beklimmingen en een dertig meter hoge bungeejump vanaf de rots, is een verjaardagsfuif ter ere van de 'vader' van dit klimgebied, Lucien Bèrardini. Lucien woonde in het naburige Montpellier en maakte naam met zijn eerst-beklimming van de zuidwand van de Aconcagua in 1954, dezelfde route waar Chuck de dood had gevonden.

Lucien, een energiek man van in de zestig, was als een vader voor Hugues. In 1989 had hij Hugues meegenomen naar de toen nog onontdekte rots boven het dorpje Claret. Samen en met hulp van vrienden hadden ze talloze sportklimroutes in de wand uitgezet, waardoor Claret uitgroeide tot een van de meest geliefde winterklimcentra in Zuid-Frankrijk. Na vier jaar rotsklimmen koos Hugues voor de uitdaging van het hooggebergte, net als zijn goede vriend Lucien. Zonder veel kennis of materiaal begon Hugues aan een winterbeklimming van de Pointe Walker in de Grandes Jorasses. De avond waarop hij in Chamonix aankwam ontmoette hij gelukkig een plaatselijke gids, Fred Vimal, die hem wat materiaal en advies gaf en hem schema's van de route liet zien. Hoewel Hugues last had van de koude wind, het slechte weer, honger en dorst, en aan zijn klim een paar lichtbevroren vingers overhield, was hij toch heel tevreden over zijn eerste ervaringen in het hooggebergte en verlangde hij naar meer.

Hugues had ambitieuze plannen en besefte dat hij meer oefening in hoge wanden nodig had, dus stelde Lucien een reis naar Yosemite voor. Hugues en Lucien beklommen de Nose op El Capitan met maar acht liter water bij zich. In hoog tempo (op de top lokte vers water) klom Hugues achtenveertig uur achtereen, dag en nacht. Toen Lucien in slaap viel bij het zekeren, trok Hugues, die vooropging, heel zachtjes aan het touw om hem niet wakker te maken!

Zijn volgende project was een solobeklimming van de Thomas

Gross Route in de westwand van de Petit Dru. Opnieuw liet hij zich deels inspireren door Lucien, die in 1952 dezelfde wand voor het eerst had beklommen. Op een dag, toen hij in gesprek was met een andere plaatselijke gids uit Chamonix, hoorde Hugues dat de Thomas Gross Route nooit was herhaald. Blijkbaar had de route dezelfde intrigerende reputatie als Thomas Gross zelf. Bij die epische eerste beklimming had Gross, een Tsjech, allerlei materiaal naar boven gesjouwd, waaronder zijn gitaar en een grote braadpan voor het bakken van de uien waar hij dol op was. Gross genoot van het leven en klom overal waar hij wilde, tot hij halverwege de jaren tachtig op mysterieuze wijze in het niets verdween tijdens een reis door India.

Hugues deed twee heldhaftige pogingen voordat hij eindelijk de route volbracht. De eerste keer ging het al mis voordat hij nog bij het begin van de route was aangekomen. Hij verstuikte zijn knie en verdraaide zijn heup toen hij uit een steil couloir sprong om een doodlopende impasse te vermijden. Bij zijn tweede poging, op de tweede touwlengte van de route, trok hij een grote steen los, die zijn been opensneed tot op het bot. Maar Hugues ging terug. Na een inspanning van negen dagen, met twee sneeuwstormen, voltooide hij de Thomas Gross Route, een prestatie die heel wat aandacht kreeg in de sportklimpers. Een foto van Hugues, genomen door een wederzijdse vriend en fotograaf die toevallig voorbijvloog toen Hugues onderweg was, verscheen op het omslag van *Vertical*. In het artikel over de beklimming werd Hugues afgeschilderd als de 'rasta van de bergen' (omdat hij dreadlocks droeg, als een soort fontein over zijn hoofd). Hij dronk overigens geen alcohol en gebruikte geen drugs.

In de tijd dat ik Hugues ontmoette was hij bezig met de voorbereidingen van zijn eerste trip naar een echt hoge berg. Het lag voor de hand dat hij de Aconcagua had gekozen en dat hij Lucien als partner meenam. Het moest een eerbetoon worden aan die eerstbeklimming, veertig jaar geleden. Voordat ze naar Zuid-Amerika vertrokken hadden Hugues en ik een gesprek in een café in Aix-en-Provence. Terwijl we over het klimmen en over de bergen praatten, speelde ik met een muntje van tien franc. Hugues sprak over zijn droom om nog eens met mij te klimmen – op de Trango Tower in Pakistan of de Eiger in de Zwitserse Alpen. Ik gebruikte het muntje als illustratie en schoof het naar de rand van het tafeltje.

'Ik probeer wel steeds mijn grenzen te verleggen, maar ik ben bang om over de rand te vallen als ik te ver ga,' zei ik.

Voordat het muntje op de grond viel griste Hugues het snel uit de lucht en legde het weer terug.

'Waarom ben je zo geïnteresseerd in extreme routes in de bergen?' vroeg ik hem.

'Ik geniet ervan om een soort staat van verhoogd bewustzijn te ervaren op zulke moeilijke momenten. Hoe groter de uitdaging, des te meer innerlijke kracht ik kan opbrengen,' zei hij.

Dat begreep ik. Maar diep in mijn hart had ik het gevoel dat Hugues ooit over de rand zou stappen. Hij was nog jong en voelde zich onkwetsbaar voor gevaren. Hij leek de geest van een dappere krijger te bezitten en ik was bang dat hij niet van de Aconcagua zou terugkeren, net als Chuck.

In januari vertrok Hugues naar Zuid-Amerika met Lucien. Ondertussen reisde ik met een diashow door Amerika. Op een morgen werd ik wakker na een vreemde droom, waarin ik vanuit de hemel neerkeek op een hoge, besneeuwde berg. Vlak bij de top lag een kruis plat in de sneeuw, met witte lichten eromheen. Het hele tafereel ademde een onverklaarbaar gevoel van vrede. Daarna werd ik wakker. Eerst wist ik niet wat de droom betekende, maar later die ochtend dacht ik aan Hugues en belde een vriend in Frankrijk om te horen of hij iets wist over de expeditie naar de Aconcagua.

'Hugues is al een week niet gezien,' antwoordde mijn vriend. 'Lucien wilde niet mee met Hugues naar boven, omdat de omstandigheden te gevaarlijk waren, maar Hugues besloot tot een solobeklimming. Lucien waarschuwde hem nog dat het zelfmoord was, maar hij ging toch.'

Toen ik de volgende dag met mijn broer Tom naar het vliegveld van Salt Lake City reed zwoer ik een eed dat ik nooit aan bergbeklimmen zou beginnen als Hugues op de Aconcagua was verongelukt. Na de landing in New York werd ik door mijn oude vriend Russ Clune van het vliegveld gehaald. In de auto keek hij me somber aan.

'Ik vind het vreselijk om het je te vertellen, maar ik heb bericht gekregen over je vriend op de Aconcagua,' zei hij.

Ik voelde een steek in mijn borst en wist al wat er komen ging. Ik had het al die tijd geweten. Alleen was het nieuws nu officieel bevestigd door reddingsploegen. Hugues was van uitputting gestorven nadat hij elf dagen in de zuidwand had doorgebracht. Hij moest zijn overleden in dezelfde nacht van mijn droom over de witte berg en het kruis. Later hoorde ik dat hij was gestorven in dezelfde route en waarschijnlijk maar een paar honderd meter van de plaats waar Chuck de dood had gevonden. Een paar jaar daarna, toen ik Reinhold Messners boek *Hoge toppen* las, had ik een griezelig gevoel van déjà vu bij zijn beschrijving van de dag waarop hij via de zuidwand naar de top van de Aconcagua klom:

> Ongeveer twintig meter beneden (de top) wapperden wat rafels. Ze hingen aan het lijk van een dode klimmer die voorover tussen de stenen lag, alsof hij daar in elkaar was gezakt en niet meer de kracht had kunnen vinden om zich voor te bereiden op de dood. Nu leek hij zelf een deel van de stenen, een rode heuvel tussen de rotsen. Nooit zou hij meer opstaan. Hij lag bewegingloos. Alleen de storm rukte aan zijn kleren. Misschien was hij een goede alpinist geweest, misschien wilde hij alleen maar even gaan zitten. Struikelen op deze hoogte kan al dodelijk zijn. Ik stond mezelf niet toe om te gaan zitten. Ik moest verder. Opeens doemde er een wit kruis voor me op. Het was ongeveer een meter hoog, vervaardigd van aluminium en verbogen door de wind. Ik stond op de top.

Had mijn hechte vriendschap met Hugues heel even voor contact gezorgd in zijn laatste momenten, toen hij tussen leven en dood zweefde? Ik zal het nooit zeker weten, maar Hugues' dood, net als die van Chuck, bevestigde mijn angst voor de bergen. Maar er bestond nog een ander gebied in de klimwereld, halverwege het ijzige hooggebergte – waar de wind het leven uit je vandaan kon zuigen – en de lagere rotsen in het dal.

Een van die plekken lag in de verre Pamir Alai, een deel van Kyrgizistan, een voormalige Sojvetsatellietstaat in Centraal-Azië en tegenwoordig een onafhankelijk land. Daar, in het verre rivierdal van de Karavsjin, zijn nog hogere rotsen te vinden dan in Yosemite, en het klimaat is mild. Russische klimmers kwamen er al twintig jaar en hadden routes uitgezet in de mooiste wanden, maar door het einde van de Koude Oorlog en de nieuwe, ontspannen betrekkingen met Rusland werd het ook voor Amerikaanse en andere westerse klimmers mogelijk hiernaartoe te reizen.

In 1995 sloot ik me als beroepsklimmer aan bij het North Face Climbing Team. Bijna onmiddellijk werd een expeditie voorgesteld van alle gesponsorde klimmers, met als doel de Karavsjin-vallei in Kyrgizistan. De wetenschap dat de weersomstandigheden in juli daar warm en stabiel waren en dat we geen sneeuw of ijs zouden tegenkomen op onze routes was een hele geruststelling voor mij. Het was ook een prettige gedachte dat mijn reisgenoten tot de beste alpinisten van Amerika behoorden: Alex Lowe, Kitty Calhoun, Jay Smith, Conrad Anker, Greg Child, Dan Osman en de fotograaf Chris Noble. Allemaal hadden ze toppen beklommen van Patagonië tot aan de Himalaya. Als ik meer over de bergen wilde weten, was ik in goed gezelschap.

Voor ons vertrek naar Kyrgizistan had ik in Chamonix al een paar routes op grotere hoogte beklommen met mijn vriend de Franse berggids François Pallandre. Hij leerde me de zuivere schoonheid van een route in de Alpen ervaren. Hoewel ik nog steeds moeite had met het koude weer en de objectieve gevaren van de bergen, begon ik te begrijpen waarom Chuck en Hugues zo gefascineerd waren geweest door de schoonheid van die grote hoogte. In Chamonix namen François en ik de gondel vanuit het dal en daalden dan op de ski's naar een rij scherpe torens af. Daar klommen we de hele dag tegen prachtig getekend graniet, voordat we via de Vallée Blanche terug naar het stadje skieden. Toevallig had François een paar jaar eerder ook in het gebied van de Karavsjin geklommen. Toen ik hem zei dat ik de kans had daarnaartoe te gaan, liet hij me spectaculaire foto's zien van de toppen die we zouden beklimmen en verzekerde hij me dat het een waardevolle ervaring zou zijn.

Ons team vloog van Californië naar Tasjkent, de hoofdstad van Oezbekistan. Daar troffen we onze Russische gastheren, laadden onze bagage in een helikopter zo groot als een schoolbus en staken de grens over naar Kyrgizistan. Beneden ons strekte zich een droog en dor land uit, voordat we met de Mi-8-helikopter een bergrug kruisten en landden op een veld naast de rivier de Ak Su. Hier kwam ons basiskamp. De helikopter vertrok weer. Toen we bezig waren onze tenten op te zetten kwam er een Kyrgizische herder te paard naar ons toe en verwelkomde ons met een vriendelijke grijns in zijn vallei.

'*Ak Su,*' zei de ruiter, wijzend naar de rivier. Die naam, zei Misja, de Russische bewaker van ons kamp, betekende 'helder water' in de taal van de half-nomadische Kyrgiezen. '*Kara Su,*' vervolgde de herder, wijzend over de heuvelrug en de reusachtige driehoekige granietwand die Peak 4810 werd genoemd. Het andere stroomdal, bedoelde hij, was de 'zwarte rivier', waar het water niet zo fris was om te drinken.

De hele maand dat we in deze vallei zouden bivakkeren waren we van alle radiocontact met de buitenwereld verstoken. Dat isolement gaf me een kwetsbaar gevoel. Als er iemand gewond zou raken, was medische hulp nog dagen ver weg. Maar mijn reisgenoten waren eraan gewend om in de meest afgelegen uithoeken te klimmen en te overleven. Alex Lowe was een ongelooflijk fitte figuur, die al overal ter wereld had geklommen. Hij was gids geweest op de Everest, hij had de zwaarste ijsroutes in Amerika en Canada geklommen en hij had zo'n onverzadigbare behoefte aan klimmen en trainen dat zijn vrienden hem de 'Fiend,' 'de maniak', noemden. Conrad Anker was een geharde veteraan van de grote beklimmingen in Alaska en Yosemite, die graag aquarelleerde als hij niet klom. Jay Smith had nieuwe routes geopend op de bergen van Alaska tot aan de Cerro Torre-groep in Patagonië. Met zijn hangsnor en zijn zwijgzame karakter beantwoordde hij helemaal aan het beeld van de stoere alpinist, en het verbaasde me niet te horen dat hij mariniers trainde in bergbeklimmen. Kitty Calhoun, met haar karakteristieke zuidelijke accent en haar schaterende lach, was de beste Amerikaanse vrouwelijke Himalaya-klimmer. Ze had de Dhaulagiri en de Makalu, twee 8000-metertoppen, beklommen. Greg Child, die ook aan meer dan tien Himalaya-expedities had deelgenomen, had op toppen als de K2 gestaan. Drie maanden eerder was nog hij boven op de Everest geweest. De waaghals van de groep was een stijlvolle vrijklimmer, Dan Osman – of DanO, zoals zijn vrienden hem noemden. Hij had zijn eigen sport ontwikkeld: touwvliegen, een soort kruising tussen parachute-springen en bungee-jumping. Je moest je met een gewoon klim-touw aan de top van een rots vastmaken en dan als een zwaan naar beneden duiken. Na tientallen meters trok het touw zich strak en stuiterde je omhoog. De laatste maar zeker niet de minste was Chris Noble, de fotograaf van de expeditie, die niet alleen overal in de wereld avonturenfoto's maakte, maar ook hoge toppen had beklommen zoals de Pumori in Nepal.

Tijdens mijn eerste route in de Karavsjin-vallei vormde ik een team met Greg voor een nieuwe route op Peak 3850, zo genoemd omdat de top 3850 meter boven zeeniveau ligt. Onze route volgde duidelijke spleten in een wand die de vorm van een grafsteen had. Hoewel het klimmen meeviel, moesten we toch voorzichtig zijn vanwege de losse stenen onderweg. Op onze tweede dag in de wand bleef het touw tussen Greg en mij achter een steen haken, die daardoor losraakte. Een fractie van een seconde later zagen we de steen naar Greg toe vallen.

'Ho, dat scheelde niet veel,' riep hij toen het vijfentwintig kilo zware gevaarte op een haar na zijn hoofd raakte. Daarna klom hij weer verder alsof er niets gebeurd was.

Ik had geen moeite met de gewone problemen van het klimmen, zoals het gesleep met de zware haulbag, het slapen op smalle richels of zelfs de lange wandeltochten met zware rugzakken, maar de kans om gewond te raken of in een noodweer te stranden in deze grillige rotswand beviel me toch minder. Bij de meeste vrije beklimmingen had ik de situatie grotendeels zelf in de hand. Hier was ik overgeleverd aan onvoorspelbare factoren.

Na drie dagen klimmen bereikten Greg en ik de top. We rustten een tijdje uit op de spitse rots die het hoogste punt vormde en zochten toen de weg omlaag. Aan alle kanten zagen we steile wanden, die duidelijk maakten dat de terugtocht een lange en ingewikkelde onderneming zou worden. Aan onze touwen – bevestigd aan een serie oude Russische haken – lieten we ons over de rand zakken. Afwisselend te voet of aan het touw daalden we zo'n driehonderd meter af naar een steile geul die uitkwam in het dal. De hele weg door die geul was er voortdurend beweging om ons heen van smeltsneeuw die kleine stenen deed neervallen. Door die regen van stenen leek Peak 3850 bijna een levend wezen.

'Blijf dicht bij de wand, uit het midden van de geul vandaan,' adviseerde Greg, net toen er een lawine van stenen voor ons uit tegen de sneeuwhelling kletterde.

Ik hield me aan zijn advies en volgde hem toen hij van rotsblok naar rotsblok rende, alsof hij dekking zocht tegen vijandelijk vuur. Een paar seconden nadat ik een open stuk was overgestoken schoot er een steen zo groot als een grapefruit langs me heen en sloeg kapot tegen de rots.

'Gaat het hier altijd zo?' vroeg ik.

'Je raakt eraan gewend,' antwoordde Greg.

Ik was er niet van overtuigd dat ik ooit gewend zou raken aan zulke gevaren, maar na een paar dagen rust had ik toch weer zin in een nieuwe route. Deze keer besloten Greg en ik de Perestroikaspleet op een berg die 'Russian Tower' werd genoemd. Russen hadden die route beklommen in de tijd van Mikhail Gorbatsjov. Volgens mijn vriend François, die een paar jaar eerder dezelfde route had beklommen, was het een van de beste routes in de vallei. Hij had geklommen in 'vrijeteamstijl', wat inhoudt dat alleen de voorklimmer vrij klimt en de tweede man het materiaal en de bivakzak meeneemt terwijl hij met stijgklemmen volgt. Dit is een logische en snelle stijl voor in de bergen, waar tijd kostbaar is. Maar voor mij, als een klimmer die meer in esthetische aspecten geïnteresseerd was dan in het bereiken van de top, miste het de schoonheid en het vloeiende ritme van het vrije klimmen. Nadat ik binnen één dag de Nose vrij had geklommen, wilde ik de voldoening smaken van het honderden meters bewegen over rotsen.

François had me zijn schetskaart van de route gegeven, een 'topo', zoals klimmers dat noemen. Terwijl we in en om het basiskamp rondhingen bekeken Greg en ik de kaart en bestudeerden de wand door onze verrekijkers.

'Het grootste deel van die route is 5.10 of 5.11. Er is maar één 5.12b-lengte. Laten we het hele stuk in vrije stijl proberen, niet alleen de voorklimmer, maar ook de ander,' stelde ik Greg voor.

'Goed, ik zal het proberen,' antwoordde hij. Ik hoorde iets sceptisch in zijn toon, alsof hij dacht dat we te veel hooi op onze vork namen tegenover dit reusachtige blok graniet.

Om halftwee in de nacht vertrokken we uit het basiskamp, werkten ons omhoog door een geul en bereikten om vier uur de voet van de wand. Tegen zonsopgang hadden we de eerste vier lengtes geklommen en kwamen we bij een richel waar Chris Noble en Dan Osman hadden geslapen. Ze wachtten ons op om foto's te nemen van Greg en mij terwijl we langs de opvallende spleet klommen die de wand de volgende 150 meter in tweeën deelde. Toen ik Chris passeerde merkte ik dat het licht van mijn voorhoofdlamp zwakker werd.

'Kan ik jouw batterij lenen? De mijne raakt leeg en ik denk dat ik wel een nieuwe kan gebruiken daarboven,' zei ik. Waarschijnlijk zou het al donker zijn voordat we de top te zien kregen.

De dag vloog om terwijl we de ene lengte na de andere klommen. We klommen afwisselend voor en tegen de schemering hadden we de lastigste sleutelpassages al gehad. Maar toen het echt donker werd waren we nog altijd een heel eind van de top. Hangend aan de zijkant van de rots haalde ik de topo weer uit mijn zak.

'Volgens deze schets hebben we nog vier lengtes te gaan tot aan de top,' zei ik.

Greg legde zijn hoofd in zijn nek en tuurde omhoog naar de donkere lucht. 'Nee,' zei hij beslist, 'die topo klopt niet. Het moet veel verder zijn dan vier lengtes. We gaan morgenvroeg wel verder.'

'Volgens mij zijn we er zo,' hield ik optimistisch vol.

Ik was ervan overtuigd dat we nog maar een paar uurtjes hoefden te klimmen, maar de avond werd een lange nacht. Vlak na zonsondergang raakte ik verdwaald op een kaal gedeelte toen de

Beklimming van de Perestroika-spleet op de Russian Tower in Kyrgizistan.
(GREG CHILD)

spleet waarlangs ik klom zich versmalde tot een dunne naad. Klimmend op intuïtie zocht ik op de tast mijn weg over de wand en vond ten slotte een ander spletenstelsel rechts van ons. Daarna ging Greg voorop tegen een slecht gezekerde, overhangende dakspleet waaruit water druppelde.

'Wat heb ik misdaan om een natte en overhangende rots te verdienen, bij het licht van een zaklamp, om twee uur in de nacht?' riep Greg omlaag naar me.

'Daar weet je alleen zelf het antwoord op,' riep ik terug vanaf de standplaats.

Ik hoorde hem steunen en kreunen, daarna de echo van een klap toen hij zijn hand op een richel sloeg die het einde van de touwlengte markeerde.

'Dat scheelde weer niet veel,' zei hij toen ik me bij hem voegde.

Op dat moment leek mijn doelstelling om de hele route vrij te klimmen nogal kunstmatig en onzinnig. Vanaf de eerste dag dat ik met klimmen begon was ik van mening geweest dat de stijl waarop je naar de top klom veel belangrijker was dan de top zelf. Maar hier besefte ik dat je gewoon moest proberen om zonder kleer-

277

scheuren boven te komen. Toch kon ik me er niet van weerhouden elk onderdeel van deze route vrij te klimmen. Greg was zo verstandig daar om twee uur 's nachts mee op te houden. Om tijd te winnen kwam hij me met stijgklemmen achterna als ik weer een lengte had geklommen. Om drie uur stelde hij voor ermee te stoppen en een slaapplaats te zoeken.

'Ik heb het te koud om te stoppen met bewegen en we hebben geen richel om op te slapen. Het lijkt me nu gemakkelijker om door te gaan dan ermee op te houden,' drong ik aan.

Greg haalde zijn schouders op en we gingen verder. We hadden geen eten en onze enige warme kleding bestond uit sweaters, lichte regenjacks en bivakzakken. Algauw raakte ik op elke standplaats in een gevaarlijk slaperige toestand. Het enige dat me nog wakker hield was de kille wind en feit dat de touwen steeds in de war raakten. In de kleine uurtjes van de nacht hoorden we het gerommel van een zware steenlawine aan de andere kant van de vallei. We zagen de vonken uit de rotsen slaan en de branderige kruitlucht van gebroken stenen zweefde naar ons toe. Toen de zon zijn eerste stralen over de bergen wierp klom ik de laatste meters naar de top. Even later stond Greg naast me, huiverend en met verdoofde voeten.

'Je had gelijk. We zijn pas 's ochtends vroeg bij de top gekomen. Maar in elk geval kunnen we nu een paar uurtjes slapen in de zon,' zei ik schaapachtig.

We hadden achtentwintig uur aan één stuk geklommen en we waren bekaf. Het was een opluchting om onze klimschoenen te kunnen uittrekken. We kropen in onze GoreTex-bivakzakken en sliepen drie uur. Halverwege de ochtend was het warm genoeg om uit de bivakzakken te komen voor de lange afdaling. Een groot puinveld leidde naar een geul achter de Russian Tower en mijn benen trilden van vermoeidheid toen we afdaalden, het ene uur na het andere. Ik zag verbaasd hoe Greg zich naar beneden leek te werpen langs deze grillige, rotsachtige helling. Op zijn hakken gleed hij over de steentjes. Op die manier schoot hij snel op, maar zo'n primitieve methode stuitte mij als vrije klimmer tegen de borst. Om niet te vallen of een enkel te verstuiken probeerde ik mijn voeten zorgvuldig neer te zetten. Dat duurde natuurlijk langer. Greg genoot juist van de manier waarop hij over dit oneffen terrein naar beneden suisde.

'Ik zal nooit een alpinist van je maken als je doorgaat met al die controle en precisie. Dat is leuk en aardig voor een 5.14, maar in de bergen moet je gewoon glijden en buffelen. *Yahoo!'* schreeuwde hij en hij verdween weer in een wolk van stof.

Hoewel ik me al niet thuis voelde bij de zware en gevaarlijke afdaling na deze beklimming, werd ik pas echt nerveus van wat er gebeurde op mijn volgende tocht, drie dagen later. Alex, Greg, Conrad, Dan en ik bevonden ons vlak bij de top van een spectaculaire route van dertien lengtes op een berg die in het Russisch Ptitsa, 'de Vogel', heette. Halverwege de middag kwam er noodweer opzetten. Begeleid door zware donderslagen begonnen we aan de afdaling vanaf de messcherpe top. Honderdvijftig meter lager voelde ik een tintelende sensatie over mijn ruggengraat.

'Liggen! Rol je op tot een bal!' riep Greg.

Een zoemend geluid als van een zwerm bijen trok over ons heen. Al mijn haren stonden overeind.

'Wat is dat?' vroeg ik.

'Elektriciteit,' schreeuwde Alex. 'Blijf liggen, anders word je misschien geëlektrocuteerd!'

Het geknetter van de atmosferische lading nam weer af. We stonden op en daalden haastig af vanaf de rotsen naar een steile sneeuwhelling. Mijn metgezellen leken eraan gewend om zonder touw door de sneeuw te klauteren, maar ik was bang voor de gevolgen van een misstap. Een val zou hier dodelijk zijn.

'Kunnen we ons niet aanbinden?' vroeg ik aan Greg, voordat het tot me doordrong dat we ons niet eens aan de wand konden zekeren.

'Te langzaam. We moeten uit die elektrische storm vandaan zien te komen voordat er iemand wordt getroffen,' zei hij.

Hij gaf me een pickel en zei dat ik in zijn voetstappen moest volgen, die hij duidelijk zichtbaar in de sneeuw zette. Net toen ik dacht dat we veilig waren, hoorde ik Conrad, die achter ons liep, roepen: 'Pas op!'

Ik keek omhoog, net op tijd om een witte golf te zien naderen. Een lawine! Een zware berg sneeuw sloeg tegen me aan en wierp me ondersteboven. Ik ramde de punt van de pickel in de sneeuw, maar hij kreeg geen vat op het zachte, door de zon verwarmde oppervlak. Ik gleed vijfentwintig meter door voordat ik bleef liggen, vlak bij een diepe spleet in de helling. De anderen leken het allemaal heel gewoon te vinden, maar ik wist weer waarom ik zo bang was voor het hooggebergte.

Na deze ervaring had ik graag een paar dagen uitgerust, maar met nog maar zes dagen te gaan voordat de helikopter ons terug zou brengen naar Tasjkent hadden we net genoeg tijd voor nog een beklimming. De hoogste berg in de vallei was Peak 4810, en Alex stond te popelen om naar boven te gaan. Ik had groot respect voor zijn kennis en oordeel als klimmer en zijn enthousiasme werkte aanstekelijk. Toen hij dus voorstelde om samen een team te vormen kon ik die kans niet voorbij laten gaan. Alex had een foto van de westwand van de 4810, die hij van een paar Russische klimmers had gekregen. Er liepen drie artificiële routes in de 1200 meter hoge rotswand, maar we wilden een vrije beklimming proberen – de eerste. Deze keer begreep ik dat snelheid heel belangrijk was en de 'vrijeteamstijl' de meest logische benadering. De voorklimmer zou elke lengte vrij klimmen, terwijl de volger aan de stijgklemmen de zware rugzak met de spullen omhoogbracht. Ter wille van de snelheid namen we zo weinig mogelijk materiaal en water mee, in de hoop dat we op de richels van de bivaks wel voldoende sneeuw zouden tegenkomen. Licht klimmen, was Alex' devies. 'Draag maar gympen,' zei hij daarom, 'geen wandelschoenen.' Maar een paar dagen eerder was een van mijn sportschoenen weggedreven toen ik ze schoonspoelde in de rivier. Daarom trok ik maar één wandelschoen en één sportschoen aan.

Na een urenlange wandeling langs de rivier de Ak Su en een oversteek van de pas naar de volgende vallei, ontmoetten we een plaatselijke Kyrgizische familie van wie we wat plat brood en yakyoghurt kregen. De communicatie bleef beperkt tot eenvoudige woorden en gebaren, maar het was duidelijk dat wij net zo nieuwsgierig waren naar deze nomadische familie als zij naar deze westerlingen. Na een korte rust liepen we nog twee uur verder voordat de voet van de westwand in zicht kwam. We brachten een onrustige nacht door onder aan de indrukwekkende, 1200 meter hoge zilvergrijze rotswand. Bij het eerste licht waren we al wakker. We staken een sneeuwveld en een brede spleet over voordat we de voet van de wand bereikten. We wisten niet precies waar die drie routes begonnen, dus kozen we voor het enig duidelijke spletenstelsel dat vanaf de grond begon. Alex ging voorop bij de eerste lengte en volgde de spleet naar een richel, waar ik het overnam. Het was duidelijk dat we op koers zaten toen we een kleine boorhaak in de rots vonden, maar we hadden geen idee hoe de route nu verder liep. Misschien hadden de Russen de haak wel gebruikt om naar een ander spletenstelsel te pendelen. Maar we wilden een vrije beklimming proberen, dus besloot ik een natuurlijke rand te volgen die

Alex Lowe, uitrustend op de richel van ons eerste bivak op Top 4810. (LYNN HILL)

diagonaal naar rechts liep over de wand. Toen ik met voorzichtige frictiebewegingen op weg ging langs deze rand, besefte ik dat ik me minstens tien meter lang zonder zekering zou moeten redden.

'Het lijkt me nogal glad en gevaarlijk,' riep ik omlaag naar Alex, 'maar ik denk dat het wel mogelijk is langs deze kant vrij te klimmen.'

Ik ging verder. Maar het viel niet mee om te klimmen met klimschoenen die iets te groot waren en ook nog twee touwen en zwaar materiaal. De kans om te vallen en gewond te raken in deze wildernis zonder medische hulp was reden genoeg om voorzichtig te zijn. Tegen de tijd dat ik een tussenzekering in een spleet had kunnen aanbrengen, 12 meter hoger, waren mijn armen al verzuurd. De wand boven ons leek zelfs nog steiler en lastiger. Na een paar krachtige bewegingen over een klein dak vond ik tot mijn opluchting een perfecte richel voor een standplaats. Het was nog maar de tweede lengte van de route en ik maakte me zorgen over wat ons misschien nog te wachten stond. Daarna was het Alex' beurt om voorop te gaan in een steile, natte wand met weinig beveiliging. Als hij de eerste paar meter was uitgegleden, zou hij boven op me

281

zijn gevallen. Maar ik had vertrouwen in hem en hij gedroeg zich alsof deze manier van klimmen niets bijzonders voor hem was. Het grootste deel van de tijd zochten we op goed geluk onze weg, vertrouwend op de intuïtie van jarenlange ervaring. Het leek alsof ons innerlijke kompas ons de weg wees naar de natuurlijke zwakte van de rots. Toen we vijf lengtes hadden geklommen kwam Alex weer naar de standplaats en vroeg: 'Waar is het tweede touw?'

'Dat zat hier aan de standplaats. Heb jij je niet aan de andere kant ervan aangelijnd?'

'Nee. Dan raakt alles zo in de war.'

Blijkbaar had ik het touw niet aan het zekeringspunt bevestigd, of anders had Alex het in zijn haast weer losgemaakt. Hoe het ook zij, we hadden ons belangrijke tweede touw verloren. De afdaling zou daardoor veel gevaarlijker worden. Normaal zouden we de twee 50 meter lange touwen aan elkaar binden en abseilen in stukken van 50 meter. Nu moesten we ons enig overgebleven touw dubbelslaan door de zekeringspunten en kwamen we per keer niet verder dan 25 meter. Dat kostte meer tijd en meer materiaal. Misschien zouden we zelfs stranden tussen twee beschikbare zekeringspunten. Doorgaan stond gelijk aan een oversteek van de Sahara in een jeep zonder reserveband.

'Omhoog of omlaag?' vroeg Alex.

'Omhoog,' zei ik.

'Juist. Dat was het goede antwoord,' zei hij, terwijl hij met jongensachtig enthousiasme zijn vuist omhoogstak.

We wilden geen van beiden op dit punt al opgeven, dus klommen we verder. Nu we definitief voor deze route hadden gekozen voelde ik me vreemd genoeg een stuk rustiger. Ik putte moed uit Alex' vertrouwen en zijn ongelooflijke snelheid in dit terrein.

De derde dag, om twee uur 's middags, bereikten we de top. De zon scheen op de Karavsjin-vallei en we hoorden het ruisen van de rivier die zich over de rotshellingen stortte. Stralend van plezier stond Alex op de top. In een oud blikje dat in een spleet was gestoken vonden we een 'topregister' van klimmers die hier voor ons waren geweest. Russen en Engelsen hadden deze berg in voorafgaande jaren al beklommen en nog maar een dag eerder hadden Jay, Kitty en Dan dit punt bereikt via een nieuwe route door de zuidwand. Omdat ze geen pen bij zich hadden, vertelden ze ons later, hadden ze de punt van een mes gebruikt, gedoopt in het bloed van een schram op Kitty's knie, om hun korte bijdrage te schrijven. De letters zagen er inderdaad merkwaardig uit. Ze gaven een korte beschrijving van hun nieuwe route en besloten hun tekst met de woorden: 'Het leven is *kaif*.' Dat woord hadden we van onze Russische gastheren in het basiskamp geleerd. *Kaif* betekende dat het leven goed was. We genoten met volle teugen daar in Kyrgizistan. Toen ik boven op die prachtige berg stond en opkeek naar de nog hogere, besneeuwde toppen die ons van Tadzjikistan scheidden, kreeg ik kippenvel.

Ik wist dat dit vermoedelijk de hoogste top was die ik ooit zou beklimmen en dat het tijd werd om de cirkel rond te maken in mijn leven. Ik dacht aan Hugues, aan Chuck en aan al die andere mensen die zo'n groot deel van mijn leven waren geweest. Ik had mijn grenzen verlegd zo ver als ik bereid was te gaan. Hoewel de mentaliteit van het klimmen voor mij altijd verbonden was geweest met de onverzadigbare behoefte om te leren en te groeien, had ik daarvoor geen hogere, langere of zwaardere routes meer nodig. Ik was nu in staat om méér te bereiken met minder. Als ik nu voor nog extremere ervaringen koos, zou ik steeds verder verwijderd raken van een harmonieus evenwicht in mijn leven. Hoewel ik mijn persoonlijke doelstellingen in het klimmen – het winnen van de wereldbeker, de vrije beklimming van de Nose, de overwinning op mijn angst voor het hooggebergte – had verwezenlijkt, had mijn bestaan als beroepsklimmer me ook verhinderd een stabiel privé-leven op te bouwen.

Ik genoot van het leven in Europa en kwam daar nog vaak, maar toch verkocht ik het jaar daarop mijn huis in Frankrijk en keerde naar Amerika terug omdat ik daar een betere kans hoopte te hebben om de balans te vinden tussen klimmen, persoonlijke relaties en een mogelijk toekomstige carrière.

In de loop van de jaren kwamen steeds meer bevriende alpinisten om het leven. Dans gevaarlijke stunts werden hem uiteindelijk noodlottig in 1998, toen hij meer dan driehonderd meter naar zijn dood stortte bij een poging tot de hoogste touwsprong die hij ooit had gedaan. Dan liet zijn stunts vaak filmen en ik had video's gezien van zijn riskante ondernemingen, zoals een speed climb op een rots van 120 meter hoog, zonder touw, binnen iets meer dan vier minuten. Bij die solo had hij een greep gemist, maar zichzelf nog kunnen redden door een milliseconde later een lagere greep te pakken en aan een arm te blijven hangen. Zijn laatste waagstuk, de hoogste touwsprong ooit, vond plaats van een rots bij Leaning Tower en de Bridalveil Falls in Yosemite. Hij was al dikwijls van deze rotsen af gesprongen en elke keer had hij het touw wat langer gemaakt. Zijn doel was een sprong van 300 meter. Hij had het systeem zorgvuldig en handig uitgewerkt, zodat hij langs de hele wand zou vallen, tot vlak boven de grond. Maar bij zijn laatste sprong die dag sloeg het noodlot toe en brak het touw op het zwakste punt: de knoop.

Toen ik in een vliegtuig het bericht over zijn dood las in het blad *Climbing* – DanO stond op het omslag – raakte ik in gesprek met een kleine jongen naast me, die geïnteresseerd was in die waaghals op de foto. Dus las ik de tekst hardop voor.

'Op 23 november stond DanO op de top van Leaning Tower in Yosemite, klaar voor de hoogste sprong ooit: een vrije val van ruim 300 meter. Hij belde zijn vrienden in Tahoe met zijn mobieltje en liet het aanstaan, zodat ze hem konden horen springen. Met een woeste lach telde hij af: "Drie, twee, één." Toen riep hij: "Tot ziens!" DanO's vrienden aan de telefoon hoorden de wind suizen toen hij zijn maximale snelheid bereikte, en daarna niets meer.'

'Cool!' vond de jongen.

'Ik vind het niet zo cool. Hij is dóód!'

De reactie van de jongen maakte me duidelijk hoe ver onze sport al over de grens was gegaan. Klimmen moest nu 'extreem' zijn om enige aandacht te krijgen van de media of de sponsors. Waaghalzen die verongelukten bij stunts die je alleen maar heel dom kon noemen, waren nu de helden van onze door beeldvorming beheerste maatschappij. Dan was een lieve, aardige en kinderlijke man met een heel roekeloze kant aan zijn persoonlijkheid. Stunts die de meesten van ons krankzinnig gevaarlijk leken, waren voor Dan dagelijkse kost. Dingen die voor de gemiddelde klimmer een hele uitdaging waren, verveelden hem. Hij zag niet hoe meedogenloos zijn eigen stunts konden zijn, en dat werd zijn dood. Die houding stond haaks op mijn eigen motivatie voor het klimmen. Ik hoefde niet te flirten met de dood. Ik was tevreden met de uitdaging van een vrije beklimming als middel om vrede en harmonie te vinden in mijn leven.

In Kyrgizistan wisten we allemaal dat Dan ooit te ver zou gaan. Tijdens die elektrische storm, toen we allemaal wegdoken om niet door de bliksem te worden getroffen, liep Dan nog gewoon rond en klaagde dat hij bijen hoorde zoemen in zijn helm. Greg, Alex en Conrad riepen dat hij moest gaan liggen om niet te worden geëlektrocuteerd. Om zo snel mogelijk weg te komen hadden we het touw laten hangen dat we aan de naaldscherpe top van de Vogel hadden gebonden. Die top fungeerde als een perfecte bliksemafleider, dus bleven we ver van het touw vandaan. Toen de storm afnam, daalden we verder, maar Dan wachtte tot wij vooruit waren en klom toen terug richting de top om het touw te halen. 'Ik laat me niet verslaan door de berg of door het weer,' verklaarde hij later toen we hem de huid vol scholden omdat hij het risico van een dodelijke schok had genomen.

Vooral Alex ging tegen Dan tekeer. Als het fout was gegaan, hadden wij allemaal terug moeten klimmen om hem te redden, dood of levend. Dus had hij iedereen in gevaar gebracht. Alex nam dat Dan hoogst kwalijk en hij en Greg zeiden hem dat ze nooit meer met hem wilden klimmen uit angst dat hij iets doms en gevaarlijks zou doen. Dan liet het somber over zich heen gaan. Hij kon niet bevatten waarom niemand iets begreep van zijn behoefte om de elementen te trotseren en te bestrijden.

Toen, in 1999, kwam Alex zelf om het leven bij een lawine in Tibet, toen hij onder de 8000-metertop van de Shishapangma skiede. Hij was op het toppunt van zijn kracht als bergbeklimmer. Hij had deelgenomen aan opvallende expedities, met bijbehorende films en websites, naar bergen als de Great Trango Tower in Pakistan en Queen Maude Land in Antarctica. Alex was een ster, een van de beste alpinisten ter wereld. Hij ging verstandig met zijn sport om, maar bracht zoveel tijd in de bergen door dat de kans steeds groter werd dat hij op een verkeerd moment op de verkeerde plaats zou zijn. De lawine waaronder hij werd bedolven maakte zich los vanaf de top van de Shishapangma, 1800 meter boven hem, en stormde in minder dan twintig seconden langs de wand naar beneden. Alex, de klimmer, cameraman David Bridges en Alex' veelvuldige partner Conrad Anker probeerden dekking te zoeken toen de duizenden tonnen sneeuw op hen af kwamen. Conrad schoot de ene kant op, Alex en David de andere. Het verschil tussen dood en leven was maar enkele stappen. Conrad dook weg achter een blok gletsjerijs en sloeg zijn pickel in de sneeuw. Wind en stukken ijs suisden langs zijn oren. Toen het voorbij was, riep hij meteen naar Alex en David. Maar er kwam geen antwoord. Conrad had twee vrienden verloren – onder wie zijn beste vriend – en Alex' vrouw Jenny en zijn drie kleine zoons moesten het zonder hun man en vader stellen. Maar het leven biedt soms hoop op een onverwachte manier. Twee jaar na Alex' dood trouwden Conrad en Jenny met elkaar. Conrad heeft zijn aandacht nu verlegd van het bergbeklimmen naar de opvoeding van de jongens.

Hoewel de tragedies van Dan en Alex, en van Chuck en Hugues, grote invloed hadden op mijn leven en me veel verdriet deden, had ik nooit de neiging om met klimmen te stoppen. Mijn uitstapje naar het alpinisme bevestigde mijn voorkeur voor de vorm van klimmen die mij altijd het liefste is geweest: vrij klimmen. In plaats van extreme avonturen te beleven in koude, onzekere gebieden, koos ik ervoor mijn ervaringen in de wereld te verbreden. Op mijn reizen van de afgelopen jaren heb ik geklommen op prachtige en vaak afgelegen rotswanden in Marokko, Vietnam, Thailand, Schotland, Japan, Australië, Zuid-Amerika en overal op het Europese continent. Ook heb ik een tijdje in Italië gewoond, waar ik de grote wanden van de Dolomieten beklom en talloze andere klassieke klimgebieden heb bezocht met mijn goede vriend Pietro Dal Pra, een van de beste klimpartners die ik ooit heb gehad. Tijdens onze gezamenlijke avonturen heb ik veel geleerd over de rijke klimhistorie van de Dolomieten. Bovendien spreek ik nu Italiaans en heb ik de banden met mijn andere vrienden in Italië – de plek waar mijn professionele carrière begon – weer aangehaald.

In de zomer van 1999 had ik de leiding van een klimexpeditie voor vrouwen naar Madagaskar. Op een dag zat ik op de top van een 600 meter hoge rotsformatie in de Andringitra-bergen, in de zuidelijke hooglanden van het eiland. Naast me zaten mijn partners Nancy Feagin, een vermaarde Amerikaanse rotsklimmer en alpiniste, en Kath Pyke, een traditionele rotsklimmer uit Engeland, die talloze eerste beklimmingen op haar naam had staan. De top bereiken van deze equatoriale berg op het op drie na grootste eiland ter wereld, voor de zuidoostkust van Afrika, was een nieuwe uitdaging geweest voor ons allemaal.

We hadden weken van intensieve, zware arbeid achter ons. We hadden een groot aantal boorhaken aangebracht in deze steile, bijna greeploze granietwand, terwijl we lengtes klommen met een moeilijkheidsgraad van soms wel 5.13d. De route die we zojuist hadden beklommen was misschien wel de moeilijkste die ooit door een vrouwenteam was gerealiseerd. Maar naast de voldoening over het klimmen zelf voelde ik me heel gelukkig dat ik in deze wonderbaarlijke wildernis zat, met al die unieke planten en dieren, een prachtige hemel en een plaatselijke bevolking die het contact met de aarde nog niet verloren had. Terwijl we samen de grote rode zonneschijf boven het landschap van de Andringitra-bergen zagen ondergaan, gingen mijn gedachten terug naar een klimexpeditie naar de baai van Ha Long in Vietnam, drie jaar daarvoor.

Op een van onze laatste dagen in de baai van Ha Long bezochten we de bewoners van een klein vissersdorp aan de Golf van Tonkin. Op hun vloot van ongeveer dertig schepen troffen we vrouwen die kookten, oude mannen die netten boetten en kinderen die van het ene dek naar het andere sprongen als de piraten die volgens de verhalen nog steeds op deze wateren rondzwierven. Bij een rondleiding over een van deze drijvende woningen liet onze gids ons hun boeddhistische altaren zien en legde uit hoe ze ceremonies en offerrituelen uitvoerden als eerbetoon aan hun voorouders en de familie-erfenis. Als burger van Amerika, een land dat een gefragmenteerde mengeling is geworden van zoveel verschillende culturen, werd ik geroerd door hun trouw aan oude familietradities en door hun vastberaden bescherming van hun cultuur en vrijheid tegen de druk van de moderne wereld.

Het contrast tussen onze verschillende culturen bleek vooral in een gesprek met Nguyen Mien, een van de vissers die had gezien hoe mijn partners en ik een paar woest gebeeldhouwde kalksteenwanden hadden beklommen die zich daar uit de zee verheffen. Via een tolk vroeg hij me: 'Wat zoekt u eigenlijk daar boven?'

Wij waren de eerste rotsklimmers die hij ooit had gezien en voor een gemeenschap van mensen bij wie alles om de visserij en een totaal andere manier van leven draaide, waren onze capriolen in de rots onbegrijpelijk.

'Eigenlijk niets. Ik klim voor mijn plezier. Het is een soort bewegingsmeditatie, te vergelijken met dansen of vechtsporten,' antwoordde ik, terwijl ik een tai-chipose aannam – een fysieke en culturele uitleg die hij volgens mij wel zou begrijpen. We moesten er allemaal om lachen.

Maar diep vanbinnen dwong Nguyens onschuldige vraag me toch om wat beter na te denken over de betekenis van zijn woorden. Veertig jaar eerder had de beroemde Franse alpinist Lionel Terray zijn memoires geschreven onder de titel *Les conquérants de l'inutile*. Klimmers identificeren zich vaak met de strekking van die raadselachtige titel. Immers, wat willen wij veroveren met zo'n beklimming van een berg? Een echte verovering is het natuurlijk niet als je de top bereikt. Veertig of honderd jaar geleden werd het nog als een overwinning van de mens op de natuur gezien om de top van zo'n berg te beklimmen en de moeilijke omstandigheden van die grote hoogte te overleven. Tegenwoordig hebben de moderne technologie en een uitvoerige verkenning van bijna alle uithoeken van de aarde onze interactie met de wereld totaal veranderd.

In een tai-chipose met nieuwe vrienden aan de baai van Ha Long. (BETH WALD)

Toch worden we kennelijk nog altijd gedreven door diezelfde onderzoekende geest.

Voor mij is klimmen een ontdekkingsreis die me inspireert tot een confrontatie met mijn eigen natuur bínnen de natuur. Het is een manier om een bewustzijnstoestand te ervaren zonder enige afleiding of verwachting. In die intuïtieve levenstoestand voel ik me pas echt vrij en harmonieus.

Waar ik ook ben in de wereld of welke top ik ook heb beklommen, de grootste vervulling in mijn leven houdt altijd verband met mensen. Ik prijs me gelukkig om deel te zijn van een grote internationale familie die bijeen wordt gehouden door een gemeenschappelijke passie. In al mijn ervaringen door de jaren heen bleef de simpele vreugde van het spel op de rotsen, samen met mijn vrienden, altijd de inspiratie van mijn liefde voor het klimmen. Wat ooit begon als een gewoon uitstapje naar een rotsgebied in het zuiden van Californië, zesentwintig jaar geleden, ontwikkelde zich tot een middel om me als persoon te ontwikkelen, een mogelijkheid om meer te leren over de wereld en die ervaringen met anderen te delen.